KB146333

# 일반기계공학
# 공식 & 해설

서영달 · 정지욱 ◆ 共著

자동차문화의 자존심
골든-벨

# Preface

# 머리말

수년간 자동차 공학과 일반기계 공학을 강의하면서 요즘 공대생과 공고생들의 공학계산에 대한 어려움 혹은 두려움의 소리를 많이 들었다.

인터넷을 통한 현재 학생들의 성격이 조금은 순간적이고, 감각적으로 변함에 따라 자신의 흥미를 불러일으키는 대상이나 분야에만 집중력과 열정을 다하는 경향이 있다.

그러다 보니 수학과 물리에 기초를 둔 공학을 잘 이해하고 싶지만, 이러한 성격 때문에 당장 시작한 공부를 포기하는 경향이 늘고 있는 것 같다.

예를 들면, 공학문제의 풀이 과정을 공부하는 도중에 "이 정도는 독자가 이해할 것이다" 라는 저자의 기준에 의해 "계산문제 풀이의 순서를 하나 생략" 하면, 왜 생략되었는지는 생각하지 않고, 먼저 짜증을 내며, 공부의 진도감을 느껴지지 못하여 공부를 내일로 미루다보니 결국 공학 과목의 포기로 이어진다.

## 1 이 책의 기본 방향은 현재 학생들의 성격을 바탕으로

- 계산 문제의 풀이 과정에 대한 순서를 거의 생략하지 않고 나열하여,
- 읽으면 이해가 되도록 즉, 공부에 실증내지 않고 계속할 수 있도록 하는데 있다.

## 2 이 책의 특징은

- 계산공식이 어떻게 유도되었는지에 대한 과정을 설명하였기 때문에, 읽으면서 공식을 쉽게 이해할 수 있다. 따라서 외워야 하는 계산 공식의 분량을 상당히 줄였다.
- 유도된 공식을 실제 문제에 적용하는 사례를 예제 문제를 통해서 설명하였다. 이 예제문제 만 철저히 공부한다면 일반기계, 건설기계, 자동차 등의 기계공학과 관련된 산업기사, 기사에 대한 계산문제는 모두 대비할 수 있다.

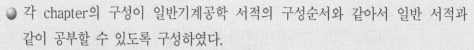

● 각 chapter의 구성이 일반기계공학 서적의 구성순서와 같아서 일반 서적과 같이 공부할 수 있도록 구성하였다.

● 자기진단에는 산업기사 및 기사의 일반기계공학 기출문제의 4지선다형 문제를 재료역학, 요소설계, 기계공작법, 유체기계 순으로 구성하여 실제 시험의 감각능력을 배양하도록 하였다.

## 3 이 책의 단점으로는

● 공식의 설명을 위한 글이 너무 길다는 것으로 공학계산에 자신이 있는 사람은 정리와 예제문제만을 다 이해하더라도 자격증을 취득하는데 문제가 없으리라 생각된다.

● 각 과목에 대한 좀더 넓은 부분, 즉 많은 부분(chapter)까지 설명하지 못했다는 점으로, 특히, 재료역학의 조합 응력 부분은 아쉬움으로 남는다.

이 책은 일반기계공학을 처음 접하는 분, 이제 막 일반기계공학을 시작하려는 분, 일반기계공학에 자신감이 없는 분에게는 기초와 자신감을 심어주리라고 확신한다. 앞으로 기회가 된다면, 일반기계공학 각 과목에 대한 계산공식을 많은 부분(chapter)까지 상세하게 서술한 책을 만들고 싶다.

그리고 이 책이 출판되기까지 고생하신 골든벨 관계자님들께 고마움을 전하며, 사랑하는 아내와 아들에게 이 책을 바친다.

지은이

# Contents

## 차 례

Contents

## Part.4 유체기계

Contents

# 1

# 재료역학

5.24789

$R_A + R_B - 500$
$= 0$

0.0557kgf

400-257cm

$T_r + T_a$

## PART 01 재료역학

## 01 응력과 변형, 안전율

### 1 응 력(stress)

재료에 외력을 가하면 변형과 동시에 저항이 발생하여 외력과 평형을 이룬다. 이 저항력을 내력(内力)이라고 하며, 단위 면적당의 내력의 크기를 응력이라고 하며 그 단위는 kgf/cm², 1b / in²을 사용한다.

#### ● 수직응력(normal stress)

재료에 작용하는 응력이 단면에 직각방향으로 작용할 때의 응력이다. 인장응력을 $\sigma_t$, 압축응력은 $\sigma_c$라고 할 때 그 크기는 아래와 같다.

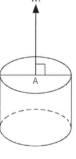

〈수직응력〉

- 인장응력 $(\sigma_t) = \dfrac{W_t}{A}$ (kgf/cm²)

- 압축응력 $(\sigma_c) = \dfrac{W_c}{A}$

여기서, 강조할 점은 $W_t$는 인장하중 $W_c$는 압축하중을 뜻하며, 단면적(cm²)인 $A$에 수직으로 작용해야 한다.

#### ● 전단응력 또는 접선응력(shearing stress)

재료의 단면에 평행하게 재료를 전단하려고 하는 방향으로 작용하는 외력을 전단하중($W_s$)이라고, 재료의 단면($A$)에 대하여 내력이 평행하게 발생하는 것을 전단응력($\tau$)이라고 한다. 이를 식으로 표현하면 다음과 같다.

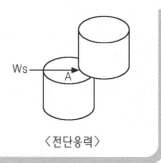

$$\bullet \ 전단응력 \ (\tau) = \frac{W_s}{A} \ (kgf/cm^2)$$

여기서 강조할 점은 재료의 단면($A$)의 방향과 전단하중
($W_s$)의 방향은 수평이다는 점이다.

〈전단응력〉

**예제 1** 두 힘 10kgf 과 30kgf 이 직교하고 있다. 합성하면 크기는 얼마가 되는가?(단, $\sqrt{10}$ = 3.16
으로 한다)

🌐 힘은 방향이 있는 벡터이므로, 또한 직교하고 있으므로, 힘의 합성($R$)은 다음과 같이
구한다.
$$R = \sqrt{F_1{}^2 + F_2{}^2} \qquad R = \sqrt{10^2 + 30^2} = 31.6kgf으로 계산된다.$$

**예제 2** 지름 3cm 의 둥근 봉을 5,000kgf 의 힘으로 당길 때 이 재료 내부에 발생하는 응력은 약 몇
kgf/cm² 인가?

🌐 인장력이 작용하고 있으므로, $(\sigma_t) = \frac{W_t}{A}$

$$\sigma_t = \frac{5000}{\frac{\pi}{4} \times 3^2} = 707.35kg/cm^2 = 707.35kg/cm^2으로 계산된다.$$

**예제 3** 그림과 같이 로프로 고정되어 A 점에 1000kgf의 무게를 매달 때
AC 로프에 생기는 응력은 약 몇 kgf/cm² 인가?(단, 로프 지름은
3cm이다.)

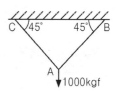

🌐 AC의 방향이 힘의 방향에 45°의 각도를 가지고 있으므로,
$$W_t = W \times \cos 45° = 1000 \times \cos 45°$$
$$\sigma_t = \frac{1000}{\frac{\pi}{4} \times 3^2} \times \cos 45 = 100kgf$$

**예제 4** 그림과 같은 봉에 인장력 P 가 작용하였을 때 A 부
분과 B 부분의 지름이 1 : 2 일 때 응력의 비 σA /
σB 는?

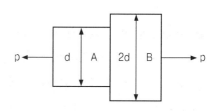

🌐 인장하중이 작용하므로, 아래 공식을 이용한
다.

$$(\sigma_t) = \frac{W_t}{A}, \quad \sigma_A = \frac{W_t}{A_1} = \frac{W_t}{\frac{\pi d^2}{4}} = \frac{4W_t}{\pi d^2}$$

$$\sigma_B = \frac{W_t}{A_2} = \frac{W_t}{\frac{\pi(2d)^2}{4}} = \frac{4W_t}{\pi 4d^2}, \quad \frac{\sigma_A}{\sigma_B} = \frac{\frac{4W_t}{\pi d^2}}{\frac{4W_t}{4\pi d^2}} = 4 \text{ 로 계산된다.}$$

**예제 5** 안지름이 110 cm인 두께가 얇은 원통 용기에 15 kgf/cm²인 가스를 넣으려면 용기의 두께는 몇 mm 이상인가?(단, 원통 재료의 허용응력은 750 kgf/cm²)

가스의 압력이 원통용기의 축방향으로 작용한다고 가정하면,

$$W = P \times A \,( P \text{는 가스의 압력}, A \text{는 원통용기의 원단면적})$$

$$W = 15 \times \frac{\pi 110^2}{4} \text{ kgf},$$

이 작용힘이 원통용기 중앙에 인장응력으로 작용한다면,

$$\sigma_t = \frac{W_t}{A}, \quad W = W_t \text{이고}, \text{ 면적}(A) = \text{원주길이} \times \text{두께} = \pi d \times t = \pi 110 \times t \text{ 이므로},$$

$$750 = \frac{\frac{15 \times \pi \times 110^2}{4}}{\pi 110 \times t}, \,( \sigma = \frac{P \times D}{2 \times t} \text{ 공식과 같음})$$

$$t = \frac{15 \times 110}{2 \times 750} = 1.1 \text{ cm} = 11 \text{mm}$$

**예제 6** 두께 4mm, 0.2% C 인 연강판에 지름 20mm 의 구멍을 펀칭할 때 소요되는 힘은?(단, 0.2% C 연강판의 전단 저항은 25kgf/mm²이다)

전단응력이 발생하고, 전단면적$(A)$ = 원주길이 × 연강판의 두께이므로,

$$A = \pi d \times t, \quad \tau = \frac{W_s}{A}, \text{이므로} \quad W_s = \pi d \times t \times \tau,$$

$$W_s = \pi \times 20 \times 4 \times 25 = 6283.18 \text{kgf}$$

**예제 7** 동일한 크기의 전단응력이 작용하는 원형 단면 보의 지름을 2배로 하면 전단응력은 얼마로 감소하는가?

전단응력이 작용하므로, $\tau = \frac{W_s}{A}$ 공식을 사용한다.

$$\tau_A = \frac{W_s}{A_1} = \frac{W_s}{\frac{\pi d^2}{4}} = \frac{4W_s}{\pi d^2}, \quad \tau_B = \frac{W_s}{A_2} = \frac{W_s}{\frac{\pi(2d)^2}{4}} = \frac{4W_s}{\pi 4d^2}$$

$$\frac{\tau_A}{\tau_B} = \frac{\frac{4W_s}{\pi d^2}}{\frac{4W_s}{4\pi d^2}} = 4 \text{ 로 계산된다. 즉 } \tau_B \text{ 는 } \tau_A \text{ 의 } \frac{1}{4} \text{로 된다.}$$

## 2 변형률(strain)

재료에 하중을 가하면, 그 내부에는 응력이 발생함과 동시에 변형이 일어난다. 이 때, 변형량을 원래의 길이로 나눈 것을 변형률이라고 한다. 외력에 의한 변형률은 다음과 같은 종류들이 있다.

### (1) 세로 변형률(longitudinal strain)

여기서 세로라는 말은 축방향을 의미한다. 즉, 축방향의 힘에 의한 변형을 세로변형이라 말할 수 있다.

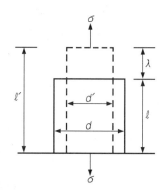

### ● 인장 변형률(tensile strain : 연신율)

인장변형률($\varepsilon_t$)이란 축방향의 힘에 의한 축방향의 늘어난 길이 변형량($\lambda$, $\Delta l$)이 원래의 길이($l$)에 대해 얼마나 되는지를 나타낸 값을 말한다. 식으로 표현하면 다음과 같다.

$\lambda (= \Delta l) = l' - l,$

여기서, $l'$는 축방향의 힘에 의해 늘어난 길이를 뜻하고, $l$은 원래의 길이를 말한다.

그러므로, $\varepsilon_t = \dfrac{l' - l}{l} = \dfrac{\lambda}{l}$ 으로 된다.

### ● 압축 변형률

압축변형률($\varepsilon_c$)이란 축방향의 힘에 의한 축방향의 줄어든 길이 변형량($\lambda$, $\Delta l$)이 원래의 길이($l$)에 대해 얼마나 되는지를 나타낸 값을 말한다. 식으로 표현하면 다음과 같다.

$\lambda (= \Delta l) = l' - l,$

여기서, $l'$는 축방향의 힘에 의해 줄어든 길이를 뜻하고, $l$은 원래의 길이를 말한다.

그러므로, $\varepsilon_c = \dfrac{l' - l}{l} = -\dfrac{\lambda}{l}$ 으로 된다.

여기서, (−)는 벡터의 방향을 의미하는 것이다. 즉, 늘어나는 방향을 (+)로 보았을 때, (−)는 줄어든다는 의미를 나타낸다. 이 말은 계산값의 부호에 의해 이것이 인장하중이 작용하는지, 압축하중이 작용하는지를 알 수 있다는 말이다.

## (2) 가로 변형률(laternal strain)

가로변형률($\epsilon'$)이란, 축방향의 힘에 의한 수직단면이 힘의 직각방향으로 변형되는 량($\delta$)이 원래의 단면 길이에 대해 얼마나 되는지를 나타낸 값을 말한다. 만일, 축의 단면이 원이라면, 변형량($\delta$)를 다음과 같이 표현할 수 있다.

$$\delta = d' - d,$$

여기서, $d'$는 축방향의 힘에 의해 수직단면이 힘의 직각방향으로 늘어난 직경을 뜻하고, $d$은 원래의 직경을 말한다.

그러므로, $\displaystyle \epsilon' = \frac{d' - d}{d} = \frac{\delta}{d}$

## (3) 전단 변형률(shearing strain)

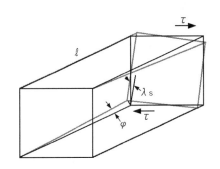

전단변형률($\gamma$)는 전단응력이 작용할 경우에 전단되어지는 두 평면사이의 거리($l$)에 대한 비틀려진 전단길이의 량($\lambda_s$)의 비를 말한다.

식으로 표현하면 다음과 같다.

$$\gamma = \frac{\lambda_s}{\ell} = \tan\phi \fallingdotseq \phi \ (\mathrm{rad})$$

여기서, $\phi$는 전단각을 나타내며, 미세하다고 가정하면 위와 같은 식으로 유도된다. 단위를 보면, 원의 반지름에 대한 원호의 길이라 할 수 있으므로 radian으로 표시된다고 할 수 있다.

## (4) 체적 변형률(volumetric strain)

체적변형률은 원래의 체적($V$)에 대한 변화된 체적량($\Delta V$)의 비를 말한다.

$$\epsilon_v = \frac{V' - V}{V} = \frac{\Delta V}{V}$$

---

**예제 1** 지름 42mm, 표점거리 200mm 의 연강제의 둥근 막대를 인장 시험한 결과 표점 거리 250mm로 되었다면 연신율은 몇 % 인가 ?

연신율이란 인장시험시의 세로 변형률을 말하므로,

$$\epsilon = \frac{\ell' - \ell}{\ell} \times 100, \ \ \epsilon = \frac{250 - 200}{200} \times 100 = 20\% \text{로 계산된다.}$$

**예제 2** 인장 시험편의 시험 전의 지름이 14mm, 시험 후 절단된 지름이 12.3mm 일 때 단면 수축률은 약 얼마인가?

단면수축율($\varepsilon_A$)이란 원래단면에 대한 단면수축량을 뜻하므로,

$$\varepsilon_A = \frac{\Delta A}{A} \text{ 로 표시된다.}$$

$$\varepsilon_A = \frac{\Delta A}{A} = \frac{\frac{\pi(d'^2 - d^2)}{4}}{\frac{\pi d^2}{4}} = \frac{d'^2 - d^2}{d^2} = \frac{14^2 - 12.3^2}{14^2} = 0.2281$$

그러므로 22.81%로 계산된다.

## 3 응력과 안전율

### ● 허용 응력($\sigma_a$ kgf/cm²)과 사용 응력($\sigma_w$ kgf/cm²)

외력에 의해 재료에 탄성한도 이상의 응력이 발생하면 재료는 영구 변형이 일어나 치수가 변화되며 파괴되기 쉽다. 또, 탄성한도를 넘지 않더라도 장기간 반복 하중을 받으면 재료에 피로가 발생한다. 이런 위험이 발생하지 않도록 하기 위해 재료에 발생하는 응력을 탄성한도 이내의 적은 값이 되게 하여야 하며, 이와 같은 안전상 허용할 수 있는 최대의 응력을 허용 응력($\sigma_a$)이라고 한다. 기계 및 구조물을 실제로 사용할 때 하중을 받아 발생하는 응력을 사용 응력 $\sigma_w$(working stress)이라 말하고, 사용 응력으로서 선정한 안전한 범위의 상한 응력을 허용 응력 $\sigma_a$(allowable stress)라고 한다.

### ● 안전율(안전계수:S)

재료의 인장강도(극한강도) $\sigma_u$ 와 $\sigma_a$ 와의 비율을 안전율 혹은 안전계수라고 한다. 여러 개념은 아래와 같다.

① 안전율($S$) $=\dfrac{\text{인장강도}(\sigma_u)}{\text{허용응력}(\sigma_a)}$

② 사용응력의 안전율($S_w$) $=\dfrac{\text{인장강도}(\sigma_u)}{\text{사용응력}(\sigma_w)}$

③ 항복점에 대한 안전율($S_{yp}$) $=\dfrac{\text{항복점의 강도}(\sigma_{yp})}{\text{허용응력}(\sigma_a)}$

**예제 1** 재료의 인장 강도 4200kgf/cm²연강제가 있다. 안전율이 10 이면 허용 응력은?

아래 식을 적용한다.

$$S = \frac{\sigma_t}{\sigma_a}, \qquad \sigma_a = \frac{4200}{10} = 420\text{kgf/cm}^2$$으로 계산된다.

**예제 2** 최대 인장력 2000kg 을 받을 수 있는 단면적 20mm² 인 정하중을 받는 특수강의 안전률이 4 일 때 허용 응력은 몇 kgf/mm² 인가?

$\sigma_a = \frac{W}{A}$ 이므로, $S = \frac{\sigma_t}{\sigma_a} = \frac{\frac{W}{A}}{\sigma_a}$

$$\sigma_a = \frac{\frac{2000}{20}}{4} = 25\text{kgf/mm}^2$$

**예제 3** 단면 6 cm×8 cm의 목재가 3000 kgf의 압축 하중을 받고 있다. 안전율을 7로 하면 사용응력은 허용응력의 몇 %가 되는가?(단, 목재의 인장강도는 550 kg/cm²이다.)

다음과 같이 계산한다.

$$허용응력 = \frac{인장강도}{안전율} = \frac{550}{7} = 78.57\text{kgf/cm}^2$$

$$사용응력 = \frac{하중}{단면적} = \frac{3000}{6 \times 8} = 62.5\text{kgf/cm}^2$$

$$비율 = \frac{사용응력}{허용응력} = \frac{62.5}{78.57} \times 100 = 79.6\%$$

**예제 4** 250kgf의 인장하중을 받은 연강봉 직경은 최소 몇 mm가 적합한가?(단, 재료의 극한강도는 36kgf/mm², 안전율은 3 이다.)

$\sigma_a = \frac{W}{A}$ 이므로, $S = \frac{\sigma_t}{\sigma_a} = \frac{36}{\sigma_a} = 3$,

$$\sigma_a = \frac{36}{3} = 12\text{kgf/mm}^2$$

$$\sigma_a = \frac{W}{A} = \frac{250}{A} = 12, \quad A = \frac{250}{12}\text{ mm}^2$$

여기서, $A = \frac{\pi d^2}{4}$ 이므로, $\frac{250}{12} = \frac{\pi d^2}{4}$,

$$d = \sqrt{\frac{250 \times 4}{\pi \times 12}} = 5.15\text{mm}$$

**1** Question

지름 10 mm의 원형단면 축에 길이 방향으로 785 kgf의 인장하중이 걸릴 때 하중방향에 수직인 단면에 생기는 응력은 몇 kgf/mm²인가?

 해설 인장력이 작용하고 있으므로,

$$(\sigma_t) = \frac{W_t}{A}$$

$$\sigma_t = \frac{785}{\frac{\pi}{4} \times 10^2} = 9.9949 \text{kgf/mm}^2$$

**2** Question

지름 10mm, 길이 1m인 연강 환봉이 하중 1ton을 받아 0.6mm 신장했다고 한다. 이 봉에 발생하는 응력은 약 몇 MPa인가?

 해설 인장력이 작용하고 있으므로,

$$(\sigma_t) = \frac{W_t}{A}$$

$$\sigma_t = \frac{1000}{\frac{\pi}{4} \times 10^2} = 12.732 \text{kgf/mm}^2,$$

$1\text{kgf} = 9.8\text{N},$

$1\text{mm}^2 = (0.001\text{m})^2 = 10^{-6}\text{m}^2$

$10^6 = M$ 이므로,

$$1\text{kgf/mm}^2 = \frac{9.8N}{10^{-6}\text{m}^2}$$

$$= 9.8 \times 10^6 \text{ N/m}^2$$
$$= 9.8 \times 10^6 \text{ Pa}$$
$$= 9.8 \text{ MPa}$$

위 식에 대입한다.

$$12.732\text{kgf/mm}^2 = 12.732 \times 9.8\text{MPa}$$
$$= 124.773\text{MPa}$$

**3** Question

그림과 같은 타원 단면을 갖는 봉이 하중 200kgf의 인장하중을 받는다. 이 봉에 작용한 인장응력은 몇 kgf/cm²인가?

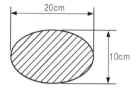

해설 인장력이 작용하고 있으며, 타원이므로

$$A = \frac{\pi ab}{4} = \frac{\pi (20 \times 10)}{4} \text{ cm}^2,$$

$$(\sigma_t) = \frac{W_t}{A},$$

$$\sigma_t = \frac{200}{\pi \times 20 \times \frac{10}{4}} = 1.273 \text{kgf/mm}^2$$

**4** Question

단면적 5cm²인 막대에 수직으로 20kgf의 압축하중이 작용한다면 이 때의 압축응력은 몇 kgf/cm²인가?

해설 아래의 압축응력 공식을 사용한다.

$$압축응력 (\sigma_c) = \frac{W_c}{A} 으로 계산된다.$$

$$\sigma_c = \frac{20}{5} = 4\text{kgf/mm}^2$$

**5** Question

지름이 50[mm]인 원형단면봉에 축하중 P = 1000[kgf]의 압축하중이 작용할 때 이 봉에 발생하는 압축응력은 몇 kgf/cm²인가?

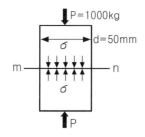

해설 아래의 압축응력 공식을 사용한다.

압축응력 $(\sigma_c) = \dfrac{W_c}{A}$ , 50mm=5cm 이므로,

$\sigma_c = \dfrac{1000}{\dfrac{\pi \times 5^2}{4}} = 50.93 \text{kgf/mm}^2$로 계산된다.

**6** Question

두께 3mm인 연강 판에 지름 30mm의 구멍을 펀칭할 때 펀칭력은 최소 약 몇 kgf 이상이어야 하나?(단, 연강 판의 전단 파괴강도는 25kgf/mm²이다.)

해설 전단응력이 발생하고, 전단면적($A$) = 원주길이 × 연강판의 두께이므로,

$A = \pi d \times t$, $\quad \tau = \dfrac{W_s}{A}$ 이므로

$W_s = \pi d \times t \times \tau$,

$W_s = \pi \times 30 \times 3 \times 25 = 7068.58 \text{kgf}$

**7** Question

두께 1.5mm인 연강판에 지름 25mm의 구멍을 펀칭할 때 펀칭력은 약 몇 kgf 이상이어야 하는가 ?

해설 전단응력이 발생하고, 전단면적($A$) = 원주길이 × 연강판의 두께이므로,

$A = \pi d \times t$, $\quad \tau = \dfrac{W_s}{A}$ 이므로

$W_s = \pi d \times t \times \tau$,

$W_s = \pi \times 25 \times 1.5 \times 20 = 2356.2 \text{kgf}$

**8** Question

시험전 시험편의 지름이 40mm이고, 시험후 시험편의 지름이 30mm이었다. 이 경우 단면수축율(%)은 얼마인가?

해설 단면수축율($\varepsilon_A$)이란 원래단면에 대한 단면수축량을 뜻하므로,

$\varepsilon_A = \dfrac{\Delta A}{A}$ 로 표시된다.

$\varepsilon_A = \dfrac{\Delta A}{A} = \dfrac{\dfrac{\pi(d'^2 - d^2)}{4}}{\dfrac{\pi d^2}{4}}$

$= \dfrac{d'^2 - d^2}{d^2} = \dfrac{40^2 - 30^2}{40^2}$

$= 0.4375$

그러므로, 43.75%로 계산된다.

**9** Question

연강봉의 지름이 10mm 이고 길이가 1m 인 봉에 인장 하중 5ton 을 작용시켰더니 1.02m 로 늘어났다. 인장 변형률은 얼마인가 ?

해설 인장변형률이란 인장시험시의 세로 변형률을 말하므로,

$\varepsilon = \dfrac{\ell' - \ell}{\ell} \times 100$,

$\varepsilon = \dfrac{1.02 - 1}{1} \times 100 = 2\%$로 계산된다.

**10** Question

길이 30cm의 봉이 인장력을 받아 1.5mm 신장되었을 때 길이 방향 변형률은?

해설 인장변형률이므로,

$\varepsilon = \dfrac{\ell' - \ell}{\ell}$, 30cm=300mm 이므로,

$\varepsilon = \dfrac{1.5}{300} = 0.005 = 5 \times 10^{-3}$로 계산된다.

## 11 Question

길이 50cm인 연강재의 환봉에 인장력이 작용하여 길이가 60cm로 늘어났을 때 이 재료의 연신율은 얼마인가 ?

**해설** 연신율이란 인장시험시의 세로 변형율을 말하므로,

$$\varepsilon = \frac{\ell' - \ell}{\ell} \times 100$$

$$\varepsilon = \frac{60 - 50}{50} \times 100 = 20\% \text{로 계산된다.}$$

## 12 Question

단면적 600 mm² 인 봉에 600 kgf의 추를 달았더니 허용인장응력에 도달하였다. 이 봉의 인장강도가 500 kgf/cm² 이라고 하면 안전계수는 얼마인가?

**해설** 허용응력 $\sigma_a = \dfrac{W}{A}$ 이므로,

1mm = 0.1cm 이므로,

$$\sigma_a = \frac{600}{600} = 1\text{kgf/mm}^2 = 100\text{kgf/cm}^2,$$

$$S = \frac{\sigma_t}{\sigma_a} = \frac{500}{100} - 5\text{로 계산된다.}$$

## 13 Question

인장강도가 48 kgf/mm² 되는 기계 구조 용강을 안전율 8로 하면 허용 인장응력은 몇 kgf/mm² 인가?

**해설** $S = \dfrac{\sigma_t}{\sigma_a}$ 에서

$$\sigma_a = \frac{\sigma_t}{S} = \frac{48}{8} = 6\text{kgf/cm}^2\text{으로 계산된다.}$$

## 14 Question

단면적 60cm²인 기둥이 5000kgf 의 하중을 받고 있다면 기둥재료의 극한 강도를 550kgf/cm²라 할 때 안전율은?

**해설** 허용응력 $\sigma_a = \dfrac{W}{A}$ 이므로,

$$\sigma_a = \frac{5000}{60} = 83.33 \text{ kgf/cm}^2,$$

$$S = \frac{\sigma_t}{\sigma_a} = \frac{550}{83.33} = 6.6\text{로 계산된다.}$$

## 15 Question

탄성한도 내에서 인장하중을 받는 봉의 허용응력이 2배가 되면 안전율은 처음에 비해 몇 배가 되는가?

**해설** $S_1 = \dfrac{\sigma_t}{\sigma_a}$ 에서 허용응력을 2배하였으므로, 분모에 $2\sigma_a$를 대입하면,

$$S_2 = \frac{\sigma_t}{2\sigma_a} = \frac{1}{2} S_1\text{으로 계산된다.}$$

## 02　Hooke의 법칙과 프와송의 비

### 1　Hooke의 법칙

하중에 의해서 늘어난 양(신장량 : 伸長量)을 $\delta$ 라 하면, 이 신장량은 재료에 작용한 하중( $W$ )와 재료의 길이( $l$ )에 비례하고, 재료의 단면적( $A$ )에는 반비례할 것이다. 이를 식으로 표현하면 다음과 같다.

$$\delta \propto \frac{Wl}{A},$$

이 식은 아래와 같이 비례상수( $E$ )의 항으로 표시할 수 있다.

$$\delta = \frac{1}{E} \cdot \frac{Wl}{A} = \frac{Wl}{AE},$$

여기서, $\sigma = \dfrac{W}{A}$ , $\varepsilon = \dfrac{\delta}{l}$ 이므로, 위 식에 대입하자.

$$\varepsilon = \frac{\sigma}{E} \quad \text{또는} \quad \sigma = E \cdot \varepsilon, \quad E = \frac{\sigma}{\varepsilon} = \frac{\frac{W}{A}}{\frac{\delta}{l}} = \frac{Wl}{A\delta} \ (\text{kgf/cm}^2)$$

위와 같이 비례상수( $E$ )가 유도되었는데, 즉, $\dfrac{\text{응력}(\sigma)}{\text{변형률}(\varepsilon)} = \text{상수(constant)}$

이 상수를 탄성계수라 하며, 그 단위는 kgf/cm², 1b / in²이다.

### 2　탄성계수의 종류

#### ● 세로탄성계수(E)

수직응력( $\sigma$ )과 세로변형률( $\varepsilon$ )이 Hooke 법칙에 의하여 정비례 관계일 때의 비례상수를 세로 탄성계수(종탄성계수) 또는 Young 계수라고 한다.

$$E = \frac{\sigma}{\varepsilon}, \quad \sigma = E\varepsilon$$

단면적 $A$, 길이 $\ell$ 인 재료에 $W$ 의 인장하중 또는 압축 하중을 가하였을 때 늘어남 및 수축(변형)량을 $\lambda$ 라 하면, $W$ 를 다음과 같이 구할 수 있다.

$\sigma = \dfrac{W}{A}$, $\varepsilon = \dfrac{\lambda}{l}$ 이므로, 대입하면

$$E = \frac{\sigma}{\varepsilon} = \frac{\dfrac{W}{A}}{\dfrac{\lambda}{l}} = \frac{Wl}{A\lambda}, \qquad \lambda = \frac{Wl}{AE} = \frac{\sigma l}{E}, \qquad W = \frac{AE\lambda}{l}$$

## ● 가로탄성계수(G)

탄성한도 내에서 전단응력($\tau$)와 이에 따른 전단변형률($\gamma$)와의 비는 같은 재료에 대하여 일정하며, 이 상수를 가로 탄성계수(횡탄성계수) 또는 전단탄성계수라고 한다. 식으로 표시하면 다음과 같다.

$$G = \frac{\tau}{\gamma} \quad \text{또는} \quad \tau = \gamma G$$

여기서, $\tau = \dfrac{W_s}{A}$, $\gamma = \dfrac{\lambda_s}{l} = \phi$를 위 공식에 대입하면

$$G = \frac{\tau}{\gamma} = \frac{\dfrac{W_s}{A}}{\dfrac{\lambda_s}{l}} = \frac{W_s l}{A\lambda_s} = \frac{W_s}{A\phi}, \qquad \lambda_s = \frac{W_s l}{AG} = \frac{\tau l}{G}, \qquad \phi = \frac{W_s}{A \cdot G}, \qquad W_s = AG\gamma$$

으로 변화된다.

## ● 체적탄성계수(K)

수직응력 $\sigma$와 체적변형률 $\varepsilon_v$와의 비는 같은 재료에 대하여 일정하며, 이 상수를 체적 탄성계수($K$)라고 한다.

$$K = \frac{\sigma}{\varepsilon_v} = \frac{\dfrac{F}{A}}{\dfrac{\Delta V}{V}} = \frac{FV}{A\Delta V} \ (\text{kgf/cm}^2)$$

입방체의 한 변의 길이를 $\ell$, 변화량을 $\lambda$ 라고 하면,

변형 후의 한 변의 길이 $l' = l \pm \lambda$ 로 표시된다. 여기서 (+)는 인장력에 의한 늘어날 때를 말하고, (−)는 압축력에 의한 수축할 때를 말한다.

$$\varepsilon_v = \frac{\Delta V}{V} = \frac{V' - V}{V} = \frac{(l \pm \lambda)^3 - l^3}{l^3} = \pm 3\frac{\lambda}{l} + 3\left(\frac{\lambda}{l}\right)^2 \pm \left(\frac{\lambda}{l}\right)^3 \fallingdotseq \pm 3\frac{\lambda}{l}$$

위 식에서 $\left(\dfrac{\lambda}{\ell}\right)^2$ 이상의 승수는 아주 작은 값이므로 무시한다고 가정하면, 입방체의 체적변형율은 직선변형률의 3배라고 할 수 있다.

**예제 1** 단면적 1cm², 길이 4m 인 강선(鋼線)에 2ton 의 하중을 작용시키면 그 신장(늘음)은 몇 cm 가 되겠는가 ?(단, 연강(軟鋼)의 E = $2 \times 10^6$ kgf/cm² 이다)

위를 참조하면 아래 식을 유도하였다.

$\lambda = \dfrac{Wl}{AE} = \dfrac{\sigma l}{E}$ , 이 식을 외워서 풀어도 되지만, 유도과정을 알고 있으면 외우지 않아도 된다.

$\lambda = \dfrac{W \times \ell}{A \times E}$ , 여기서, 종탄성계수( $E$ )의 길이 단위가 cm로 나와 있으므로, $A$, $l$ 의 단위를 cm로 환산하여 대입한다.

$\lambda = \dfrac{2000 \times 400}{1 \times 2 \times 10^6} = 0.4$cm

**예제 2** 단면적 20cm² 의 재료에 6,000kgf 의 전단 하중이 작용하고 있다. 이때 이 재료의 전단 변형률은?(단, G = 0.8 × 106 kgf/cm² 이다)

유도과정을 알면 쉽게 풀 수 있다.

$G = \dfrac{\tau}{\gamma} = \dfrac{\dfrac{W_s}{A}}{\gamma} = \dfrac{W_s}{A\gamma}$ ,    $\gamma = \dfrac{W_s}{GA}$ ,

$\gamma = \dfrac{6000}{20 \times 0.8 \times 10^6} = 3.75 \cdot 10^{-4}$

## 3 포와송비(Posisson's ratio)

재료에 축방향으로 하중을 가하면 세로 변형과 가로 변형이 발생한다. 이때 탄성한도 내에서는 세로 변형률 $\varepsilon$ 과 가로 변형률 $\varepsilon'$ 와의 비율은 일정한 관계를 갖고 있다.

이 비율을 포와송비라고 하며, 기호로 $\upsilon$, $\mu$ 또는 $\dfrac{1}{m}$ 로 표시한다.

포와송 비 = $\dfrac{\text{가로변형율}}{\text{세로변형율}} = \dfrac{\varepsilon'}{\varepsilon}$

$$\nu = \mu = \dfrac{1}{m} = \left| \dfrac{\varepsilon'}{\varepsilon} \right| = \dfrac{\dfrac{\delta}{d}}{\dfrac{\lambda}{l}} = \dfrac{\delta l}{d\lambda}$$

그리고 포와송비의 역수 $m$ 을 포와송수라고 한다.

**예제 1**  지름 20mm, 길이 200mm 의 환봉(丸棒)이 인장 하중을 받아 0.2mm 늘어났고 동시에 지름이 0.004 수축하였다. 이 재료의 포와송의 비는 얼마인가?

유도된 아래의 식을 이용한다.

$$\mu = \frac{1}{m} = \left| \frac{\varepsilon'}{\varepsilon} \right| = \frac{\dfrac{\delta}{d}}{\dfrac{\lambda}{l}} = \frac{\delta l}{d\lambda}$$

여기서 $\lambda$는 팽창량(mm), d는 지름(mm), $\delta$는 수축량(mm), $\ell$ 은 길이(mm)를 뜻한다. 그대로 대입한다.

$$\mu = \frac{0.004 \times 200}{20 \times 0.2} = 0.2 = \frac{1}{5} \text{ 로 계산된다.}$$

## ④ 열에 의한 응력(열응력)

온도 $t_1$ ℃에서 길이 $\ell$ 이었던 것이 온도 $t_2$ ℃에서 $\ell'$ 로 되었다면, 자유로운 상태에서 늘어난 량( $\lambda$ )는

$$\lambda = l' - l = \alpha(t_2 - t_1)l = \alpha \cdot \Delta t \cdot l$$

여기서, $\alpha$ 는 선팽창계수를 나타낸다.

따라서 $l' = l + \lambda = l + \alpha(t_2 - t_1)l$ 이며, 변형률 $\varepsilon$ 는 아래와 같다.

$$\varepsilon = \frac{\alpha(t_2 - t_1)l}{l} = \frac{\lambda}{l}$$

$$\varepsilon = \frac{\lambda}{l} = \alpha(t_2 - t_1)$$

이 자유로운 팽창을 억제하면 압축 상태가 되므로,

$$\lambda = \alpha(t_2 - t_1)l$$

$$\therefore \ \varepsilon = \alpha(t_2 - t_1)$$

이때 재료에 생기는 열응력을 $\sigma$, 탄성계수를 $E$ 라면

$$\sigma = E\varepsilon = E\alpha(t_2 - t_1)$$

또, 작용력( $W$ )을 구할 때에는

$$W = \sigma A = AE\alpha(t_2 - t_1)$$
$$= AE\alpha\Delta t \ (\text{kgf})$$

로 유도할 수 있다.

**예제 1** 강철 나사 막대를 기온이 30℃인 경우에 240kgf/cm²의 인장 응력을 발생시켜 놓고 고정하였다. 그리고 기온을 60℃로 상승시키면 응력은 몇 kgf/cm²인가?(단, E $= 2\times10^{6}$ kgf/cm², $\alpha = 1\times10^{-5}$ / ℃)

위의 유도 공식을 이용한다.

$$\sigma = E \times \alpha(t_2 - t_1)$$

여기서, $t_2$는 변화 후 온도(℃), $t_1$은 변화 전 온도(℃)를 나타낸다.

$$\sigma = 2 \times 10^{6} \times 1 \times 10^{-5}(60 - 30) - 240 = 360 \text{kgf/cm}^2$$

part1. 재료역학

## 단원익힘문제

**1** Question

길이 15m, 지름 10mm의 강(鋼) 봉에 800kgf의 인장 하중을 걸었을 때 탄성 변형이 생겼다면 이때 늘어난 길이는?(단, 이 재료의 탄성 계수 E의 값은 $2.1\times10^4$ kgf/mm²이다)

 **해설** 아래 식에 그대로 대입한다.

$\lambda = \dfrac{W \times \ell}{A \times E}$, $A = \dfrac{\pi d^2}{4}$ 이므로,

$$\lambda = \frac{800 \times 15000}{\frac{\pi}{4} \times 10^2 \times 2.1 \times 10^4} = 7.275 \text{mm}$$

**2** Question

단면 2.5cm × 2cm, 길이 3m의 연강봉에 5,000kgf의 인장 하중이 작용하면 몇 cm 늘어나는가?(단, E $= 2\times10^6$ kgf/cm²이다)

 **해설** 아래 식에 그대로 대입한다.

$\lambda = \dfrac{W \times \ell}{A \times E}$, $A = b \times h$ 이므로,

$$\lambda = \frac{W \times \ell}{b \times h \times E},$$

$$\lambda = \frac{5000 \times 300}{2.5 \times 2 \times 2 \times 10^6} = 0.15 \text{cm}$$

**3** Question

직경 20mm인 원형 단면의 연강봉에 5000kgf의 인장 하중을 작용시키면 신장량은 얼마나 되는가?(단, 봉의 길이는 1m로 한다. 세로 탄성계수 E $= 2.1\times10^6$ kgf/cm²)

**해설** 아래 식에 그대로 대입한다.

$\lambda = \dfrac{W \times \ell}{A \times E}$, $A = \dfrac{\pi d^2}{4}$ 이므로,

$$\lambda = \frac{5000 \times 100}{\frac{\pi}{4} \times 2^2 \times 2.1 \times 10^6} = 0.07578 \text{ cm}$$

$$= 7.9 \text{mm로 계산된다.}$$

**4** Question ●────────────────────●

단면이 2 cm×3 cm, 길이 2 m의 연강봉에 49000 N의 인장하중이 작용한다면 몇 mm 늘어나는가? (단, 세로 탄성계수 E=2.058×106 N/cm²이다.)

**해설** 아래 식에 그대로 대입한다.

$\lambda = \dfrac{W \times \ell}{A \times E}$ , $A = b \times h$ 이므로,

$\lambda = \dfrac{W \times \ell}{b \times h \times E} = \dfrac{49000 \times 200}{2 \times 3 \times 2.058 \times 10^6}$

=0.79cm로 계산된다.

**5** Question ●────────────────────●

길이 2m, 지름 10mm인 원형봉이 2000kgf의 축 방향 인장하중을 받고 2mm늘어났다면 재료의 종 탄성계수의 값은 약 몇 kgf/cm² 인가 ?

**해설** 아래 식을 활용한다.

$\lambda = \dfrac{W\ell}{AE}$ 을 변형한다.

$E = \dfrac{W\ell}{A\lambda} = \dfrac{2000 \times 200}{\dfrac{\pi \times 1^2}{4} \times 0.2} = 2547770$

$= 2.55 \times 10^6 \text{kgf/cm}^2$으로 계산된다.

## 03  축의 비틀림

### 1 단면 계수와 단면 2차모멘트(관성모멘트)

#### ● 도심거리와 단면 1차모멘트

사각형 A, B, C로 이루어진 재료의 그림을 보면서 알아보자.

여기서 X축을 중심으로 하고 도심거리($y$)를 구해보자.

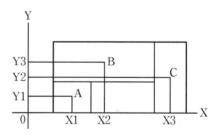

$$y = \dfrac{\int y_t dA_t}{A_t} \quad \text{.............................. [1식]}$$

로 표시할 수 있다. 여기서 $A_t$는 A, B, C사각형으로 이루어진 전체 면적($A_A + A_B + A_C$)을 의미하고, $y_t$는 각 사각형의 도심거리를 말한다. 1식은 다음 같이 쓸 수 있다.

$$y = \dfrac{\int y_t dA_t}{A_t} = \dfrac{Y_1 \times A_A + Y_3 \times A_B + Y_2 \times A_C}{A_A + A_B + A_C}$$

여기서 Y축을 중심으로 하고 도심거리($x$)를 구해보자.

$$x = \frac{\int x_t dA_t}{A_t} \quad \text{.............................................} \quad \text{[2식]}$$

로 표시할 수 있다. 여기서 $A_t$는 A, B, C사각형으로 이루어진 전체 면적 $(A_A + A_B + A_C)$을 의미하고, $x_t$는 각 사각형의 도심거리를 말한다. 2식은 다음 같이 쓸 수 있다.

$$x = \frac{\int x_t dA_t}{A_t} = \frac{X_1 \times A_A + X_2 \times A_B + X_3 \times A_C}{A_A + A_B + A_C}$$

여기서, 분자와 같이 미소면적에 기준 축까지의 거리를 곱한 후, 적분한 것을 단면1차 모멘트(First moment of area)라 부른다.

## ● 단면계수와 관성모멘트

오른쪽의 그림을 참조한다.

직각 단면의 중심 $O$에서 3축 $XX$, $YY$, $ZZ$ 가 서로 직교한다. 중심 $O$으로부터 임의의 거리 ($\rho$)의 2승에 미소 면적 $dA$를 곱한 것을 $ZZ$축에 대한 극단면 2차 모멘트(극관성 모멘트) $I_P$라고 한다. 식으로 표현하면 다음과 같다.

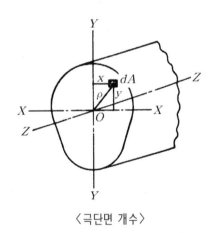

$$I_P = \int_A \rho^2 dA = \int_A (x^2 + y^2) dA$$
$$= \int_A x^2 dA + \int_A y^2 dA = I_X + I_Y$$

〈극단면 개수〉

여기서, 극관성 모멘트의 단위는 거리의 제곱과 면적의 곱이므로 길이의 4승이 단위가 된다. 즉 $cm^4$, $mm^4$ 등이다.

위 식에서 단면을 원형(실체축)이라고 가정하면,

$$I_X = I_Y = \frac{\pi d^4}{64} \text{이므로,} \quad I_P = 2I = 2 \times \frac{\pi d^4}{64} = \frac{\pi d^4}{32}$$

단면을 중공(中空)이라고 가정하면, 바깥지름 $d_2$, 안지름을 $d_1$이면

$$I_P = \frac{\pi}{32} (d_2{}^4 - d_1{}^4)$$

그러면, 극단면 계수($Z_p$)를 표현해보자.

$$Z_p = \frac{I_p}{\frac{h}{2}}$$
　　　　　여기서, h는 재료의 단면 세로(높이)를 말한다.

단면을 원형(실체축)이라고 가정하면, $h = d = 2r$이므로, 위 식에 대입하면

$$Z_p = \frac{I_p}{\frac{d}{2}} = \frac{I_p}{r}$$
　　　여기서, $d$는 단면의 직경을 말한다.

$$Z_P = \frac{\frac{\pi d^4}{32}}{\frac{d}{2}} = \frac{\pi d^3}{16}$$
　　로 유도된다.

단면을 중공축이라고 가정하면, $h = d_2$ ,

여기서, $d_2$는 중공축의 외경을 말한다.

$$Z_P = \frac{\frac{\pi}{32}(d_2^4 - d_1^4)}{\frac{d_2}{2}} = \frac{\pi}{16}\left(\frac{d_2^4 - d_1^4}{d_2}\right)$$

로 유도된다.

## ● 단면계수 정리

아래 그림에서 $G$는 도심을 나타내고, $y_1, y_2$는 도심에서 단면의 가장자리까지의 거리를 나타낸다. 도심축($x$축)에 대한 난면2차 모멘트를 $I_x$라 할 때, 단면계수(Section modulus) $Z$는 다음과 같이 정의한다.

$$Z_1 = \frac{I_x}{y_1} \ , \ Z_2 = \frac{I_x}{y_2}$$

### ● 직사각형 단면계수

도심을 지나는 관성모멘트($I_x$) = $\dfrac{bh^3}{12}$ 이므로,

$y_1 = y_2 = \dfrac{h}{2}$, $Z = \dfrac{I_x}{y}$ 에 대입하자.

$$Z_1 = Z_2 = \frac{I_x}{y} = \frac{\frac{bh^3}{12}}{\frac{h}{2}} = \frac{bh^2}{6}$$
　　으로 유도된다.

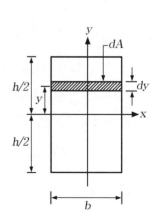

## • 삼각형 단면계수

도심을 지나는 관성모멘트$(I_x) = \dfrac{bh^3}{36}$ 이므로,

도심거리가 이의 $\dfrac{1}{3}$ 지점에 작용할 경우,

$y = \dfrac{h}{3}$, $Z = \dfrac{I_x}{y}$ 에 대입하자.

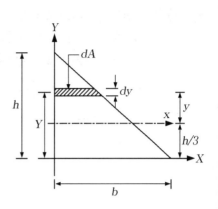

$$Z_1 = \frac{I_x}{y} = \frac{\dfrac{bh^3}{36}}{\dfrac{h}{3}} = \frac{bh^2}{12}$$ 으로 유도된다.

도심거리가 높이의 $\dfrac{2h}{3}$ 지점에 작용할 경우, $y = \dfrac{2h}{3}$, $Z = \dfrac{I_x}{y}$ 에 대입하자.

$$Z_2 = \frac{I_x}{y} = \frac{\dfrac{bh^3}{36}}{\dfrac{2h}{3}} = \frac{bh^2}{24}$$ 으로 유도된다.

## • 원형 단면계수

도심을 지나는 관성모멘트$( I_x) = \dfrac{\pi d^4}{64}$ 이므로,

$y_1 = y_2 = \dfrac{d}{2}$, $Z = \dfrac{I_x}{y}$ 에 대입하자.

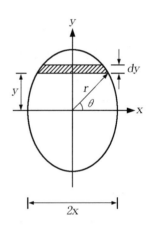

$$Z_1 = Z_2 = \frac{I_x}{y} = \frac{\dfrac{\pi d^4}{64}}{\dfrac{d}{2}} = \frac{\pi d^3}{32}$$ 으로 유도된다.

**예제 1** 그림과 같은 폭 b : 24cm 인 직사각 단면의 Z 축에 대한 단면계수 값은 얼마인가?

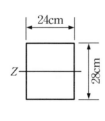

도심을 지나는 관성모멘트$(I_x) = \dfrac{bh^3}{12}$ 이므로, $y = \dfrac{h}{2}$,

$Z = \dfrac{I_x}{y}$ 에 대입하자.

$$Z = \frac{I_x}{y} = \frac{\dfrac{bh^3}{12}}{\dfrac{h}{2}} = \frac{bh^2}{6}$$ 으로 유도된다.

$$Z = \frac{1}{6} \times 24 \times 28^2 = 3136 \text{cm}^3$$

**예제 2** 그림과 같은 내측이 비어 있는 단면의 보에서 X - X′ 축에 대한 단면 2차 모멘트는 약 몇 cm⁴ 인가?(단, 직사각형 외측높이는 25cm, 폭은 20cm 이고, 내측의 높이는 15cm, 폭은 10cm 임)

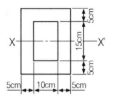

도심을 지나는 관성모멘트($I_x$) $= \dfrac{bh^3}{12}$ 이므로, 큰면적의 관성모멘트 - 작은 면적의 관성모멘트를 하면 된다. 식으로 표현하면 다음과 같다.

$$I = I_2 - I_1 = \frac{BH^3 - bh^3}{12} = \frac{1}{12}(20 \times 25^3 - 10 \times 15^3) = 23229 \text{cm}^4$$

## 2 원형 단면축의 비틀림

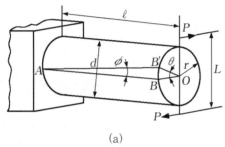
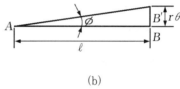

| (a) | (b) |

〈축의 비틀림〉

길이 $\ell$, 반지름 $r$ 인 원형 단면을 가진 축에 한쪽 끝을 고정하고, 다른 쪽 끝에 우력($W$)을 가하면 비틀림이 발생함으로써 축의 표면상 모선 $AB$는 $AB'$로 이동한다. 이때 모선 $AB$와 $AB'$ 사이의 각 ø는 아주 작은 각이므로 전단 변형률($\gamma$)는

$$\gamma = \frac{\text{변형원호}}{\text{원래길이}},$$

$$\gamma = \frac{BB'}{AV} = \frac{r\theta}{l} = \tan\psi \fallingdotseq \psi(\text{radian})$$

으로 유도된다.($\phi$는 미세각이기 때문이다.)

전단 변형률에 의해 생기는 전단응력 $\tau_a$는 가로탄성계수를 $G$로 하면

$$\tau_a = G\gamma = G\frac{r\theta}{l} \quad \text{또는} \quad \tau = G\frac{\theta}{l}r$$

## 3 비틀림 저항 모멘트

축의 직각단면에 발생하는 응력 발생분포로서 반지름 $r$의 축 표면상의 전단응력을 $\tau$로 하고, 중심으로부터 임의의 반지름 $\rho$위치에 발생하는 응력을 $\tau_\rho$라 하면,

응력은 각각의 반지름에 비례하므로 $\dfrac{\tau_\rho}{\tau_a} = \dfrac{\rho}{r}$ 에서 $\tau_\rho = \tau_a \dfrac{\rho}{r} = \dfrac{\rho\theta}{l} G$

또 단면중심 $O$으로부터 임의의 반지름 $\rho$의 위치에 미소 면적 $dA$의 원형을 고려하면, 그 단면 중에 생기는 전단력은 $\tau_\rho dA$ 가 된다.

이 전단력의 중심 $O$에 대한 비틀림 모멘트를 $dT$라 하면

$$dT = \rho\tau_\rho dA = \rho\tau_a \dfrac{\rho}{r} dA = \dfrac{\tau_a}{r}\rho^2 dA$$

이와 같이, 모멘트를 중심 $O$에서 반지름 $r$까지 단면 전체에서 구한 총합을 비틀림 저항 모멘트라 하며, 비틀림 저항 모멘트 $T'$는 비틀림 모멘트 $T$에 저항하여 발생한 것으로 크기는 같고 방향을 반대이다.

$$T = T' = \int dT = \dfrac{\tau_a}{r}\int \rho^2 dA$$

여기서, $\int \rho^2 dA$는 중심에 관한 단면의 극관성 모멘트($I_P$)이므로, $I_P$는 단면 형상과 크기에 의해 일정한 값을 가지므로, $\int \rho^2 dA = I_P$을 위 식에 대입하자.

$$T = \tau_a \dfrac{I_P}{r} \quad \text{또는} \quad \tau_a = \dfrac{Tr}{I_P}$$

위 식에서 $\dfrac{I_P}{r}$도 단면 형상에 의하여 특유한 값이므로, 이를 극단면 계수 $Z_P$라 하므로,

$$T = \tau_a \cdot Z_P, \quad \tau_a = \dfrac{T}{Z_p}$$

으로 유도된다. 여기서, $I_P$의 단위는 cm$^4$, $Z_P$의 단위는 cm$^3$이다.

---

**예제 1** 3,000kgf - cm 의 비틀림 모멘트가 작용하는 지름 10cm 환봉 축의 최대 전단 응력은 몇 kgf/cm$^2$ 인가 ?

$\tau_a = \dfrac{T}{Z_p}$ 를 이용한다. 원형환봉이므로, $Z_p = \dfrac{\pi d^3}{16}$ 을 대입하면

$\tau_a = \dfrac{16 \times T}{\pi \times d^3}$ 으로 유도된다. $\tau_a = \dfrac{16 \times 3000}{\pi \times 10^3} = 15.2788 \text{kgf/cm}^2$

**예제 2** 중공단면축의 바깥지름 do=5cm, 안지름 di=3cm, 허용전단응력 w=300kgf/cm²일 때 비틀림 모멘트는?

🔵 $\tau_a = \dfrac{T}{Z_p}$ 를 이용한다. 중공환봉이므로, $Z_p = \dfrac{\pi}{16}\left(\dfrac{d_2^4 - d_1^4}{d_2}\right)$을 대입하면

$$T = \tau_a \times Z_p = 300 \times \dfrac{\pi}{16}\left(\dfrac{5^4 - 3^4}{5}\right) = 6408.849\text{kgf-cm}$$으로 계산된다.

**예제 3** 950 kgf.m의 비틀림 모멘트만을 받는 둥근 중심축의 축 지름은 몇 약 mm 인가?(단, 허용 비틀림응력이 6.5 kgf/mm²이다.)

🔵 $\tau_a = \dfrac{T}{Z_p}$ 를 이용한다. 원형환봉이므로, $Z_p = \dfrac{\pi d^3}{16}$ 을 대입하면

$$\tau_a = \dfrac{16 \times T}{\pi \times d^3}, \quad d^3 = \dfrac{16 \times T}{\pi\tau_a}$$으로 유도된다.

$$d = \sqrt[3]{\dfrac{16 \times T}{\pi\tau_a}} = \sqrt[3]{\dfrac{16 \times 950000}{\pi \times 6.5}} = 90.62\text{mm}$$로 계산된다.

**예제 4** 지름이 4cm 인 봉에 20kgf-m 의 비틀림 모멘트가 작용하고 있다. 봉에 발생하는 최대 전단 응력은 몇 kgf/cm² 인가?

🔵 $\tau_a = \dfrac{T}{Z_p}$ 를 이용한다. 원형환봉이므로, $Z_p = \dfrac{\pi d^3}{16}$ 을 대입하면

$$\tau_a = \dfrac{16 \times T}{\pi \times d^3}$$으로 유도된다. 1m=100cm 이므로,

$$\tau_a = \dfrac{16 \times 20 \times 100}{\pi \times 4^3} = 159.15\text{kgf/cm}^2$$

## 4 축의 강도와 지름

원형축의 비틀림 모멘트 및 비틀림 응력은 아래와 같다.

$$T = \tau_a \cdot Z_P = \tau_a \dfrac{\pi d^3}{16} \ \text{에서} \ \ \tau = \dfrac{16T}{\pi d^3} \qquad \therefore \ d = \sqrt[3]{\dfrac{16T}{\pi\tau}}$$

그리고 중공축의 경우에는

$$T = \tau \cdot Z_P = \tau \dfrac{\pi}{16}\left(\dfrac{d_2^4 - d_1^4}{d_2}\right) \ \text{에서 지름을 구할 수 있다.}$$

※ 〈주의사항〉 축의 강도에 의한 지름 설계, 축의 강성에 의한 지름 설계, 전달마력 구하기 등은 "기계요소" 과목과 중첩이 되므로, 여기서는 생략을 하고 "기계요소" 과목에 자세하게 설명하였다.

## 1 보의 반력(反力)

### (1) 보의 평형 조건

다음의 2가지 조건을 가진다.

① 외력(外力 : $P$)의 대수합은 0이다. 이를 식으로 표현하면 다음과 같다.

$$\Sigma P_i = 0$$

외력은 방향이 있으므로, 벡터이다. 그래서 여기서는 힘의 방향을 위쪽으로 작용하면 ($+$), 아래쪽으로 작용하면 ($-$)로 한다.

② 힘의 모멘트의 대수합은 0이다. 이를 식으로 표현하면 다음과 같다.

$$\Sigma M_i = 0$$

모멘트도 방향이 있으므로, 벡터이다. 그래서 여기서는 모멘트의 방향이 시계방향이면 ($+$)로 하고, 반시계방향이면 ($-$)로 한다.

### (2) 지점의 반력 계산

다음과 같은 단순 지지보를 예로 들어 반력을 계산하여 보자.

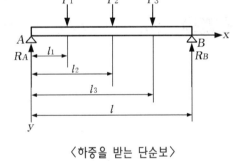

〈하중을 받는 단순보〉

① $\Sigma P_i = 0$, 위쪽방향 : ($+$),

　　　　　　 아랫방향 : ($-$)이므로,

$R_A + R_B - P_1 - P_2 - P_3 = 0$, 정리하면,

$$P_1 + P_2 + P_3 = R_A + R_B \quad \cdots\cdots\cdots\cdots \text{〔1식〕}$$

여기서 $R_A$는 A 지점에서의 반력, $R_B$는 B 지점에서의 반력을 말한다.

② $\Sigma M_A = 0$, $A$점을 지점으로 한 모멘트를 구해보자.

시계방향은 ($+$)로, 반시계방향은 ($-$)로 한다.

$P_1 l_1 + P_2 l_2 + P_3 l_3 - R_A \times 0 - R_B l = 0$

$$\therefore R_B = \frac{P_1 l_1 + P_2 l_2 + P_3 l_3}{l} \quad \cdots\cdots\cdots\cdots\cdots\cdots\cdots\cdots\cdots\cdots\cdots\cdots\cdots\cdots [2식]$$

[2식]을 [1식]에 대입하여 정리하면

$$\therefore R_A = P_1 + P_2 + P_3 - R_B$$

즉, 반력 $R_A$, $R_B$ 를 구할 수 있다.

**예제 1** 다음 그림과 같은 단순 지지보의 C점에 500 kgf의 하중이 걸릴 때 A점에 작용하는 반력은 몇 kgf인가?

기사 2000년 7월

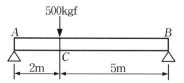

💡 $\Sigma P_i = 0$, 위쪽방향 : $(+)$, 아랫방향 : $(-)$이므로,

$$R_A + R_B - P = 0, \ R_A + R_B - 500 = 0$$

$$\Sigma M_A = 0, \ 500 \times 2 - R_B \times 7 = 0, \ R_B = \frac{500 \times 2}{7},$$

위 식에 대입하면

$$R_A = 500 - R_B = 500 - \frac{500 \times 2}{7} = 357.14 \text{kg로 계산된다.}$$

**예제 2** 그림과 같은 단순지지보의 왼쪽 지점의 반력은 얼마인가?

기사 19993년 3월

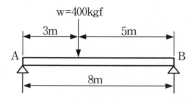

💡 $\Sigma P_i = 0$, 위쪽방향 : $(+)$, 아랫방향 : $(-)$이므로,

$$R_A + R_B - P = 0, \ R_A + R_B - 400 = 0$$

$$\Sigma M_A = 0, \ 400 \times 3 - R_B \times 8 = 0, \ R_B = \frac{400 \times 3}{8},$$

위 식에 대입하면

$$R_A = 400 - R_B = 500 - \frac{400 \times 3}{8} = 250 \text{kgf}$$

## ② 보의 전단력 선도와 굽힘모멘트 선도

### (1) 외팔보

#### ● 자유단에 집중하중이 작용할 때

##### ① 지점의 반력

㉮ $\Sigma P_i = 0$　　　　　　　　㉯ $\Sigma M_B = 0$ (B점을 지점으로 한 모멘트)

$-P + R_B = 0$　　　　　　　　$-Pl + M_1 = 0$

$R_B = P$　　　　　　　　　　$M_1 = Pl$

##### ② 전단력과 굽힘모멘트 방정식

임의의 거리($x$)에 대하여 아래의 방정식이 유도된다. 주의점은 임의의 거리($x$)의 위치에 따라서 전단력($F$)의 방향과 모멘트($M$)의 방향은 아래와 같음을 꼭 알아둔다.

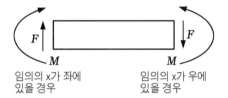

임의의 x가 좌에 있을 경우　　　임의의 x가 우에 있을 경우

㉮ 전단력($F$)

임의의 거리($x$)에 대하여 작용하는 힘은 오로지 $P$ 뿐이고, 아랫방향이므로 $(-)$부호를 갖는다. 전단력($F$)는 오른쪽에 있으므로, 아래로 향하므로 $(-)$부호이다.

$$\Sigma P_i = 0 , \quad -P - F = 0 , \quad F = -P$$

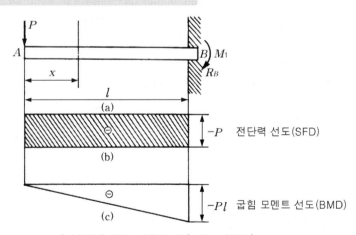

〈자유단에 집중 하중이 작용하는 외팔보〉

ⓝ 굽힘모멘트( $M$ )

임의의 거리( $x$ )에 대하여 작용하는 모멘트는 $P \times x$ 뿐이고, 반시계방향이므로 ( $-$ )부호를 갖는다. 굽힘모멘트( $M$ )는 오른쪽에 있으므로 시계반대방향이므로 ( $-$ )부호를 갖는다.

$$\Sigma M = 0, \; -Px - M = 0 \;, \;\; M = -Px$$

③ 전단력 선도(S.F.D ; shearing force diagram)와 굽힘모멘트 선도(B.M.D ; bending moment diagram)

전단력선도는 전단력이 일정한 값이므로 직사각형이 그려지며, 굽힘모멘트 선도는 $M = -Px$ 에서 $x$ 에 관한 1차 방정식이므로 $M$ 의 값은 $x$ 에 비례하며 일직선으로 증가한다.

ⓐ $x = 0$ 일 때 $M = -P \times 0 = 0$

ⓑ $x = 1$ 일 때 $M = -P \times l = -Pl$

$$\therefore \; M_{\max(x=l)} = -Pl$$

그리고, 최대 굽힘모멘트는 자유단으로부터 $x = \ell$ 인 곳 즉, 고정단에서 일어난다.

● 여러 개의 집중하중이 작용할 때

① 지점의 반력

ⓐ $\Sigma P_i = 0$

$-P_1 - P_2 - P_3 + R_B = 0$

$$\therefore \; R_B = P_1 + P_2 + P_3$$

ⓑ $\Sigma M_B = 0$ (B점을 지점으로 한 모멘트)

$-P_1 l - P_2(l - a_1) - P_3(l - a_2) + M_1 = 0$

$$\therefore \; M_1 = P_1 l + P_2(l - a_1) + P_3(l - a_2)$$

② 전단력과 굽힘 모멘트 방정식

힘이 작용하는 구간마다 구분하여 구해보자.

ⓐ $0 < x < a_1$ 구간에서

임의의 거리( $x$ )에 대하여 작용하는 힘은 오로지 $P_1$ 뿐이고, 아랫방향이므로 ( $-$ )부호를 갖는다.

$$\Sigma P_i = 0, \qquad F_1 = -P_1$$

임의의 거리( $x$ )에 대하여 작용하는 모멘트는 $P_1 \times x$ 뿐이고, 반시계방향이므로 ( $-$ )부호를 갖는다.

$$\Sigma M = 0, \qquad M_1 = -P_1 x \;\; \cdots\cdots\cdots\cdots\cdots\cdots\cdots\cdots\cdots\cdots \; [1식]$$

㉯ $a_1 < x < a_2$ 구간에서

임의의 거리($x$)에 대하여 작용하는 힘은 $P_1$, $P_2$이고, 아랫방향이므로 ($-$)부호를 갖는다.

$$\Sigma P_i = 0, \qquad F_2 = -P_1 - P_2$$

임의의 거리($x$)에 대하여 작용하는 모멘트는 $P_1 \times x$, $P_2 \times (x - a_1)$이고, 반시계방향이므로 ($-$)부호를 갖는다.

$$\Sigma M = 0, \qquad M_2 = -P_1 x - P_2(x - a_1) \quad \cdots\cdots\cdots\cdots\cdots\cdots \text{〔2식〕}$$

㉰ $a_2 < x < l$ 구간에서

임의의 거리($x$)에 대하여 작용하는 힘은 $P_1$, $P_2$, $P_3$이고, 아랫방향이므로 ($-$)부호를 갖는다.

$$\Sigma P_i = 0, \qquad F_3 = -P_1 - P_2 - P_3$$

임의의 거리($x$)에 대하여 작용하는 모멘트는 $P_1 \times x$, $P_2 \times (x - a_1)$, $P_3 \times (x - a_2)$이고, 반시계방향이므로 ($-$)부호를 갖는다.

$$\Sigma M = 0, \, M_3 = -P_1 x - P_2(x - a_1) - P_3(x - a_2) \quad \cdots\cdots\cdots\cdots\cdots \text{〔3식〕}$$

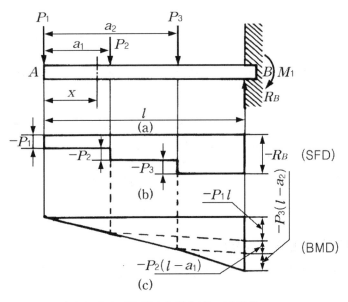

〈여러 개의 집중하중이 작용하는 외팔보〉

### ③ 전단력 선도와 굽힘 모멘트 선도

전단력 선도는 외력($P$)의 작동 개수에 따라서 계단식의 그래프를 그린다.

굽힘모멘트 선도는 각 구간별로 길이($a_1$, $a_2$, $a_3$)를 대입하여 계산한다.

㉮ $x=0$일 때, 1식에 대입하면, $M_1 = 0$,

㉯ $x=a_1$일 때, 2식에 대입하면, $M_2 = -P_a a_1$,

㉰ $x=a_2$일 때, 3식에 대입하면, $M_3 = -P_1 a_2 = P_2(a_2 - a_1)$,

㉱ $x=l$일 때, 3식에 대입하면, $M_3 = -P_1 l - P_2(l - a_1) - P_3(l - a_2)$,

따라서 굽힘 모멘트 방정식은 모두 1차 방정식이므로, $x$에 비례하여 직선으로 증가하며 삼각형이 되어 하중작용점에서 변화한다.

그리고 최대 굽힘 모멘트는 자유단에서 $x = \ell$일 때 즉, 고정단에서 일어난다.

$$\therefore M_{\max(x=l)} = -P_1 l - P_2(l - a_1) - P_3(l - a_2)$$

## ● 균일분포 하중이 작용할 때

### ① 지점의 반력

균일분포 하중이 작용하므로, 전체하중($P$)은 다음과 같이 계산한다.

$$P = w \times l$$

균일분포 하중이 작용하는 전체길이($l$)의 중앙($\frac{l}{2}$)에 전체하중($P$)이 집중하중으로 작용한다고 가정하고 문제를 풀면 된다. 여기서, $w$는 길이당 하중을 나타내므로, 단위가 kgf/mm이다.

㉮ $\Sigma P_i = 0$  ㉯ $\sum M_B = 0$(B점을 지점으로 함)

전체하중 $P = w \times l$ (kgf) 이므로 $\qquad -wl + M_1 = 0$

$-wl + R_B = 0$ $\qquad\qquad\qquad \therefore M_1 = wl$

$\therefore R_B = wl$ (kgf)

### ② 전단력과 굽힘 모멘트 방정식

임의의 거리($x$)에 대하여 작용하는 힘은 오로지 $w \times x$뿐이고, 아랫방향이므로 ($-$)부호를 갖는다.

$$\Sigma P_i = 0, \qquad F = -wx \qquad \cdots\cdots\cdots [1식]$$

임의의 거리($x$)에 대하여 작용하는 모멘트는 $w \times x \times \dfrac{x}{2}$ 뿐이고, 반시계방향이므로 ($-$)부호를 갖는다. 여기서 $\dfrac{x}{2}$ 는 임의의 거리($x$)에 대한 중앙에 힘이 작용하기 때문이다.

$$\sum M = 0, \quad M = -wx \cdot \frac{x}{2} = -\frac{wx^2}{2} \quad \cdots\cdots\cdots\cdots\cdots\cdots\cdots\cdots\cdots\cdots\cdots\cdots\cdots \text{〔2식〕}$$

### ③ 전단력 선도와 굽힘 모멘트 선도

전단력선도는 1식에서 보는 바와 같이 $x$에 대한 1차방정식이므로, 점점 증가하는 그래프를 그린다.

굽힘 모멘트선도는 $x$에 대한 2차 방정식이므로 $x^2$에 비례하는 포물선으로 표시된다.

- $x = 0$일 때 $M = 0$
- $x = l$ 일 때 $M = \dfrac{wl^2}{2}$

최대 전단력과 최대 굽힘 모멘트는 자유단으로부터 $x = \ell$ 인 곳 즉, 고정단에서 일어난다.

- $F_{\max} = -wl$
- $M_{\max} = -\dfrac{wl^2}{2}$

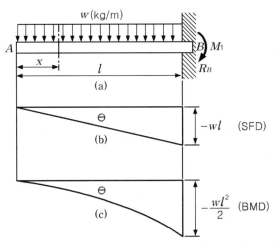

〈 균일분포 하중이 작용하는 외팔보 〉

### ● 점변 분포하중이 작용할 때

점변분포 하중이 작용하므로, 전체하중($P$)은 다음과 같이 계산한다.
삼각형이므로, 면적을 계산하면 된다.

$$P = \frac{1}{2} \times w_0 \times l$$

점변분포 하중이 작용하는 전체길이($l$)의 분포가 가장 큰 지점($B$)에서 중앙으로 $\frac{1}{3}$ 지점 즉 $\frac{l}{3}$ 에 전체하중($P$)이 집중하중으로 작용한다고 가정하고  문제를 풀면 된다. 여기서, $w_0$는 길이당 하중을 나타내므로, 단위가 kgf/mm이다.

### ① 지점의 반력

㉮ $\Sigma P_i = 0$  ㉯ $\Sigma M_B = 0$(B를 지점으로 함)

$$R_B - \frac{w_0 l}{2} = 0$$

$$\frac{-w_0 l}{2} \times \frac{l}{3} + M_1 = 0$$

(여기서 $\frac{l}{3}$ 은 집중하중으로 가정한 거리임)

$$\therefore R_B = \frac{w_0 l}{2}$$

$$\therefore M_1 = \frac{w_0 l^2}{6}$$

### ② 전단력과 굽힘 모멘트 방정식

임의의 거리($x$)에 대하여 작용하는 힘은 오로지 $\frac{1}{2} \times w \times x$ 뿐이고, 아랫방향이므로 ($-$)부호를 갖는다.

$$\Sigma P_i = 0, \quad F = -\frac{w_0 x}{2} \quad \cdots\cdots\cdots\cdots\cdots\cdots\cdots\cdots \text{[1식]}$$

임의의 거리($x$)에 대하여 작용하는 모멘트는 $\frac{1}{2} \times w \times x \times \frac{x}{3}$ 뿐이고, 반시계방향이므로 ($-$)부호를 갖는다. 여기서 $\frac{x}{3}$ 는 임의의 거리($x$)에 대한 $\frac{1}{3}$ 지점에 힘이 작용하기 때문이다.

$$\Sigma M = 0, \quad M = -\frac{w_0 x}{2} \times \frac{x}{3} = \frac{-w_0 x^2}{6} \quad \cdots\cdots\cdots\cdots\cdots \text{[2식]}$$

### ③ 전단력 선도와 굽힘 모멘트

위 1식과 2식에 임의의 길이($x$)를 대입하자.

$x = 0$일 때,  $F = 0$,  $M = 0$

$x = l$ 일 때  $F = -\frac{w_0 l}{2}$,  $M = -\frac{w_0 l^2}{6}$

전단력선도는 [1식]을 보면 임의의 길이($x$)에 대하여 1차 방정식을 나타내므로, 기울기가 ($-$)방향인 직선 그래프를 그린다.

굽힘모멘트 선도는 식2를 보면 임의의 길이($x$)에 대하여 2차 방정식을 나타내므로, 포물선 그래프를 그린다.

따라서 최대 굽힘모멘트는 자유단에서 $x=\ell$ 인 곳에서 일어나므로,

$$M_{\max(x=l)}=-\frac{w_0 l^2}{6}$$

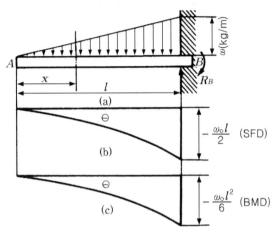

〈점변 분포자중이 작용하는 외팔보〉

## (2) 단순보

### ● 집중하중이 임의의 위치에 작용할 때

#### ① 지점의 반력

㉮ $\Sigma P_i=0$으로부터

$$\sum P_i=P-P_A-R_B=0,$$

$$R_B=P-R_A \quad\text{.......................................}\text{〔1식〕}$$

㉯ $\sum M_B=0$ 으로부터

$$R_A\times l-P\times b=0,\ \ R_A l=Pb$$

$$\therefore\ R_A=\frac{Pb}{l}\quad\text{.......................................}\text{〔2식〕}$$

㉰ 2식을 1식에 대입하자.

$$R_B=P-R_A=P-\frac{Pb}{l}=P\left(\frac{l-b}{l}\right)=\frac{Pa}{l}$$

### ② 전단력 및 굽힘 모멘트 방정식

작용힘이 $R_A, P, R_B$로 존재하므로, 구간별로 계산을 행한다. 임의의 거리($x$)에 대하여 아래의 방정식이 유도된다.

주의점은 임의의 거리($x$)의 위치에 따라서 전단력($F$)의 방향과 모멘트($M$)의 방향은 아래와 같음을 꼭 알아둔다.

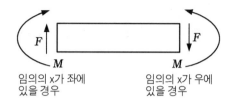

임의의 x가 좌에 있을 경우　　　임의의 x가 우에 있을 경우

㉮ $0 < x < a$ 구간

임의의 거리($x$)에 대하여 작용하는 힘은 오로지 $R_A$뿐이고, 윗방향이므로 (+)부호를 갖는다.

$$\Sigma P_i = 0, \qquad F = R_A = \frac{Pb}{l} \quad \cdots\cdots\cdots [1식]$$

임의의 거리($x$)에 대하여 작용하는 모멘트는 $R_A \times x$뿐이고, 시계방향이므로 (+)부호를 갖는다.

$$\Sigma M = 0, \qquad M = R_A \cdot x = \frac{Pb}{l}x \quad \cdots\cdots\cdots [2식]$$

㉯ $a < x < l$ 구간

임의의 거리($x$)에 대하여 작용하는 힘은 $R_A$가 윗방향 (+)부호이고, $P$가 아랫방향 (−)부호를 갖는다.

$$\Sigma P_i = 0, \qquad F = R_A - P = \frac{Pb}{l} - P = -\frac{Pa}{l} \quad \cdots\cdots\cdots [3식]$$

임의의 거리($x$)에 대하여 작용하는 모멘트는 $R_A \times x$가 시계방향이므로 (+)부호를, $P$가 $(x-a)$부분에 작용하면서 반시계방향이므로 (−)부호를 갖는다.

$$\Sigma M = 0, \qquad M = R_A x - P(x-a) = \frac{Pb}{l}x - P(x-a) \quad \cdots\cdots\cdots [4식]$$

### ③ 전단력 선도와 굽힘 모멘트 선도

전단력은 1식과 3식에서 확인할 수 있듯이 $P$가 작용하는 지점을 기준으로 좌와 우로 일정한 값을 갖는다. 굽힘 모멘트는 2식과 4식에서 확인할 수 있듯이 $x$의 1차 함수이므로 $x$에 따라 직선으로 변화한다.

㉮ $x = 0$일 때, 2식에 대입하면, $M = \dfrac{Pb}{l} \times 0 = 0$,

㉯ $x=0$일 때, 2식에 대입하면,   $M=\dfrac{Pb}{l}\times a,$

㉱ $x=l$ 일 때, 4식에 대입하면,   $M=\dfrac{Pb}{l}\,l-P(l-a)=0,$

그러므로 $x=a$일 때 최대 굽힘 모멘트가 일어나므로, 그 값은 $M_{max\,(x=a)}=\dfrac{Pab}{l}$ 이다. 또, 하중이 보의 중앙에 작용하였다고 하면 $a=b=\dfrac{l}{2}$ 이므로 $x=\dfrac{l}{2}$ 인 곳에서 최대 굽힘 모멘트가 존재한다.

즉, $M_{max\,(x=\frac{l}{2})}=\dfrac{Pl}{4}$

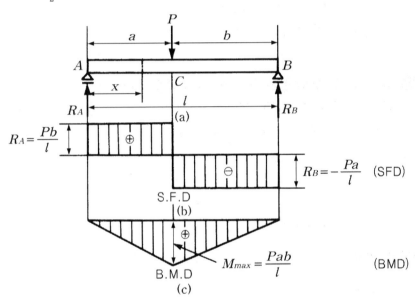

〈임의 점에 집중하중을 받는 단순보〉

 다음 그림과 같은 단순보에서 일어나는 최대 굽힘 모멘트는 몇 kgf · cm 인가?(단, 보의 자중은 무시하고 W = 4kgf 이다)

기사 '94년 5월

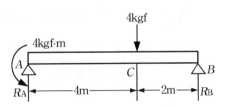

🔧 $\Sigma P_i=0,$

위쪽방향 : $(+)$, 아랫방향 : $(-)$이므로,

$R_A+R_B-P=0,\ \ R_A+R_B-4=0$

$$\sum M_B = 0, \quad -4 - 4 \times 2 + R_A \times 8 = 0, \quad R_A = \frac{12}{6} = 2\,\text{kgf},$$

위 식에 대입하면

$$R_B = 4 - 2 = 2\,\text{kgf}$$

AC구간에서 모멘트는

$$\sum M = 0, \quad R_A \times x - 4 - M_1 = 0, \quad M_1 = 2x - 4, (단위: \text{kgf-m})$$

CB구간에서 모멘트는

$$\sum M = 0, \quad R_A \times x - 4 - 4 \times (x-4) - M_2 = 0, \quad M_1 = -2x + 12,$$

$x = 0$이면 $M = -4$(단위: kgf-m),

$x = 4$이면 $M = 4$(단위: kgf-m),

$x = 6$이면 $M = 0$(단위: kgf-m),

즉, $x = 4$일 때 $M_{max} = 4$kgf-m를 갖는다.

※ 참고 : 고정보 문제

**예제 2** 양단 고정보의 중앙에 집중하중 P가 작용하고 스팬의 길이를 $\ell$이라 할 때 최대 굽힘 모멘트는 얼마인가?

단순보의 중앙 집중하중이 작용하는 유도과정과 같다.

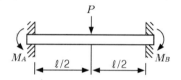

## ● 집중하중이 여러 개 작용할 때

### ① 지점의 반력

㉮ $\sum P_i = 0$으로부터

$$R_A - P_1 - P_2 - P_3 + R_B = 0,$$

$$R_A + R_B = P_1 + P_2 + P_3 \quad \cdots\cdots\cdots [1식]$$

㉯ $\sum M_B = 0$(B점을 지점으로 함)으로부터

$$R_A l - P_1 b_1 - P_2 b_2 - P_3 b_3 = 0,$$

$$R_A = \frac{P_1 b_1 + P_2 b_2 + P_3 b_3}{l} \quad \cdots\cdots\cdots [2식]$$

[2식]을 [1식]에 대입하여 정리하면,

$$R_B = \frac{P_1 a_1 + P_2 a_2 + P_3 a_3}{l} \quad \cdots\cdots\cdots [3식]$$

### ② 전단력과 굽힘 모멘트

#### ㉮ $0 < x < a_1$ 구간

임의의 거리($x$)에 대하여 작용하는 힘은 오로지 $R_A$뿐이고, 윗방향이므로 (+)부호를 갖는다.

$$\Sigma P_i = 0, \quad F_1 = R_A \quad \text{······························} \text{[4식]}$$

임의의 거리($x$)에 대하여 작용하는 모멘트는 $R_A \times x$뿐이고, 시계방향이므로 (+)부호를 갖는다.

$$\Sigma M = 0, \quad M_1 = R_A x \quad \text{···························} \text{[5식]}$$

#### ㉯ $a_1 < x < a_2$ 구간

임의의 거리($x$)에 대하여 작용하는 힘은 $R_A$가 윗방향 (+)부호이고, $P_1$이 아랫방향 (−)부호를 갖는다.

$$\Sigma P_i = 0, \quad F = R_A - P \quad \text{·······················} \text{[6식]}$$

임의의 거리($x$)에 대하여 작용하는 모멘트는 $R_A \times x$가 시계방향이므로 (+)부호를, $P_1$가 $(x - a_1)$부분에 작용하면서 반시계방향이므로 (−)부호를 갖는다.

$$\Sigma M = 0, M_2 = R_A x - P_1(x - a_1) \quad \text{···············} \text{[7식]}$$

#### ㉰ $a_2 < x < a_3$ 구간

임의의 거리($x$)에 대하여 작용하는 힘은 $R_A$가 윗방향 (+)부호이고, $P_1$, $P_2$이 아랫방향 (−)부호를 갖는다.

$$\Sigma P_i = 0, \quad F_3 = R_A - P_1 - P_2 \quad \text{···············} \text{[8식]}$$

임의의 거리($x$)에 대하여 작용하는 모멘트는 $R_A \times x$가 시계방향이므로 (+)부호를, $P_1$가 $(x - a_1)$부분에, $P_2$가 $(x - a_2)$부분에 작용하면서 반시계방향이므로 (−)부호를 갖는다.

$$\Sigma M = 0, \quad M_3 = R_A x - P_1(x - a_1) - P_2(x - a_2) \quad \text{·······} \text{[9식]}$$

#### ㉱ $a_3 < x < l$ 구간

임의의 거리($x$)에 대하여 작용하는 힘은 $R_A$가 윗방향 (+)부호이고, $P_1$, $P_2$, $P_3$이 아랫방향 (−)부호를 갖는다.

$$\Sigma P_i = 0, \quad F_4 = R_A - P_1 - P_2 - P_3 = -R_B \quad \text{·············} \text{[10식]}$$

임의의 거리($x$)에 대하여 작용하는 모멘트는 $R_A \times x$가 시계방향이므로 (+)부호를, $P_1$가 $(x-a_1)$부분에, $P_2$가 $(x-a_2)$부분에, $P_3$가 $(x-a_3)$부분에 작용하면서 반시계방향이므로 (−)부호를 갖는다.

$$\sum M = 0, \; M_4 = R_A \cdot x - P_1(x-a_1) - P_2(x-a_2) - P_3(x-a_3) = R_B(l-x) \quad \text{[11식]}$$

### ③ 전단력 선도와 굽힘모멘트 선도

전단력은 4식, 6식, 8식, 10식을 보면, 각 구간 당 일정한 값을 갖는다.

굽힘 모멘트 값은 5식, 7식, 9식, 11식에 구간 거리값을 넣어 계산하면 다음과 같다.

㉮ $x=0$일 때, 5식에 넣으면 $M=0$,

㉯ $x=a_1$일 때, 7식에 넣으면 $M_1 = R_A \times a_1$,

㉰ $x=a_2$일 때, 9식에 넣으면 $M_2 = R_A a_2 - P_1(a_2 - a_1)$,

㉱ $x=a_3$일 때, 11식에 넣으면 $M_3 = R_A a_3 - P_a(a_3 - a_1) - P_2(a_3 - a_2) = R_B b_3$,

㉲ $x=l$ 일 때, 11식에 넣으면 $M=0$ ,

굽힘모멘트 선도는 다각형으로 그려진다.

최대 굽힘 모멘트는 전단력이 (+)에서 (−)로 바뀌는 단면에서 발생하므로, 이점이 위험단면이다.

$$M_{\max(x=a_2)} = R_A a_2 - P_1(a_2 - a_1)$$

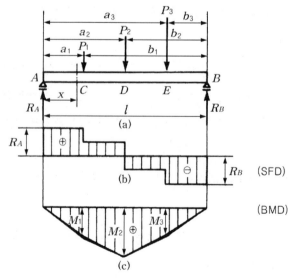

〈다수의 집중하중이 작용한 단순보〉

## ● 균일 분포 하중이 작용할 때

균일분포 하중이 작용하므로, 전체하중( $P$ )은 다음과 같이 계산한다.

$$P = w \times l$$

균일분포 하중이 작용하는 전체길이( $l$ )의 중앙( $\frac{l}{2}$ )에 전체하중( $P$ )이 집중하중으로 작용한다고 가정하고 문제를 풀면 된다. 여기서, $w$ 는 길이당 하중을 나타내므로, 단위가 kgf/mm이다.

### ① 지점의 반력

㉮ $\Sigma P_i = 0$ 으로부터

$$R_A - wl + R_B = 0 \quad \text{······································· [1식]}$$

㉯ $\Sigma M_B = 0$ 으로부터

$$R_A \times l - wl \times \frac{l}{2} = 0$$

$$R_A l = \frac{wl^2}{2}, \quad R_A = \frac{wl}{2} \quad \text{···························· [2식]}$$

㉰ 2식을 1식에 대입하여 풀면,

$$\frac{wl}{2} - wl + R_B = 0$$

$$R_B = \frac{wl}{2}$$

### ② 전단력 및 굽힘 모멘트 방정식

임의의 거리( $x$ )에 대하여 작용하는 힘은 $R_A$ 가 윗방향이므로 (+)부호를, $w \times x$ 가 아랫방향이므로 (−)부호를 갖는다.

$$\Sigma P_i = 0, \quad F = R_A - wx = \frac{wl}{2} - wx = \frac{w}{2}(l - 2x) \quad \text{··············· [3식]}$$

임의의 거리( $x$ )에 대하여 작용하는 모멘트는 $R_A \times x$ 가 시계방향으로 (+)부호를, $w \times x \times \frac{x}{2}$ 이 반시계방향이므로 (−)부호를 갖는다. 여기서 $\frac{x}{2}$ 는 임의의 거리( $x$ )에 대한 중앙에 힘이 작용하기 때문이다.

$$\Sigma M = 0, \quad M = R_A \cdot x - wx \cdot \frac{x}{2} = \frac{wl}{2}x - \frac{wx^2}{2} = \frac{wx}{2}(l - x) \quad \text{··············· [4식]}$$

### ③ 전단력 선도 및 굽힘 모멘트 선도

전단력은 3식에서 확인할 수 있듯이 임의의 거리($x$)의 1차 방정식이고, 기울기가 ($-$)이므로 직선그래프를 그린다.

굽힘모멘트는 각 구간값을 〔4식〕에 넣어 계산한다.

$$x=0 \text{일 때}, \qquad F=\frac{wl}{2}, \qquad M=0$$

$$x=\frac{l}{2} \text{일 때}, \qquad F=0, \qquad M=\frac{wl^2}{8}$$

$$x=l \text{일 때}, \qquad F=-\frac{wl}{2}, \qquad M=0$$

즉, 굽힘모멘트 선도는 임의의 거리($x$)에 대한 제곱의 함수이고, 계수가 ($-$)부호이므로, 위로 볼록한 포물선을 그린다.

따라서 최대 굽힘모멘트 $M_{max}$ 는

$$M_{max(x-\frac{l}{2})}=\frac{w \times \frac{l}{2}}{2}\left(l-\frac{l}{2}\right)=\frac{wl}{4}\left(\frac{l}{2}\right)=\frac{wl^2}{8}$$

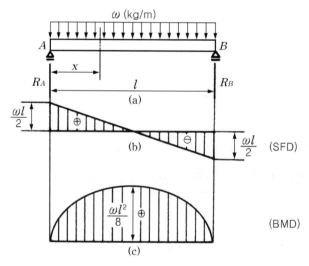

〈 균일분포하중이 작용하는 단순보 〉

## 05  보의 응력

### 1  보 속의 굽힘 응력

● 굽힘응력( $\sigma_b$ or $\sigma_x$ )

아래 그림과 같이 반경( $\rho$ )로 보를 굽혔을 경우(굽힘 모멘트를 가할 경우) 보의 중심선(호mn)을 기준으로 중심쪽 보의 면에서는 압축, 바깥쪽 보의 면에서는 인장이 발생한다.

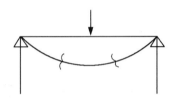
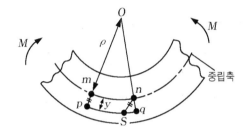

$$mn = ps\text{이므로, 변형율 } \varepsilon = \frac{sq}{mn} = \frac{sq}{ps} \quad \cdots\cdots\cdots [1\text{식}]$$

닮은 원뿔에서  $\rho : mn = y : sq$

$$\therefore \ \frac{sq}{mn} = \frac{y}{\rho} \quad \cdots\cdots\cdots\cdots\cdots\cdots\cdots\cdots\cdots\cdots [2\text{식}]$$

1식과 2식을 비교해 보면

$$\varepsilon = \frac{y}{\rho} \quad \cdots\cdots\cdots\cdots\cdots\cdots\cdots\cdots\cdots\cdots\cdots\cdots [3\text{식}]$$

임을 알 수 있다. 여기서 $\varepsilon$ 을 굽힘 변형률이라 한다.

hook의 법칙에 [3식]을 대입하여 정리하자.

$$\sigma = E\varepsilon = E \cdot \frac{y}{\rho} \quad \cdots\cdots\cdots\cdots\cdots\cdots\cdots\cdots [4\text{식}]$$

여기서, $\rho$ 는 곡률 반경, $y$ 는 중립축으로부터 떨어진 임의의 거리를 말한다. 또한, $\frac{1}{\rho}$ 를 곡률이라고 한다.

## ● 굽힘응력($\sigma$)과 굽힘 Moment($M$)의 관계식

　오른쪽 그림을 가지고 설명한다. 중립선의 위는 압축
응력이, 아래는 인장응력이 작용한다. 위의 4식에 그대
로 적용하면, 아래와 같은 식이 된다.

$$\sigma_x = \frac{Ey}{\rho}$$

그림에서 미소법선력($dF$)을 식으로 표시하여 보자.

$$dF_x = \sigma_x \cdot dA$$

미소 굽힘모멘트($dM$)은 아래와 같이 표시된다.

$$dM = dF_x y = \sigma_x \cdot y dA = \frac{Ey^2}{\rho} dA \quad\cdots\cdots\cdots\cdots\cdots\cdots\cdots\cdots\cdots\cdots\cdots \text{〔5식〕}$$

이제 〔5식〕을 적분하여 보자.

$$M = \int_A \frac{Ey^2}{\rho} dA = \frac{E}{\rho} \int_A y^2 dA,$$

여기서, $\frac{E}{\rho}$ 는 재료에 따른 특성이므로, 상수이다. 또한, $\int_A y^2 dA = I_x$(관성모멘트 :
단면 2차모멘트)이므로,

$$M = \frac{E}{\rho} \int_A y^2 dA = = \frac{E}{\rho} I_x \quad\cdots\cdots\cdots\cdots\cdots\cdots\cdots\cdots\cdots \text{〔6식〕}$$

로 유도된다. 〔6식〕을 변형하면

$$\frac{1}{\rho} = \frac{M}{EI} \quad (\frac{1}{\rho} \text{를 곡률이라고 함})$$

단면계수 $Z = \frac{I_x}{y}$, $I_x = Zy$로 유도되므로, 이것을 〔6식〕에 대입한다.

$$M = \frac{EI_x}{\rho} = \frac{EZy}{\rho} \quad\cdots\cdots\cdots\cdots\cdots\cdots\cdots\cdots\cdots\cdots \text{〔7식〕}$$

〔7식〕을 잘 살펴보면, 위 〔3식〕에서 $\varepsilon = \frac{y}{\rho}$이므로, 〔7식〕을 변형하면

$$\frac{M}{Z} = E\varepsilon, \qquad \text{또한 } \sigma_x = E\varepsilon \text{을 대입하면,}$$

$$\frac{M}{Z} = \sigma_x = \sigma_b \quad\cdots\cdots\cdots\cdots\cdots\cdots\cdots\cdots\cdots\cdots\cdots \text{〔8식〕}$$

으로 유도된다. 위 식은 아주 중요한 식으로 말로 표현하면, 굽힘모멘트($M$)를 단면계수
($Z$)로 나누면 굽힘응력($\sigma_b$)이 된다.

**예제 1** 한 변의 길이가 9cm인 정사각형 외팔보의 최대 굽힘응력이 120kgf/cm² 일 때 최대 몇 kgf-cm 까지의 굽힘 모멘트에 견디는가?

$\dfrac{M}{Z} = \sigma_b$ 에서, $Ix = \dfrac{bh^3}{12}$ 이므로, $Z = \dfrac{h^3}{6}$ 이 된다.

$M = \sigma \times Z = \sigma \times \dfrac{h^3}{6} = 120 \times \dfrac{9^3}{6} = 14580 \text{kgf/cm}$

**예제 2** 휨만을 받는 속이 찬 차축에서 축에 작용하는 굽힘모멘트가 3000 kgf-mm 이고, 축의 허용굽힘 응력이 10kgf/mm² 일 때, 필요한 축 외경의 최소값은?

$\dfrac{M}{Z} = \sigma_b$ 에서, $Ix = \dfrac{\pi d^4}{64}$ 이므로, $Z = \dfrac{\pi d^3}{32}$ 이 된다.

$M = \sigma_b \times Z \quad 3000 = 10 \times \dfrac{\pi d^3}{32}$

$d = \sqrt[3]{\dfrac{3000 \times 32}{\pi \times 10}} = 14.511 \text{mm}$

**예제 3** 횡만이 받는 속이 빈 차축에서 M=7500kgf-mm, 허용응력이 15kgf/mm², 내외경비 X=0.5일 때, 축의 내경($d_1$)과 외경($d_2$)은 얼마인가?

$\dfrac{M}{Z} = \sigma_b$ 에서, $I_x = \dfrac{\pi(d_2^4 - d_1^4)}{64}$ 이므로,

$Z = \dfrac{\pi(d_2^4 - d_1^4)}{32 d_2} = \dfrac{\pi d_2^3 \left(1 - \left(\dfrac{d_1}{d_2}\right)^4\right)}{32}$ 이 된다.

$\dfrac{d_1}{d_2} = 0.5$를 대입하면, $Z = \dfrac{\pi d_2^3 (1 - (0.5)^4)}{32}$

그러므로 $M = \sigma_b \times Z$, $7500 = 15 \times \dfrac{\pi d_2^3 (1 - (0.5)^4)}{32}$

$d_2 = \sqrt[3]{\dfrac{7500 \times 32}{\pi \times 15 \times (1 - 0.5^4)}} = 17.579 \text{mm}$

$d_1 = 0.5 \times d_2 = 8.789 \text{mm}$

**예제 4** 폭 8〔cm〕, 높이 15〔cm〕의 사각형단면 보에 굽힘모멘트 M = 15,000〔kgf-cm〕가 작용했을 때 생기는 굽힘응력 σ는 몇 kgf/cm²인가?

$\dfrac{M}{Z} = \sigma_b$ 에서, $Ix = \dfrac{bh^3}{12}$ 이므로, $Z = \dfrac{bh^2}{6}$ 이 된다.

$\sigma_b = \dfrac{15000 \times 6}{8 \times 15^2} = 50 \text{kgf/cm}^2$

**예제 5** 최대 굽힘 모멘트가 30,000kgf · cm 이고 보의 굽힘 응력이 600kgf/cm²로 하여 단면의 치수 중 폭 b 는 얼마인가 ?(단, 높이 h = 2b 이다)

● $\dfrac{M}{Z} = \sigma_b$ 에서, $Ix = \dfrac{bh^3}{12}$ 이므로, $Z = \dfrac{bh^2}{6}$ 이 된다.

$h = 2b$를 대입하면 $Z = \dfrac{bh^2}{6} = \dfrac{4b^3}{6}$ 이 된다.

$M = \sigma_b \times Z,\quad 30000 = 600 \times \dfrac{4b^3}{6}$

$b = \sqrt[3]{\dfrac{30000 \times 6}{4 \times 600}} = 4.217\text{cm}$

**예제 6** 굽힘 모멘트 M = 4,000kg · cm 이고 굽힘 강성 계수 EI = 2.0 × 106 kg · cm 일 때 곡률 반경은 몇 m 인가?

● $\rho = \dfrac{EI}{M}$ 에서 구한다.

$\rho = \dfrac{2.0 \times 10^6}{4000} = 500\ \text{cm} = 5\text{m}$

**예제 7** 그림과 같은 4 각형 단면의 외팔보에 발생하는 최대 굽힘 응력은 어느 식으로 표시되는가?

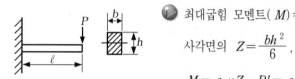

● 최대굽힘 모멘트($M$) = $Pl$ 이므로,

사각면의 $Z = \dfrac{bh^2}{6}$,

$M = \sigma_b \times Z,\quad Pl = \sigma_b \times \dfrac{bh^2}{6}$,

$\sigma_b = \dfrac{6Pl}{bh^2}$ 으로 유도된다.

**예제 8** 다음 그림과 같은 너비 18cm, 두께 25cm 의 직사각형 단면을 가진 스팬 6m 의 단순보가 있다. 그 중앙에 1.5ton 의 하중을 작용할 때 최대 굽힘 응력은? 기사 94-5월

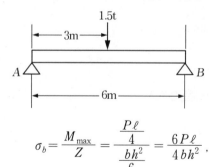

● 단순보의 중앙에만 외력이 작용할 때의 최대 굽힘모멘트는 외워두는 것이 좋다.

$M_{max} = \dfrac{Pl}{4}$, $Z = \dfrac{bh^2}{6}$ 이므로,

$\sigma_b = \dfrac{M_{max}}{Z} = \dfrac{\dfrac{Pl}{4}}{\dfrac{bh^2}{6}} = \dfrac{6Pl}{4bh^2}$,

$\sigma_b = \dfrac{6 \times 1500 \times 600}{4 \times 18 \times 25^2} = 120\text{kgf}$ 로 계산된다.

**예제 9** 폭×높이가 30 cm×40 cm의 단면을 가진 다음 단순
보의 최대 굽힘응력은 몇 kgf/cm² 인가?(단, 보의
자중은 무시한다.)

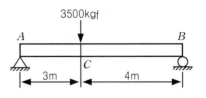

🔵 단순보의 외력이 하나만 작용할 때의 최대 굽
힘 모멘트도 외워두는 것이 좋다.

$M_{max} = \dfrac{Pab}{l}$, 위 그림에서 a=3m, b=4m, $l$=7m을 알 수 있다.

$\dfrac{M}{Z} = \sigma_b$, $Z = \dfrac{bh^2}{6}$ 을 대입하면

$\sigma_b = \dfrac{6M}{bh^2} = \dfrac{6Pab}{bh^2 l}$ (단위를 맞추면, a=300cm, b=400cm, $l$=700cm)

$= \dfrac{6 \times 3500 \times 300 \times 400}{30 \times 40^2 \times 700} = 75\text{kgf/cm}^2$ 로 계산된다.

## 2 보 속의 전단 응력

먼저 그림을 참조한다.

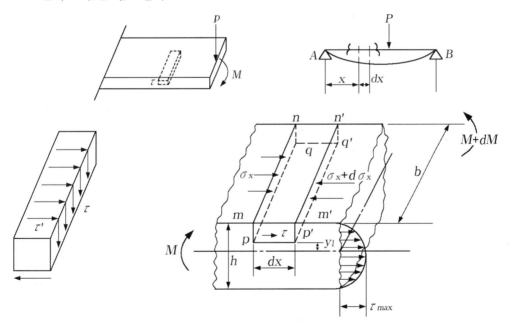

여기서, $\tau$ 는 중립면에서 $y_1$만큼 떨어진 거리에 작용하는 전단력을 말한다.
더 자세하게 표현하기 위해 측면에서 본 그림은 다음과 같다.

우선 $m$, $n$, $p$, $q$ 단면의 법선력( $dF$ )는

$$dF = \sigma_x \cdot dA = \frac{Ey}{\rho} \cdot dA = \frac{My}{I} \cdot dA$$

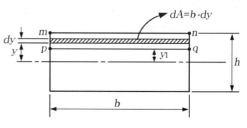

위 식을 적분하면, 단면의 법선력( $F_1$ )는

$$F_1 = \int_{y_1}^{\frac{h}{2}} \frac{My}{I} dA \, (작용방향은 \quad 우에서$$

좌로 : → ) 또한, $m'$, $n'$, $p'$, $q'$ 단면에

법선력( $F_2$ )은  $F_2 = \int_{y_1}^{\frac{h}{2}} \frac{(M+dM)}{I} y \cdot dA$ (작용방향은 좌에서 우로 : ← )

$pp'$ 에 작용되는 전단력( $F_3$ ) $= \tau \cdot b \cdot dx$ (작용방향은 우에서 좌로(가정) : → )

$pp'qq'$ 로 이루어진 면적에 작용하는 모든 전단력의 힘의 합은 "0"이므로,

$\Sigma F = 0$, 작용방향은 우에서 좌로(→)를 ( + )방향으로, 작용방향 좌에서 우로(←)를 ( − )방향으로 한다.

$$\Sigma F = F_1 - F_2 + F_3 = 0, \qquad \int_{y_1}^{\frac{h}{2}} \frac{M}{I} y dA - \int_{y_1}^{\frac{h}{2}} \frac{(M+dM)}{I} y \cdot dA + \tau b dx = 0,$$

$$\tau b dx = \int_{y_1}^{\frac{h}{2}} \frac{dM}{I} y dA \qquad 양변을 \ b \cdot dx 로 \ 나누면$$

$$\tau = \frac{1}{b dx} \frac{dM}{I} \int_{yi}^{\frac{h}{2}} y dA \quad \text{.............................................} 〔9식〕$$

또한, $F = \frac{dM}{dx}$ 이므로 〔9식〕에 대입하면,

$$\tau = \frac{F}{bI} \int_{yi}^{\frac{h}{2}} y dA \quad \text{.................................................} 〔10식〕$$

〔10식〕에서 $Q = \int_{yi}^{\frac{h}{2}} y dA$, 즉 Q는 단면 1차 모멘트 이므로,

$$\tau = \frac{FQ}{bI} \quad \text{.........................................................} 〔11식〕$$

즉, 전단응력은 〔11식〕으로 유도된다.

여기서, $F$ 는 $pp'qq'$ 면적에 작용하는 전단력(반력), $b$ 는 전단력( $\tau$ )을 구하는 위치에서의 폭, $I$ 는 $Ix$ 로 단면전체의 단면 2차 Moment, $Q$ 는 τ가 작용하는 상단부의 단면 1차 Moment를 말한다.

# 06 보의 처짐

## 1 탄성곡선의 미분방정식

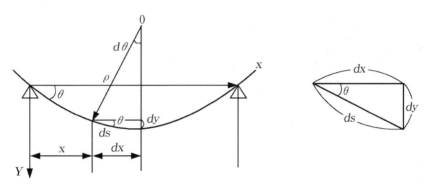

처짐각($\theta$)의 크기가 아주 미세하다고 가정하고, 기울기를 구해보면,

$$\tan \theta = \frac{dy}{dx} \doteqdot \theta, \qquad \rho d\theta = ds,$$

즉, $\dfrac{1}{\rho} = \dfrac{d\theta}{ds}$ 로 유도된다. ·························· [1식]

$\tan \theta = \dfrac{y}{x}$ 에서 처짐각($\theta$)의 크기가 아주 미세하다고 가정하면,

$\tan \theta = \dfrac{dy}{dx}$ 에서 $s$ 에 대하여 미분하면,

$$\sec^2\theta \frac{d\theta}{ds} = \frac{d^2y}{dx^2} \times \frac{dx}{ds}$$

$$\frac{d\theta}{ds} = \frac{1}{\sec^2\theta} \cdot \frac{d^2y}{dx^2} \cdot \frac{dx}{ds}$$ ·························· [2식]

위 그림의 삼각형에서

$$ds^2 = dx^2 + dy^2 = dx^2\left[1 + \left(\frac{dy}{dx}\right)^2\right],$$

$$\therefore \ ds = dx\sqrt{1 + \left(\frac{dy}{dx}\right)^2}$$ ·························· [3식]

삼각함수의 법칙을 적용하여

$1+\tan^2\theta = \dfrac{1}{\cos^2\theta} = \sec^2\theta$ 에서 $\tan\theta = \dfrac{dy}{dx}$ 을 적용하면

$$\left[1+\left(\dfrac{dy}{dx}\right)^2\right] = \sec^2\theta$$ ···················································· 〔4식〕

〔3식〕과 〔4식〕을 〔2식〕에 대입한다.

$$\dfrac{d\theta}{ds} = \dfrac{\dfrac{d^2y}{dx^2}}{\left[1+\left(\dfrac{dy}{dx}\right)^2\right]} \times \dfrac{dx}{dx\sqrt{1+\left(\dfrac{dy}{dx}\right)^2}} = \dfrac{\dfrac{d^2y}{dx^2}}{\left[1+\left(\dfrac{dy}{dx}\right)^2\right]^{3/2}}$$ ·················· 〔5식〕

처짐각($\theta$)의 크기가 아주 미세하다고 가정하였으므로, 〔5식〕의 분모 $\left[1+\left(\dfrac{dy}{dx}\right)^2\right]^{(3/2)}$ 은 1에 가깝다.

$$\dfrac{d\theta}{ds} \doteqdot \dfrac{d^2y}{dx^2}$$ ······································································ 〔6식〕

〔1식〕＝〔6식〕 이므로

$$\dfrac{1}{\rho} = \dfrac{d^2y}{dx^2} = \pm\dfrac{M}{EI}$$

$$\therefore EI\dfrac{d^2y}{dx^2} = \pm M$$ ···························································· 〔7식〕

〔7식〕을 처짐곡선의 미분방정식이라고 한다. 그리고 (±)는 아래 그림과 같은 의미를 나타낸다.

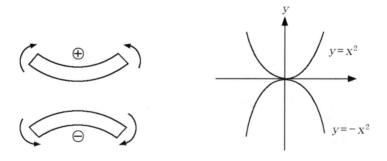

〔7식〕 $EI\dfrac{d^2y}{dx^2} = \pm M$ 을 좌우에 미분하여 보자.

$$EI\dfrac{d^2y}{dx^3} = \pm\dfrac{dM}{dx} = \pm F \ (\ F \text{는 전단력 : 하중})$$

[7식]  $EI\dfrac{d^2y}{dx^2} = \pm M$  을 좌우에 적분하여 보자.

$$EI\dfrac{dy}{dx} = \int Mdx = EI\theta, \quad \dfrac{\int Mdx}{EI} = \theta, \ (\theta 는 처짐각)$$

위 식을 한번 더 적분을 하면,

$$EIy = \iint Mdx = EI\delta, \quad \dfrac{\iint Mdx}{EI} = \delta, \ (\delta = y 는 처짐량)$$

## ❷ 외팔보의 처짐

### (1) 자유단에 집중하중

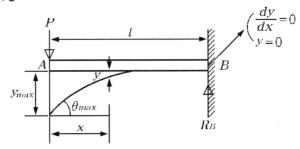

위 [7식]의 처짐 방정식에 의해,

$$EI\dfrac{d^2y}{dx^2} = M$$

외팔보의 최대모멘트는  $M_{\max} = -P \cdot x$  이므로,

$EI\dfrac{d^2y}{dx^2} = -Px$ , 이를  $x$ 로 적분하면,

$$EI\dfrac{dy}{dx} = -\dfrac{P}{2}x^2 + c_1 \qquad\qquad\qquad\qquad\qquad\qquad [1식]$$

위 1식을 다시  $x$ 로 적분하면,

$$EIy = -\dfrac{P}{6}x^3 + c_1x + c_2 \qquad\qquad\qquad\qquad\qquad [2식]$$

$c_1$  및  $c_2$ 를 구하기 위해 경계조건을 사용하자.

먼저,  $x = l$ 에서 처짐 기울기가 "0"이므로,  $\dfrac{dy}{dx} = 0$ , 이를 1식에 대입하면,

$$0 = \dfrac{P}{2}l^2 + c_1 \quad \therefore c_1 = \dfrac{Pl^2}{2} \qquad\qquad\qquad\qquad [3식]$$

다음으로, $x=l$ 에서 처짐량($y$)이 "0"이므로, $y=0$ , 이를 〔2식〕에 대입하면,

$0 = -\dfrac{Pl^3}{6} + c_1 l + c_2$, 이식에 〔3식〕을 적용하여 정리하면,

$$\therefore c_2 = \dfrac{Pl^3}{6} - \dfrac{Pl^3}{2} = -\dfrac{Pl^3}{3}$$ ·················· 〔4식〕

$c_1$ 및 $c_2$ 를 다시 〔1식〕과 〔2식〕에 대입하면

$$EI\dfrac{dy}{dx} = -\dfrac{P}{2}x^2 + \dfrac{Pl^2}{2}$$ ·················· 〔5식〕

$$EIy = -\dfrac{P}{6}x^3 + \dfrac{Pl^2}{2}x - \dfrac{Pl^3}{3}$$ ·················· 〔6식〕

$x=0$ 에서 최대 처짐각 및 처짐량이 일어나므로, 〔5식〕과 〔6식〕에 대입하면,

$$EI\left(\dfrac{dy}{dx}\right)_{max} = \dfrac{Pl^2}{2}, \quad \theta_{max} = \left(\dfrac{dy}{dx}\right)_{max} = \dfrac{Pl^2}{2EI} : \text{최대 처짐각}$$

$$EIy_{max} = \dfrac{Pl^3}{3}, \quad y_{max} = \delta_{max} = \dfrac{Pl^3}{3EI} : \text{최대 처짐량}$$

## (2) 등분포하중

아래의 처짐 미분방정식에 의해,

$$EI\dfrac{d^2y}{dx^2} = M,$$

외팔보의 최대모멘트는

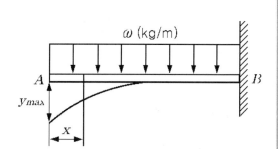

$$M_{max} = -\dfrac{wx^2}{2} \text{ 이므로,}$$

$$EI\dfrac{d^2y}{dx^2} = -\dfrac{wx^2}{2} \text{ 이를 } x\text{로 적분하면,}$$

$$EI\dfrac{dy}{dx} = -\dfrac{w}{6}x^3 + c_1$$ ·················· 〔1식〕

위 〔1식〕을 다시 $x$로 적분하면,

$$EIy = -\dfrac{w}{24}x^4 + c_1 x + c_2$$ ·················· 〔2식〕

$c_1$ 및 $c_2$ 를 구하기 위해 경계조건을 사용하자.

먼저, $x=l$ 에서 처짐 기울기가 "0"이므로, $\dfrac{dy}{dx}=0$ , 이를 〔1식〕에 대입하면,

$$-\frac{wl^3}{6}+c_1=0 \quad \therefore c_1=\frac{wl^3}{6} \quad\cdots\cdots\text{〔3식〕}$$

다음으로, $x=l$ 에서 처짐량( $y$ )이 "0"이므로, $y=0$ , 이를 〔2식〕에 대입하면,

$-\frac{wl^4}{24}+c_1l+c_2=0$, 이식에 〔3식〕을 적용하여 정리하면,

$$\therefore c_2=\frac{wl^4}{24}-\frac{wl^4}{6}=\frac{-wl^4}{8} \quad\cdots\cdots\text{〔4식〕}$$

$c_1$ 및 $c_2$ 를 다시 〔1식〕과 〔2식〕에 대입하면

$$EI\frac{dy}{dx}=-\frac{w}{6}x^3+\frac{wl^3}{6} \quad\cdots\cdots\text{〔5식〕}$$

$$EIy=-\frac{wl^4}{24}+\frac{wl^3}{6}x-\frac{wl^4}{8} \quad\cdots\cdots\text{〔6식〕}$$

$x=0$ 에서 최대 처짐각 및 처짐량이 일어나므로, 〔5식〕과 〔6식〕에 대입하면,

$$EI\left(\frac{dy}{dx}\right)_{max}=\frac{wl^3}{6}, \quad \theta_{max}=\left(\frac{dy}{dx}\right)_{max}=\frac{wl^3}{6EI} : \text{최대 처짐각}$$

$$EIy_{max}=\frac{wl^4}{8}, \quad y_{max}=\delta_{max}=\frac{wl^4}{8EI} : \text{최대 처짐량}$$

## ❸ 단순보

### (1) 집중하중을 받는 경우

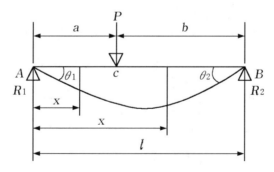

앞장을 참조하면 반력 $R_1, R_2$ 를 구할 수 있다.

● 경우#1,

$$R_1=\frac{Pb}{l} \qquad M_1=\frac{Pb}{l}x$$

처짐 미분방정식에 의해,

$$EI\frac{d^2y}{dx^2} = M_1 = \frac{Pb}{l}x \text{ , 이를 } x\text{로 적분하면,}$$

$$EIy_1' = -\frac{Pb}{2l}x^2 + c_1 \quad\text{······································· [1식]}$$

위 [1식]을 다시 $x$로 적분하면,

$$EIy_1 = -\frac{Pb}{6l}x^3 + c_1x + c_2 \quad\text{····························· [2식]}$$

● 경우#2

$$R_2 = \frac{Pa}{l} \qquad\qquad M_2 = \frac{Pa}{l}(l-x)$$

처짐 미분방정식에 의해,

$$EI\frac{d^2y}{dx^2} = M_2 = \frac{Pa}{l}(l-x) \text{ , 이를 } x\text{로 적분하면,}$$

$$EIy_2' = -\frac{Pa}{2l}(l-x)^2 + c_3 \quad\text{···················· [3식]}$$

위 [1식]을 다시 $x$로 적분하면,

$$EIy_2 = -\frac{Pa}{6l}(l-x)^3 + c_3x + c_4 \quad\text{·············· [4식]}$$

$c_1$ 및 $c_2$, $c_3$ 및 $c_4$ 를 구하기 위해

경계조건( $x=0$, $y=0$ ; $x=l$, $y=0$)을 사용하자.

먼저, $x=0$ 에서 처짐량이 "0"이므로, $y=0$, 이를 [2식]에 대입하면, $\boxed{c_2 = 0}$ [5식]

$x=l$ 에서 처짐량이 "0"이므로, $y=0$, 이를 [2식]에 대입하면,

$$-\frac{Pbl^2}{6} + c_1l = 0, \quad \therefore c_1 = \frac{Pbl}{6} \quad\text{····················· [6식]}$$

$x=l$ 에서 처짐량이 "0"이므로, $y=0$, 이를 [4식]에 대입하면,

$$0 = c_3 \times l + c_4, \qquad \therefore c_4 = -c_3l \quad\text{·········· [7식]}$$

위의 [7식]의 $c_3$, $c_4$를 구하기 위해

경계조건( $x=a$, $y'_1 \neq y'_2$, $y_1 = y_2$)을 사용하자. 이 말은 $x=a$에서 좌우로 길이가 $a$, $b$로 각각이 다르므로 A와 B지점에서의 처짐각($y'$)는 다르며, $x=a$에서의 처짐량 ($y$)는 공동이므로 같아야 한다. 즉, $x=a$에서 $y_1 = y_2$이므로, [2식] = [4식]이다.

식으로 표시하자.

$$-\frac{Pb}{6l}a^3 + c_1 a + c_2 = -\frac{Pa}{6l}(l-a)^3 + c_3 a + c_4$$

위식에서 [5식], [6식], [7식]을 대입하면,

$$-\frac{Pba^3}{6l} + \frac{Pbla}{6} = -\frac{Pa}{6l}(l-a)^3 + c_3 a - c_3 l$$

위식에 $b = l - a$이므로,

$$-\frac{Pba^3}{6l} + \frac{Pbla}{6} = -\frac{Pa}{6l}(l-a)^3 - c_3(l-a),$$

$$-\frac{Pba^3}{6l} + \frac{Pbla}{6} = -\frac{Pab^3}{6l} - c_3 b,$$

$$c_3 b = \frac{Pba^3}{6l} - \frac{Pbla}{6} - \frac{Pab^3}{6l} \rightarrow c_3 b = \frac{Pba^3}{6l} - \frac{Pab^3}{6l} - \frac{Pbla}{6}$$

양변에 b를 약분하면,

$$c_3 = \frac{Pa^3}{6l} - \frac{Pab^2}{6l} - \frac{Pla}{6},$$

$$c_3 = \frac{Pa}{6l}(a^2 - b^2 - l^2) \quad \text{............................................} \text{[8식]}$$

$a^2 - b^2 = (a+b)(a-b)$이고, $a + b = l$ 이므로,

$$a^2 - b^2 = l(a-b) \quad \text{............................................} \text{[9식]}$$

[9식]을 [8식]에 대입한다.

$$c_3 = \frac{Pa}{6l}(l(a-b) - l^2),$$

$$c_3 = \frac{Pal}{6l}(a - b - l),$$

$$c_3 = \frac{Pa}{6}(a - b - (a+b)),$$

$$c_3 = \frac{Pa}{6}(-b-b) = -\frac{2Pab}{6} = -\frac{Pab}{3} \quad \text{............................} \text{[10식]}$$

[10식]을 [7식]인 아래에 대입한다.

$$c_4 = -c_3 l$$

$$c_4 = \frac{Pabl}{3} \quad \text{............................................} \text{[11식]}$$

[5식], [6식], [10식], [11]식의 결과를 [1식], [2식], [3식], [4식]에 대입한다.

$$EIy_1' = -\frac{Pb}{2l}x^2 + \frac{Pbl}{6}$$ ......................................... 〔12식〕

$$EIy_1 = -\frac{Pb}{6l}x^3 + \frac{Pbl}{6}x$$ ......................................... 〔13식〕

$$EIy_2' = -\frac{Pa}{2l}(l-x)^2 - \frac{Pab}{3}$$ ......................................... 〔14식〕

$$EIy_2 = -\frac{Pa}{6l}(l-x)^3 - \frac{Pab}{3}x + \frac{Pabl}{3}$$ ......................................... 〔15식〕

$\theta_1$ 은 $x=0$일 때이므로, 〔12식〕에 대입하면,

$$EIy_1' = \frac{Pbl}{6} , \quad y_1' = \theta_1(\text{처짐각})\text{이므로,}$$

$$y'_1 = \theta_1 = \frac{Pbl}{6EI} ,$$

$\theta_2$ 은 $x=l$ 일 때이므로, 〔14식〕에 대입하면,

$$EIy_2' = -\frac{Pab}{3} , \quad y_2' = \theta_2(\text{처짐각})\text{이므로,}$$

$$y'_2 = \theta_2 = -\frac{Pab}{3EI} ,$$

최대 처짐이 일어나는 위치는 기울기( $y'$가 "0"일 때 이므로( $x=a$에 눌렸다고 해서 반드시 $a$지점에서 최고의 처짐이 있지 않고, $a$의 좌나 우측의 조금 옆(길이가 긴쪽)에 놓인다), 위 〔12식〕에 $y_1'=0$을 대입하여 최고처짐의 위치( $x$)를 찾는다.

$$0 = -\frac{Pb}{2l}x^2 + \frac{Pbl}{6} ,$$

$$\frac{Pb}{2l}x^2 = \frac{Pbl}{6} ,$$

$$x^2 = \frac{l^2}{3} ,$$

$$x = \frac{l}{\sqrt{3}}$$ ......................................... 〔16식〕

즉, 이 지점에서 최고의 처짐이 있다.

〔16식〕의 결과를 〔식13〕에 대입하여 처짐량( $y_1 = \delta_1$)을 구한다.( $x^3 = \frac{l^3}{3\sqrt{3}}$ )

$$EIy_1 = -\frac{Pb}{6l}x^3 + \frac{Pbl}{6}x$$ ......................................... 〔17식〕

$$EIy_1 = -\frac{Pb}{6l} \times \frac{l^3}{3\sqrt{3}} + \frac{Pbl}{6} \times \frac{l}{\sqrt{3}}$$

$$EIy_1 = -\frac{Pbl^2}{18\sqrt{3}} + \frac{Pbl^2}{6\sqrt{3}},$$

$$EIy_1 = -\frac{Pbl^2}{18\sqrt{3}} + \frac{3Pbl^2}{18\sqrt{3}},$$

$$EIy_1 = \frac{2Pbl^2}{18\sqrt{3}} = \frac{Pbl^2}{9\sqrt{3}},$$

$$y_1 = \frac{Pbl^2}{9\sqrt{3}EI} \ (y_1 = \delta_1 = \delta_{max} \ \text{임}) \ \cdots\cdots\cdots \ [18식]$$

그래서 위식의 값이 최대 처짐량이 된다.

만일, 중앙에 집중하중을 받는 경우

$a = b = \dfrac{l}{2}$ 이므로,

$$y'_1 = \theta_1 = \frac{Pbl}{6EI},$$

$$y'_2 = \theta_2 = -\frac{Pab}{3EI} \ \text{에 대입하면,}$$

$$y'_1 = \theta_1 = \frac{Pbl^2}{12EI}, \ y'_2 = \theta_2 = -\frac{Pbl^2}{12EI}$$

즉, 각의 방향만 다르고 크기가 같은 처짐각이 나온다.

최대 처짐량을 구하기 위해 [18식]에 $a = b = \dfrac{l}{2}$ 를

$$y_1 = \delta_{max} = \frac{Pbl^2}{9\sqrt{3}EI} = \frac{Pl^3}{18\sqrt{3}EI}$$

## (2) 등분포하중

균일분포 하중이 작용하므로, 전체하중($P$)은 다음과 같이 계산한다.

$$P = w \times l$$

균일분포 하중이 작용하는 전체길

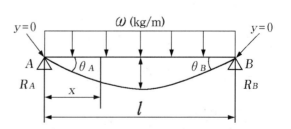

이( $l$ )의 중앙( $\frac{l}{2}$ )에 전체하중( $P$ )이 집중하중으로 작용한다고 가정하고 문제를 풀면 된다. 여기서, $w$ 는 길이당 하중을 나타내므로, 단위가 kgf/mm이다.

앞장에서 최대 처짐량을 아래와 같이 구했다.

$$\sum M = 0, \quad M = R_A \cdot x - wx \cdot \frac{x}{2} = \frac{wl}{2} x - \frac{wx^2}{2} = \frac{wx}{2}(l-x)$$

$$M_{max} = \frac{wx}{2}(l-x) \text{이고},$$

$$\theta_A = \theta_B = \theta_{max} \text{임을 알 수 있다.}$$

처짐 미분방정식에 의해,

$$EI \frac{d^2y}{dx^2} = \frac{wx}{2}(l-x), \text{이를 } x \text{로 적분하면,}$$

$$EI \frac{dy}{dx} = \frac{wl}{4} x^2 - \frac{wx^3}{6} + c_1 \quad \text{.....................} 〔1식〕$$

위 〔1식〕을 다시 $x$ 로 적분하면,

$$EIy = \frac{wl}{12} x^3 - \frac{wx^4}{24} + c_1 x + c_2 \quad \text{.....................} 〔2식〕$$

$c_1$, $c_2$ 를 구하기 위해 경계조건( $x=0, y=0; x=\frac{l}{2}, y'=0$ )을 적용한다.

먼저, $x=0$ 에서 처짐량( $y$ )가 "0"이므로( $y=0$ ), 2식에 대입, $c_2=0$ ...... 〔3식〕

$x=\frac{l}{2}$ 에서 최대 처짐량을 가지므로 기울기( $y'=\frac{dy}{dx}$ )가 "0"이므로, 〔1식〕에 대입하면,

$$\frac{wl}{4}\left(\frac{l}{2}\right)^2 - \frac{w}{6}\left(\frac{l}{2}\right)^3 + c_1 = 0,$$

$$\therefore c_1 = \frac{wl^3}{48} - \frac{wl^3}{16} = -\frac{wl^3}{24} \quad \text{.....................} 〔4식〕$$

〔3식〕과 〔4식〕을 〔1식〕과 〔2식〕에 대입한다.

$$EI \frac{dy}{dx} = \frac{wl}{4} x^2 - \frac{w}{6} x^3 - \frac{wl^3}{24} \quad \text{.....................} 〔5식〕$$

$$EIy = \frac{wl}{12} x^3 - \frac{wx^4}{24} - \frac{wl^3}{24} x \quad \text{.....................} 〔6식〕$$

$x=0$ 및 $x=l$ 에서 최대 처짐각이 생기므로, 〔5식〕에 대입하면,

$$EI\left(\frac{dy}{dx}\right)_{max} = -\frac{wl^3}{24}, \quad \theta_{max} = \left(\frac{dy}{dx}\right)_{max} = -\frac{wl^3}{24EI}$$

$x = \dfrac{l}{2}$ 에서 최대 처짐량이 생기므로 [식6]에 대입한다.

$$EIy_{max} = \frac{wl}{12}\left(\frac{l}{2}\right)^3 - \frac{w}{24}\left(\frac{l}{2}\right)^4 - \frac{wl^3}{24}\left(\frac{l}{2}\right) = \frac{5wl^4}{384}$$

$$EI\,y_{max} = \frac{5wl^4}{384}, \quad y_{max} = \delta_{max} = \frac{5wl^4}{384EI}$$

**예제 1** 자유단에 수직 하중 P를 받는 길이 $\ell$ 인 외팔보의 최대 처짐 공식은?(단, 굽힘 강성계수는 EI 이다)

　🔵 위의 식 유도 과정을 참조한다.

**예제 2** 길이 $\ell$ 인 양단 단순 지지보에 균일 분포 하중 W가 작용할 때 최대 처짐은?(단, 굽힘 강성 계수는 EI 이다)

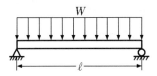

　🔵 위의 식 유도 과정을 참조한다.

자기진단

## 1.응력과 변형, 안전율

▶ 응 력(stress)

기사 97년 9월 출제

**1** Question

두 힘 10kgf 과 30kgf 이 직교하고 있다. 합성하면 크기는 얼마가 되는가 ?(단, $\sqrt{10}$ = 3.16 으로 한다)

㉮ 31.6 kgf  ㉯ 38.7 kgf

㉰ 40.6 kgf  ㉱ 44.7 kgf

해설 힘은 방향이 있는 벡터이므로, 또한 직교하고 있으므로, 힘의 합성( $R$ )은 다음과 같이 구한다.

$$R = \sqrt{F_1^2 + F_2^2}$$

$$R = \sqrt{10^2 + 30^2} = 31.6 kgf$$

**2** Question

산업기사98년3월 출제

지름 3cm 의 둥근 봉을 5,000kgf 의 힘으로 당길 때 이 재료 내부에 발생하는 응력은 약 몇 kgf/cm² 인가 ?

㉮ 707kgf/cm²  ㉯ 814kgf/cm²

㉰ 914kgf/cm²  ㉱ 1,014kgf/cm²

해설 인장력이 작용하고 있으므로, $(\sigma_t) = \dfrac{W_t}{A}$

$$\sigma_t = \frac{5000}{\dfrac{\pi}{4} \times 3^2} = 707.35 \text{kg/cm}^2$$

$$= 707.35 \text{kg/cm}^2 \text{으로 계산된다.}$$

**3** Question

산업기사03년8월 출제

그림과 같이 로프로 고정되어 A점에 1000kgf 의 무게를 매달 때 AC 로프에 생기는 응력은 약 몇 kgf/cm² 인가?(단, 로프 지름은 3cm이다.)

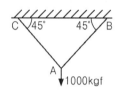

㉮ 100  ㉯ 210

㉰ 431  ㉱ 640

해설 AC의 방향이 힘의 방향에 45°의 각도를 가지고 있으므로,

$$W_t = W \times \cos 45° = 1000 \times \cos 45°$$

$$\sigma_t = \frac{1000}{\dfrac{\pi}{4} \times 3^2} \times \cos 45 = 100 \text{kgf}$$

**4** Question

산업기사94년3월 출제

그림과 같은 봉에 인장력 P 가 작용하였을 때 A 부분과 B 부분의 지름이 1 : 2 일 때 응력의 비 $\sigma_A / \sigma_B$ 는?

1.㉮  2.㉮  3.㉮  4.㉱

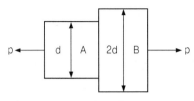

㉮ 1/4        ㉯ 1/2

㉰ 2           ㉱ 4

**해설** 인장하중이 작용하므로, 아래 공식을 이용한다.

$$(\sigma_t) = \frac{W_t}{A},$$

$$\sigma_A = \frac{W_t}{A_1} = \frac{W_t}{\frac{\pi d^2}{4}} = \frac{4W_t}{\pi d^2}$$

$$\sigma_B = \frac{W_t}{A_2} = \frac{W_t}{\frac{\pi(2d)^2}{4}} = \frac{4W_t}{\pi 4d^2},$$

$$\frac{\sigma_A}{\sigma_B} = \frac{\frac{4W_t}{\pi d^2}}{\frac{4W_t}{4\pi d^2}} = 4$$

**5** Question   ········· 기사00년7월 출제 ●

안지름이 110 cm인 두께가 얇은 원통 용기에 15 kgf/cm²인 가스를 넣으려면 용기의 두께는 몇 mm 이상인가?(단, 원통 재료의 허용응력은 750 kgf/cm²)

㉮ 5          ㉯ 8

㉰ 11        ㉱ 16

**해설** 가스의 압력이 원통용기의 축방향으로 작용한다고 가정하면,

$W = P \times A$ ($P$는 가스의 압력, $A$는 원통용기의 원단면적)

$$W = 15 \times \frac{\pi 110^2}{4} \text{ kgf,}$$

이 작용힘이 원통용기 중앙에 인장응력으로 작용한다면,

$$\sigma_t = \frac{W_t}{A}, \quad W = W_t \text{이고,}$$

면적($A$) = 원주길이 × 두께

$$= \pi d \times t = \pi 110 \times t \text{ 이므로,}$$

$$750 = \frac{\frac{15 \times \pi \times 110^2}{4}}{\pi 110 \times t}$$

($\sigma = \frac{P \times D}{2 \times t}$ 공식과 같음)

$$t = \frac{15 \times 110}{2 \times 750} = 1.1 \text{ cm} = 11 \text{mm}$$

**6** Question   ········· 기사94년5월 출제 ●

두께 4mm, 0.2% C 인 연강판에 지름 20mm의 구멍을 펀칭할 때 소요되는 힘은?(단, 0.2% C 연강판의 전단 저항은 25kgf/mm²이다)

㉮ 약 6,283kgf     ㉯ 약 5,462kgf

㉰ 약 4,870kgf     ㉱ 약 3,964kgf

**해설** 전단응력이 발생하고,

전단면적($A$) = 원주길이 × 연강판의 두께이므로,

$$A = \pi d \times t, \quad \tau = \frac{W_s}{A} \text{이므로}$$

$$W_s = \pi d \times t \times \tau$$

$$W_s = \pi \times 20 \times 4 \times 25 = 6283.18 \text{kgf}$$

**7** Question   ········· 산업기사04년3월 출제 ●

동일한 크기의 전단응력이 작용하는 원형 단면 보의 지름을 2배로 하면 전단응력은 얼마로 감소하는가?

㉮ 1/16       ㉯ 1/8

㉰ 1/4        ㉱ 1/2

**해설** 전단응력이 작용하므로, $\tau = \frac{W_s}{A}$ 공식을 사용한다.

$$\tau_A = \frac{W_s}{A_1} = \frac{W_s}{\dfrac{\pi d^2}{4}} = \frac{4W_s}{\pi d^2},$$

$$\tau_B = \frac{W_s}{A_2} = \frac{W_s}{\dfrac{\pi(2d)^2}{4}} = \frac{4W_s}{\pi 4d^2}$$

$$\frac{\tau_A}{\tau_B} = \frac{\dfrac{4W_s}{\pi d^2}}{\dfrac{4W_s}{4\pi d^2}} = 4 \ \text{로 계산된다.}$$

즉 $\tau_B$ 는 $\tau_A$ 의 $\frac{1}{4}$ 로 된다.

---

**8 Question**  기사99년4월/01년9월/05년3월 출제

지름 10 mm의 원형단면 축에 길이 방향으로 785 kgf의 인장하중이 걸릴 때 하중방향에 수직인 단면에 생기는 응력은 몇 kgf/mm²인가?

㉮ 7.85 　　　㉯ 78.5

㉰ 10 　　　㉱ 100

**해설** 인장력이 작용하고 있으므로,

$$(\sigma_t) = \frac{W_t}{A}$$

$$\sigma_t = \frac{785}{\dfrac{\pi}{4} \times 10^2} = 9.9949 \text{kgf/mm}^2$$

---

**9 Question**  산업기사03년5월 출제

지름 10mm, 길이 1m인 연강 환봉이 하중 1ton을 받아 0.6mm 신장했다고 한다. 이 봉에 발생하는 응력은 약 몇 MPa인가?

㉮ 1.25 　　　㉯ 12.5

㉰ 125 　　　㉱ 1250

**해설** 장력이 작용하고 있으므로,

$$(\sigma_t) = \frac{W_t}{A}$$

---

$$\sigma_t = \frac{1000}{\dfrac{\pi}{4} \times 10^2} = 12.732 \text{kgf/mm}^2,$$

$1 \text{kgf} = 9.8 \text{N},$

$1 \text{mm}^2 = (0.001\text{m})^2 = 10^{-6}\text{m}^2$

$10^6 = M$ 이므로,

$$1 \text{kgf/mm}^2 = \frac{9.8N}{10^{-6}\text{m}^2}$$

$$= 9.8 \times 10^6 \text{ N/m}^2$$
$$= 9.8 \times 10^6 \text{ Pa}$$
$$= 9.8 \text{ MPa}$$

위 식에 대입한다.

$$12.732 \text{kgf/mm}^2 = 12.732 \times 9.8 \text{MPa}$$
$$= 124.773 \text{MPa}$$

---

**10 Question**  기사04년2회 출제

그림과 같은 타원 단면을 갖는 봉이 하중 200kgf의 인장하중을 받는다. 이 봉에 작용한 인장응력은 몇 kgf/cm²인가?

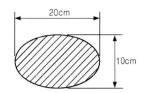

㉮ 1.27 　　　㉯ 12.7

㉰ 127 　　　㉱ 1270

**해설** 인장력이 작용하고 있으며, 타원이므로

$$A = \frac{\pi ab}{4} = \frac{\pi(20 \times 10)}{4} \text{ cm}^2,$$

$$(\sigma_t) = \frac{W_t}{A}$$

$$\sigma_t = \frac{200}{\pi \times 20 \times \dfrac{10}{4}} = 1.273 \text{kgf/mm}^2$$

8.㉱　9.㉰　10.㉮

**11** Question  산업기사05년1회 출제

단면적 5cm²인 막대에 수직으로 20kgf의 압축 하중이 작용한다면 이 때의 압축응력은 몇 kgf/cm²인가?

㉮ 1  ㉯ 2
㉰ 4  ㉴ 8

**해설** 아래의 압축응력 공식을 사용한다.

압축응력 $(\sigma_c) = \dfrac{W_c}{A}$ 으로 계산된다.

$$\sigma_c = \frac{20}{5} = 4 \mathrm{kgf/mm^2}$$

**12** Question  산업기사05년2회 출제

지름이 50〔mm〕인 원형 단면봉에 축하중 P=1000〔kg〕의 압축하중이 작용할 때 이 봉에 발생하는 압축응력은 몇 kgf/cm²인가?

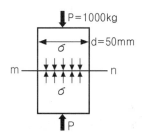

㉮ 51.0  ㉯ 59.0
㉰ 65.0  ㉴ 70.0

**해설** 아래의 압축응력 공식을 사용한다.

압축응력 $(\sigma_c) = \dfrac{W_c}{A}$ , 50mm=5cm 이므로,

$$\sigma_c = \frac{1000}{\dfrac{\pi \times 5^2}{4}} = 50.93 \mathrm{kgf/mm^2}$$

**13** Question  기사03년5월 출제

두께 3mm인 연강 판에 지름 30mm의 구멍을 편칭할 때 편칭력은 최소 약 몇 kgf 이상이어야

하나?(단, 연강 판의 전단 파괴강도는 25kgf /mm² 이다.)

㉮ 4526  ㉯ 5360
㉰ 6580  ㉴ 7070

**해설** 전단응력이 발생하고,

전단면적$( A )$=원주길이×연강판의 두께이므로,

$$A = \pi d \times t, \quad \tau = \frac{W_s}{A} \ \text{이므로}$$

$$W_s = \pi d \times t \times \tau,$$

$$W_s = \pi \times 30 \times 3 \times 25 = 7068.58 \mathrm{kgf}$$

**14** Question  기사04년2회 출제

두께 1.5mm인 연강판에 지름 25mm의 구멍을 편칭할 때 편칭력은 약 몇 kgf 이상이어야 하는 가?(단, 판의 전단 저항은 20kgf/mm² 이다.)

㉮ 500  ㉯ 1570
㉰ 2357  ㉴ 3250

**해설** 전단응력이 발생하고,

전단면적$( A )$=원주길이×연강판의 두께이므로,

$$A = \pi d \times t, \quad \tau = \frac{W_s}{A} \ \text{이므로}$$

$$W_s = \pi d \times t \times \tau,$$

$$W_s = \pi \times 25 \times 1.5 \times 20 = 2356.2 \mathrm{kgf}$$

## ▶ 변형률(strain)

**1** Question  산업기사98년3월 출제

지름 42mm, 표점거리 200mm 의 연강제의 둥근 막대를 인장 시험한 결과 표점 거리 250mm 로 되었다면 연신률은 몇 % 인가 ?

㉮ 25%  ㉯ 40%
㉰ 20%  ㉴ 35%

예설 연신율이란 인장시험시의 세로 변형률을 말하므로,

$$\varepsilon = \frac{\ell' - \ell}{\ell} \times 100 ,$$

$$\varepsilon = \frac{250 - 200}{200} \times 100 = 20\%$$

---

**2** Question ·········· 기사05년2회 출제

인장 시험편의 시험 전의 지름이 14mm, 시험 후 절단된 지름이 12.3mm 일 때 단면 수축률은 약 얼마인가?

㉮ 13.82%　　　㉯ 22.81%

㉰ 12.14%　　　㉱ 29.55%

예설 단면수축율($\varepsilon_A$)이란 원래단면에 대한 단면수축량을 뜻하므로,

$$\varepsilon_A = \frac{\Delta A}{A} \text{ 로 표시된다.}$$

$$\varepsilon_A = \frac{\Delta A}{A} = \frac{\dfrac{\pi(d'^2 - d^2)}{4}}{\dfrac{\pi d^2}{4}}$$

$$= \frac{d'^2 - d^2}{d^2} = \frac{14^2 - 12.3^2}{14^2}$$

$$= 0.2281$$

그러므로 22.81%로 계산된다.

---

**3** Question ·········· 산업기사05년3회 출제

시험전 시험편의 지름이 40mm이고, 시험후 시험편의 지름이 30mm이었다. 이 경우 단면수축율(%)은 얼마인가?

㉮ 25.00　　　㉯ 43.75

㉰ 65.25　　　㉱ 75.00

예설 단면수축율($\varepsilon_A$)이란 원래단면에 대한 단면수축량을 뜻하므로,

$$\varepsilon_A = \frac{\Delta A}{A} \text{ 로 표시된다.}$$

---

$$\varepsilon_A = \frac{\Delta A}{A} = \frac{\dfrac{\pi(d'^2 - d^2)}{4}}{\dfrac{\pi d^2}{4}}$$

$$= \frac{d'^2 - d^2}{d^2} = \frac{40^2 - 30^2}{40^2}$$

$$= 0.4375$$

그러므로 43.75%로 계산된다.

---

**4** Question ·········· 산업기사98년5월 출제

연강봉의 지름이 10mm 이고 길이가 1m 인 봉에 인장 하중 5ton 을 작용시켰더니 1.02m 로 늘어났다. 인장 변형률은 얼마인가?

㉮ 0.0002　　　㉯ 0.002

㉰ 0.02　　　㉱ 0.2

예설 인장변형률이란 인장시험시의 세로 변형률을 말하므로,

$$\varepsilon = \frac{\ell' - \ell}{\ell} \times 100 ,$$

$$\varepsilon = \frac{1.02 - 1}{1} \times 100 = 2\% \text{로 계산된다.}$$

---

**5** Question ·········· 산업기사04년4회 출제

길이 30cm의 봉이 인장력을 받아 1.5mm 신장되었을 때 길이 방향 변형률은?

㉮ $1.33 \times 10^{-3}$　　　㉯ $5 \times 10^{-2}$

㉰ $5.0 \times 10^{-3}$　　　㉱ $1.33 \times 10^{-2}$

예설 인장변형률이므로

$$\varepsilon = \frac{\ell' - \ell}{\ell} ,$$

30cm=300mm 이므로,

$$\varepsilon = \frac{1.5}{300} = 0.005$$

$$= 5 \times 10^{-3} \text{로 계산된다.}$$

2.㉯　3.㉯　4.㉰　5.㉰

**6** Question ──────────── 기사03년5월 출제

길이 50cm인 연강재의 환봉에 인장력이 작용하여 길이가 60cm로 늘어났을 때 이 재료의 연신율은 얼마인가?

㉮ 10%  ㉯ 20%

㉰ 23%  ㉱ 40%

**해 설** 연신율이란 인장시험시의 세로 변형율을 말하므로,

$$\varepsilon = \frac{\ell' - \ell}{\ell} \times 100$$

$$\varepsilon = \frac{60 - 50}{50} \times 100 = 20\%\text{로 계산된다.}$$

## ▶ 응력과 안전율 ||||||

**1** Question ──────────── 산업기사96년10월/98년3월 출제

재료의 인장 강도 4200kgf/cm² 연강제가 있다. 안전율이 10 이면 허용 응력은?

㉮ 240kgf/cm²  ㉯ 4,200kgf/cm²

㉰ 280kgf/cm²  ㉱ 420kgf/cm²

**해 설** 아래 식을 적용한다.

$$S = \frac{\sigma_t}{\sigma_a},$$

$$\sigma_a = \frac{4200}{10} = 420\text{kgf/cm}^2$$

**2** Question ──────────── 산업기사98년5월 출제

최대 인장력 2000kgf 을 받을 수 있는 단면적 20mm² 인 정하중을 받는 특수강의 안전률이 4 일 때 허용 응력은 몇 kgf/mm² 인가?

㉮ 25kgf/mm²  ㉯ 100kgf/mm²

㉰ 250kgf/mm²  ㉱ 1,000kgf/mm²

**해 설** $\sigma_a = \dfrac{W}{A}$ 이므로,

$$S = \frac{\sigma_t}{\sigma_a} = \frac{\dfrac{W}{A}}{\sigma_a}$$

$$\sigma_a = \frac{\dfrac{2000}{20}}{4} = 25\text{kgf/mm}^2$$

**3** Question ──────────── 기사01년4월 출제

단면 6 cm×8 cm의 목재가 3000 kgf의 압축 하중을 받고 있다. 안전율을 7로 하면 사용응력은 허용응력의 몇 %가 되는가?(단, 목재의 인장강도는 550 kg/cm²이다.)

㉮ 79.6 %  ㉯ 78.6 %

㉰ 62.5 %  ㉱ 60.5 %

**해 설** 다음과 같이 계산한다.

$$\text{허용응력} = \frac{\text{인장강도}}{\text{안전율}} = \frac{550}{7}$$

$$= 78.57 \text{ kgf/cm}^2$$

$$\text{사용응력} = \frac{\text{하중}}{\text{단면적}} = \frac{3000}{6 \times 8}$$

$$= 62.5 \text{kgf/cm}^2$$

$$\text{비율} = \frac{\text{사용응력}}{\text{허용응력}} = \frac{62.5}{78.57} \times 100$$

$$= 79.6\%$$

**4** Question ──────────── 기사04년1회 출제

250kgf의 인장하중을 받은 연강봉 직경은 최소 몇 mm가 적합한가?(단, 재료의 극한강도는 36kgf/mm², 안전율은 30이다.)

㉮ 5.2  ㉯ 6.1

㉰ 6.7  ㉱ 7.7

**해 설** $\sigma_a = \dfrac{W}{A}$ 이므로,

$$S = \frac{\sigma_t}{\sigma_a} = \frac{36}{\sigma_a} = 3,$$

$$\sigma_a = \frac{36}{3} = 12 \text{kgf/mm}^2$$

$$\sigma_a = \frac{W}{A} = \frac{250}{A} = 12, \quad A = \frac{250}{12} \text{mm}^2$$

여기서, $A = \frac{\pi d^2}{4}$ 이므로, $\frac{250}{12} = \frac{\pi d^2}{4}$

$$d = \sqrt{\frac{250 \times 4}{\pi \times 12}} = 5.15 \text{mm}$$

**5** Question 　　　　　　　　기사99년4월 출제

단면적 600 mm²인 봉에 600 kgf의 추를 달았
더니 허용인장응력에 도달하였다. 이 봉의 인장
강도가 500 kgf/cm² 이라고 하면 안전계수는
얼마인가?

㉮ 5 　　　　　　　㉯ 6
㉰ 10 　　　　　　　㉱ 12

**해설** 허용응력 $\sigma_a = \frac{W}{A}$ 이므로,

1mm = 0.1cm 이므로,

$$\sigma_a = \frac{600}{600} = 1 \text{kgf/mm}^2 = 100 \text{kgf/cm}^2$$

$$S = \frac{\sigma_t}{\sigma_a} = \frac{500}{100} = 5 로 계산된다.$$

**6** Question 　　　　　　　　기사99년8월 출제

인장강도가 48 kgf/mm² 되는 기계 구조용 강을
안전율 8로 하면 허용 인장응력은 몇 kgf/mm²
인가?

㉮ 6 　　　　　　　㉯ 56
㉰ 40 　　　　　　　㉱ 384

**해설** $S = \frac{\sigma_t}{\sigma_a}$ 에서

$$\sigma_a = \frac{\sigma_t}{S} = \frac{48}{8} = 6 \text{kgf/cm}^2$$

**7** Question 　　　　　　　　기사04년3회 출제

단면적 60cm²인 기둥이 5000kgf 의 하중을 받
고 있다면 기둥재료의 극한 강도를 550kgf/cm²
라 할 때 안전율은?

㉮ 3.9 　　　　　　　㉯ 6.6
㉰ 8.3 　　　　　　　㉱ 9

**해설** 허용응력 $\sigma_a = \frac{W}{A}$ 이므로,

$$\sigma_a = \frac{5000}{60} = 83.33 \text{ kgf/cm}^2,$$

$$S = \frac{\sigma_t}{\sigma_a} = \frac{550}{83.33} = 6.6 로 계산된다.$$

**8** Question 　　　　　　　　산업기사05년2회 출제

탄성한도 내에서 인장하중을 받는 봉의 허용응
력이 2배가 되면 안전율은 처음에 비해 몇 배가
되는가?

㉮ 1/2 배 　　　　　　㉯ 2 배
㉰ 1/4 배 　　　　　　㉱ 4 배

**해설** $S_1 = \frac{\sigma_t}{\sigma_a}$ 에서 허용응력을 2배하였으므
로, 분모에 $2\sigma_a$를 대입하면,

$$S_2 = \frac{\sigma_t}{2\sigma_a} = \frac{1}{2} S_1 으로 계산된다.$$

5.㉮　6.㉮　7.㉯　8.㉮

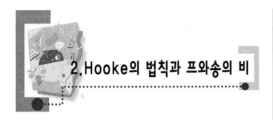

## 2.Hooke의 법칙과 프와송의 비

### ▶Hooke의 법칙

기사95년7월/00년7월/03년3월 출제

**1 Question**

단면적 1cm², 길이 4m 인 강선(鋼線)에 2ton 의 하중을 작용시키면 그 신장(늘음)은 몇 cm 가 되겠는가?(단, 연강(軟鋼)의 E =2× 10⁶kgf/cm² 이다)

㉮ 0.2 ㉯ 0.245
㉰ 0.27 ㉱ 0.4

**해설** 위를 참조하면 아래 식을 유도하였다.

$\lambda = \dfrac{Wl}{AE} = \dfrac{\sigma l}{E}$ 이 식을 외워서 풀어도 되지

만, 유도과정을 알고 있으면 외우지 않아도 된다.

$\lambda = \dfrac{W \times \ell}{A \times E}$, 여기서, 종탄성계수( $E$ )의 길

이 단위가 cm로 나와 있으므로, $A$, $l$ 의 단위

를 cm로 환산하여 대입한다.

$\lambda = \dfrac{2000 \times 400}{1 \times 2 \times 10^6} = 0.4cm$

산업기사97년3월/05년1회 출제

**2 Question**

단면적 20cm² 의 재료에 6,000kgf 의 전단 하 중이 작용하고 있다. 이때 이 재료의 전단 변형 률은?(단, G = 0.8 × 10⁶ kgf/cm² 이다)

㉮ 2.81×10⁻⁴ ㉯ 3.75×10⁻⁴
㉰ 4.67×10⁻⁴ ㉱ 5.81×10⁻⁴

**해설** 유도과정을 알면 쉽게 풀 수 있다.

$G = \dfrac{\tau}{\gamma} = \dfrac{\dfrac{W_s}{A}}{\gamma} = \dfrac{W_s}{A\gamma}$, $\gamma = \dfrac{W_s}{GA}$,

$\gamma = \dfrac{6000}{20 \times 0.8 \times 10^6} = 3.75 \cdot 10^{-4}$

기사96년3월 출제

**3 Question**

길이 15m, 지름 10mm 의 강(鋼) 봉에 800kgf 의 인장 하중을 걸었을 때 탄성 변형이 생겼다 면 이때 늘어난 길이는?(단, 이 재료의 탄성 계 수 E 의 값은 $2.1 \times 10^4$ kgf/mm² 이다)

㉮ 7.3mm ㉯ 7.3cm
㉰ 0.73mm ㉱ 73mm

**해설** 아래 식에 그대로 대입한다.

$\lambda = \dfrac{W \times \ell}{A \times E}$, $A = \dfrac{\pi d^2}{4}$ 이므로,

$\lambda = \dfrac{800 \times 15000}{\dfrac{\pi}{4} \times 10^2 \times 2.1 \times 10^4}$
$= 7.275mm$

기사96년3월 출제

**4 Question**

단면 2.5cm × 2cm, 길이 3m 의 연강봉에 5,000kgf 의 인장 하중이 작용하면 몇 cm 늘어 나는가?(단, E = $2 \times 10^6$ kgf/cm²이다)

㉮ 0.25cm ㉯ 0.15cm
㉰ 0.65cm ㉱ 0.05cm

**해설** 아래 식에 그대로 대입한다.

$\lambda = \dfrac{W \times \ell}{A \times E}$, $A = b \times h$ 이므로,

$\lambda = \dfrac{W \times \ell}{b \times h \times E}$,

$\lambda = \dfrac{5000 \times 300}{2.5 \times 2 \times 2 \times 10^6} = 0.15cm$

1.㉱ 2.㉯ 3.㉮ 4.㉯

**5** Question ·········· 산업기사96년3월 출제 ●

직경 20mm인 원형 단면의 연강봉에 5000kgf 의 인장 하중을 작용시키면 신장량은 얼마나 되는가?(단, 봉의 길이는 1m로 한다. 세로 탄성계수 $E = 2.1 \times 10^6$ kgf/cm²)

㉮ 0.758cm      ㉯ 0.379cm

㉰ 0.0758cm      ㉱ 0.0379cm

해 설 ▶ 아래 식에 그대로 대입한다.

$$\lambda = \frac{W \times \ell}{A \times E}, \quad A = \frac{\pi d^2}{4} \text{ 이므로,}$$

$$\lambda = \frac{5000 \times 100}{\frac{\pi}{4} \times 2^2 \times 2.1 \times 10^6}$$

$$= 0.07578 \text{ cm}$$

**6** Question ·········· 기사00년10월 출제 ●

단면이 2 cm×3 cm, 길이 2 m의 연강봉에 49000 N의 인장하중이 작용한다면 몇 mm 늘어나는가?(단, 세로 탄성계수 $E = 2.058 \times 10^6$ N/cm²이다.)

㉮ 8      ㉯ 4

㉰ 2      ㉱ 0.8

해 설 ▶ 아래 식에 그대로 대입한다.

$$\lambda = \frac{W \times \ell}{A \times E}, \quad A = b \times h \text{ 이므로,}$$

$$\lambda = \frac{W \times \ell}{b \times h \times E} = \frac{49000 \times 200}{2 \times 3 \times 2.058 \times 10^6}$$

$$= 0.79 \text{cm로 계산된다.}$$

**7** Question ·········· 기사03년5월 출제 ●

길이 2m, 지름 10mm인 원형봉이 2000kgf의 축방향 인장하중을 받고 2mm늘어났다면 재료

---

의 종탄성계수의 값은 약 몇 kgf/cm² 인가?

㉮ $8.10 \times 10^4$      ㉯ $2.55 \times 10^6$

㉰ $1.61 \times 10^5$      ㉱ $3.15 \times 10^6$

해 설 ▶ 아래 식을 활용한다.

$$\lambda = \frac{W\ell}{AE} \text{ 을 변형한다.}$$

$$E = \frac{W\ell}{A\lambda} = \frac{2000 \times 200}{\frac{\pi \times 1^2}{4} \times 0.2}$$

$$= 2547770$$

$$= 2.55 \times 10^6 \text{ kgf/cm}^2$$

▶ **포와송비(Posisson's ratio)** ▌▌▌▌

**1** Question ·········· 기사96년3월 출제 ●

지름 20mm, 길이 200mm 의 환봉(丸捧)이 인장 하중을 받아 0.2mm 늘어났고 동시에 지름이 0.004 수축하였다. 이 재료의 포와송의 비는 얼마인가?

㉮ $\frac{1}{2}$      ㉯ $\frac{1}{3}$

㉰ $\frac{1}{4}$      ㉱ $\frac{1}{5}$

해 설 ▶ 유도된 아래의 식을 이용한다.

$$\mu = \frac{1}{m} = \left| \frac{\varepsilon'}{\varepsilon} \right| = \frac{\frac{\delta}{d}}{\frac{\lambda}{l}} = \frac{\delta l}{d\lambda}$$

여기서 $\lambda$는 팽창량(mm), d는 지름(mm), $\delta$는 수축량(mm), $\ell$은 길이(mm)를 뜻한다. 그대로 대입한다.

$$\mu = \frac{0.004 \times 200}{20 \times 0.2} = 0.2 = \frac{1}{5}$$

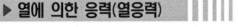

## ▶ 열에 의한 응력(열응력)

기사93년9월/00년7월 출제

**① Question**

강철 나사 막대를 기온이 30℃인 경우에 240kgf/cm²의 인장 응력을 발생시켜 놓고 고정하였다. 그리고 기온을 60℃로 상승시키면 응력은 몇 kgf/cm²인가?(단, $E = 2 \times 10^6$ kgf/cm², $\alpha = 1 \times 10^{-5}$ /℃)

㉮ 840kgf/cm²(인장)

㉯ 360kgf/cm²(압축)

㉰ 600kgf/cm²(인장)

㉱ 600kgf/cm²(압축)

**해설** 위의 유도 공식을 이용한다.

$$\sigma = E \times \alpha(t_2 - t_1)$$

여기서, $t_2$는 변화 후 온도(℃), $t_1$은 변화 전 온도(℃)를 나타낸다.

$$\sigma = 2 \times 10^6 \times 1 \times 10^{-5}(60-30) - 240$$
$$= 360 \text{kgf/cm}^2$$

## 3.축의 비틀림

## ▶ 단면 계수와 단면 2차모멘트

기사93년9월 출제

**① Question**

그림과 같은 폭 b : 24cm인 직사각 단면의 Z축에 대한 단면계수 값은 얼마인가?

㉮ 2,136cm⁴

㉯ 3,136cm³

㉰ 2,136cm³

㉱ 3,136cm⁴

**해설** 도심을 지나는 관성모멘트 ($I_x$) $= \dfrac{bh^3}{12}$ 이므로,

$$y = \frac{h}{2},$$

$$Z = \frac{I_x}{y} \text{에 대입하자.}$$

$$Z = \frac{I_x}{y} = \frac{\dfrac{bh^3}{12}}{\dfrac{h}{2}} = \frac{bh^2}{6} \text{으로 유도된다.}$$

$$Z = \frac{1}{6} \times 24 \times 28^2 = 3136 \text{cm}^3$$

기사03년8월 출제

**② Question**

그림과 같은 내측이 비어 있는 단면의 보에서 X - X′ 축에 대한 단면 2차 모멘트는 약 몇 cm⁴인가?(단, 직사각형 외측높이는 25cm, 폭은 20cm 이고, 내측의 높이는 15cm, 폭은 10cm임)

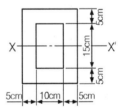

㉮ 16715

㉯ 18645

㉰ 19375

㉱ 23229

**해설** 도심을 지나는 관성모멘트 ($I_x$) $= \dfrac{bh^3}{12}$ 이므로, 큰면적의 관성모멘트 - 작은 면적의 관성모멘트를 하면 된다. 식으로 표현하면 다음과 같다.

$$I = I_2 - I_1 = \frac{BH^3 - bh^3}{12}$$

$$= \frac{1}{12}(20 \times 25^3 - 10 \times 15^3)$$

$$= 23229 \text{cm}^4$$

1.㉯ / 1.㉰ 2.㉱

## ▶ 비틀림 저항 모멘트

산업기사97년3월 출제

**1 Question**

3,000kg - cm 의 비틀림 모멘트가 작용하는 지름 10cm 환봉 축의 최대 전단 응력은 몇 kgf/cm² 인가?

㉮ 21.28kgf/cm²  ㉯ 17.59kgf/cm²
㉰ 15.28kgf/cm²  ㉑ 13.42kgf/cm²

**해설** $\tau_a = \dfrac{T}{Z_p}$ 를 이용한다. 원형환봉이므로,

$Z_p = \dfrac{\pi d^3}{16}$ 을 대입하면

$\tau_a = \dfrac{16 \times T}{\pi \times d^3}$ 으로 유도된다.

$\tau_a = \dfrac{16 \times 3000}{\pi \times 10^3} = 15.2788 \text{kgf/cm}^2$

산업기사05년1회 출제

**2 Question**

중공단면축의 바깥지름 do=5cm, 안지름 di=3cm, 허용전단응력 w=300kgf/cm²일 때 비틀림 모멘트는?

㉮ 4528kgf·cm  ㉯ 5510kgf·cm
㉰ 6409kgf·cm  ㉑ 7405kgf·cm

**해설** $\tau_a = \dfrac{T}{Z_p}$ 를 이용한다. 중공환봉이므로,

$Z_p = \dfrac{\pi}{16}\left(\dfrac{d_2^4 - d_1^4}{d_2}\right)$ 을 대입하면

$T = \tau_a \times Z_p = 300 \times \dfrac{\pi}{16}\left(\dfrac{5^4 - 3^4}{5}\right)$

$= 6408.849 \text{kgf-cm}$ 으로 계산된다.

기사04년3회 출제

**3 Question**

950kgf-m 의 비틀림 모멘트만를 받는 둥근 중실축의 축지름은 몇 약 mm 인가?(단, 허용 비

틀림응력이 6.5kgf/mm²이다.)

㉮ 45.2  ㉯ 57.4
㉰ 91  ㉑ 115

**해설** $\tau_a = \dfrac{T}{Z_p}$ 를 이용한다. 원형환봉이므로,

$Z_p = \dfrac{\pi d^3}{16}$ 을 대입하면

$\tau_a = \dfrac{16 \times T}{\pi \times d^3}$, $d^3 = \dfrac{16 \times T}{\pi \tau_a}$ 으로 유도된다.

$d = \sqrt[3]{\dfrac{16 \times T}{\pi \tau_a}} = \sqrt[3]{\dfrac{16 \times 950000}{\pi \times 6.5}}$

$= 90.62 \text{mm}$

산업기사98년5월/05년2회 출제

**4 Question**

지름이 4cm 인 봉에 20kgf-m의 비틀림 모멘트가 작용하고 있다. 봉에 발생하는 최대 전단 응력은 몇 kgf/cm² 인가?

㉮ 185kgf/cm²  ㉯ 163kgf/cm²
㉰ 159kgf/cm²  ㉑ 127kgf/cm²

**해설** $\tau_a = \dfrac{T}{Z_p}$ 를 이용한다. 원형환봉이므로,

$Z_p = \dfrac{\pi d^3}{16}$ 을 대입하면

$\tau_a = \dfrac{16 \times T}{\pi \times d^3}$ 으로 유도된다.

$1m = 100cm$ 이므로,

$\tau_a = \dfrac{16 \times 20 \times 100}{\pi \times 4^3} = 159.15 \text{kgf/cm}^2$

1.㉰  2.㉰  3.㉰  4.㉰

# 4. 보

## ▶ 보의 반력(反力)

**❶ Question** 기사00년7월 출제

다음 그림과 같은 단순 지지보의 C점에 500 kgf 의 하중이 걸릴 때 A점에 작용하는 반력은 몇 kgf인가?

㉮ 257          ㉯ 357
㉰ 457          ㉱ 567

**해설** $\Sigma P_i = 0$,

위쪽방향 : $(+)$, 아랫방향 : $(-)$이므로,

$R_A + R_B - P = 0$, $R_A + R_B - 500 = 0$

$\Sigma M_A = 0$, $500 \times 2 - R_B \times 7 = 0$,

$R_B = \dfrac{500 \times 2}{7}$,

위 식에 대입하면

$R_A = 500 - R_B$

$= 500 - \dfrac{500 \times 2}{7} = 357.14\,\mathrm{kg}$

**❷ Question** 기사93년3월 출제

그림과 같은 단순지지보의 왼쪽 지점의 반력은 얼마인가?

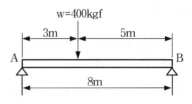

㉮ 250 kgf          ㉯ 300 kgf
㉰ 350 kgf          ㉱ 400 kgf

**해설** $\Sigma P_i = 0$,

위쪽방향 : $(+)$, 아랫방향 : $(-)$이므로,

$R_A + R_B - P = 0$, $R_A + R_B - 400 = 0$

$\Sigma M_A = 0$, $400 \times 3 - R_B \times 8 = 0$,

$R_B = \dfrac{400 \times 3}{8}$,

위 식에 대입하면

$R_A = 400 - R_B = 500 - \dfrac{400 \times 3}{8}$

$= 250\,\mathrm{kgf}$

## ▶ 보의 전단력선도와 굽힘모멘트 선도

**❶ Question** 기사94년5월 출제

다음 그림과 같은 단순보에서 일어나는 최대 굽힘 모멘트는 몇 kgf · cm 인가?(단, 보의 자중은 무시하고 W =4kgf 이다)

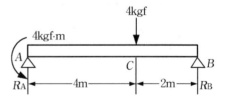

㉮ 200kgf · cm          ㉯ 400kgf · cm
㉰ 600kgf · cm          ㉱ 800kgf · cm

**해설** $\Sigma P_i = 0$,

위쪽방향 : $(+)$, 아랫방향 : $(-)$이므로,

$R_A + R_B - P = 0$, $R_A + R_B - 4 = 0$

$\sum M_B = 0$,

$-4 - 4 \times 2 + R_A \times 8 = 0$,

$R_A = \dfrac{12}{6} = 2\text{kgf}$,

위 식에 대입하면  $R_B = 4 - 2 = 2\text{kgf}$

AC구간에서 모멘트는

$\sum M = 0$,     $R_A \times x - 4 - M_1 = 0$,

$M_1 = 2x - 4$, (단위: kgf-m)

CB구간에서 모멘트는

$\sum M = 0$,

$R_A \times x - 4 - 4 \times (x-4) - M_2 = 0$,

$M_1 = -2x + 12$,

$x = 0$이면  $M = -4$ (단위 : kgf-m),

$x = 4$이면  $M = 4$ (단위 : kgf-m),

$x = 6$이면  $M = 0$ (단위 : kgf-m),

즉,  $x = 4$일 때  $M_{max} = 4\text{kgf-m}$를 갖는다.

---

**② Question** ··········

양단 고정보의 중앙에 집중하중 P가 작용하고 스팬의 길이를 $\ell$ 이라 할 때 최대 굽힘 모멘트는 얼마인가?

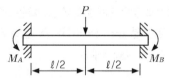

㉮ $\dfrac{P\ell^2}{4}$        ㉯ $\dfrac{P\ell}{4}$

㉰ $\dfrac{P\ell^2}{8}$        ㉱ $\dfrac{P\ell}{8}$

**해설** 단순보의 중앙 집중하중이 작용하는 유도과 정과 같다.

---

# 5. 보의 응력

## ▶ 보 속의 굽힘 응력 ‖‖‖

**① Question** ··········

한 변의 길이가 9cm인 정사각형 외팔보의 최대 굽힘응력이 120kgf/cm² 일 때 최대 몇 kgf.cm 까지의 굽힘 모멘트에 견디는가? (자동차산업기가 03-5월)

㉮ 12540        ㉯ 14580

㉰ 16720        ㉱ 18420

**해설** $\dfrac{M}{Z} = \sigma_b$ 에서,  $Ix = \dfrac{bh^3}{12}$ 이므로,

$Z = \dfrac{h^3}{6}$ 이 된다.

$M = \sigma \times Z = \sigma \times \dfrac{h^3}{6} = 120 \times \dfrac{9^3}{6}$

$= 14580\text{kgf/cm}$

---

**② Question** ··········

휨만을 받는 속이 찬 차축에서 축에 작용하는 굽힘모멘트가 3000 kgf-mm 이고, 축의 허용굽힘응력이 10kgf/mm² 일 때 필요한 축 외경의 최소값은?

㉮ 55.3 mm       ㉯ 7.4 mm

㉰ 14.5 mm       ㉱ 13.2 mm

**해설** $\dfrac{M}{Z} = \sigma_b$ 에서,  $Ix = \dfrac{\pi d^4}{64}$ 이므로,

$Z = \dfrac{\pi d^3}{32}$ 이 된다.

---

2.㉯ / 1.㉯ 2.㉰

$$M = \sigma_b \times Z \quad 3000 = 10 \times \frac{\pi d^3}{32}$$

$$d = \sqrt[3]{\frac{3000 \times 32}{\pi \times 10}} = 14.511 \text{mm}$$

**3** Question — 기사05년3회 출제 •

횡만이 받는 속이 빈 차축에서 M＝7500 kgf-mm, 허용응력이 15kgf/mm², 내외경비 X＝0.5일때, 축의 내경($d_1$)과 외경($d_2$)는 얼마인가?

㉮ $d_1$＝8.8mm, $d_2$＝17.8mm

㉯ $d_1$＝9.6mm, $d_2$＝19.2mm

㉰ $d_1$＝6.7mm, $d_2$＝13.4mm

㉱ $d_1$＝5.5mm, $d_2$＝11.0mm

**해설** $\frac{M}{Z} = \sigma_b$ 에서,

$$I_x = \frac{\pi(d_2^4 - d_1^4)}{64} \text{ 이므로,}$$

$$Z = \frac{\pi(d_2^4 - d_1^4)}{32 d_2} = \frac{\pi d_2^3 \left(1 - \left(\frac{d_1}{d_2}\right)^4\right)}{32}$$

$\frac{d_1}{d_2} = 0.5$ 를 대입하면,

$$Z = \frac{\pi d_2^3 (1 - (0.5)^4)}{32}$$

그러므로 $M = \sigma_b \times Z$ ,

$$7500 = 15 \times \frac{\pi d_2^3 (1 - (0.5)^4)}{32}$$

$$d_2 = \sqrt[3]{\frac{7500 \times 32}{\pi \times 15 \times (1 - 0.5^4)}} = 17.579 \text{mm}$$

$$d_1 = 0.5 \times d_2 = 8.789 \text{mm}$$

**4** Question — 기사03년8월 출제 •

폭 8〔cm〕, 높이 15〔cm〕의 사각형단면 보에 굽힘모멘트 M ＝ 15,000〔kgf-cm〕가 작용했을 때 생기는 굽힘응력 $\sigma$는 몇 kgf/cm²인가?

㉮ 50  ㉯ 100

㉰ 150  ㉱ 200

**해설** $\frac{M}{Z} = \sigma_b$ 에서, $Ix = \frac{bh^3}{12}$ 이므로,

$$Z = \frac{bh^2}{6} \text{ 이 된다.}$$

$$\sigma_b = \frac{15000 \times 6}{8 \times 15^2} = 50 \text{kgf/cm}^2$$

**5** Question — 기사94년3월/99년4월 출제 •

최대 굽힘 모멘트가 30,000kgf · cm 이고 보의 굽힘 응력이 600kgf/cm²로 하여 단면의 치수 중 폭 b 는 얼마인가?(단, 높이 h ＝ 2b 이다)

㉮ 6.2cm  ㉯ 2.11cm

㉰ 8.0cm  ㉱ 4.22cm

**해설** $\frac{M}{Z} = \sigma_b$ 에서, $Ix = \frac{bh^3}{12}$ 이므로,

$$Z = \frac{bh^2}{6} \text{ 이 된다.}$$

$h = 2b$ 를 대입하면 $Z = \frac{bh^2}{6} = \frac{4b^3}{6}$

$$M = \sigma_b \times Z, \quad 30000 = 600 \times \frac{4b^3}{6}$$

$$b = \sqrt[3]{\frac{30000 \times 6}{4 \times 600}} = 4.217 \text{cm}$$

**6** Question — 산업기사96년10월 출제 •

굽힘 모멘트 M ＝ 4,000kgf · cm 이고 굽힘 강성 계수 EI ＝ 2.0 × 106 kgf · cm 일 때 곡률 반경은 몇 m 인가?

㉮ 3  ㉯ 4

㉰ 5  ㉱ 6

**해설** $\rho = \frac{EI}{M}$ 에서 구한다.

$$\rho = \frac{2.0 \times 10^6}{4000} = 500 \text{ cm} = 5\text{m}$$

**7** Question ······················· 산업기사96년3월 출제

그림과 같은 4각형 단면의 외팔보에 발생하는 최대 굽힘 응력은 어느 식으로 표시되는가?

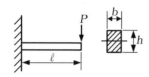

㉮ $\dfrac{12\,P\ell}{b\,h^2}$      ㉯ $\dfrac{6\,P\ell}{b^2\,h}$

㉰ $\dfrac{6\,P\ell}{b\,h^2}$      ㉱ $\dfrac{12\,P\ell}{b^2\,h}$

**해설** 최대굽힘 모멘트($M$)$= P\ell$ 이므로,

사각면의 $Z = \dfrac{bh^2}{6}$,

$M = \sigma_b \times Z$,   $Pl = \sigma_b \times \dfrac{bh^2}{6}$,

$\sigma_b = \dfrac{6Pl}{bh^2}$ 으로 유도된다.

**8** Question ······················· 기사94년5월 출제

다음 그림과 같은 너비 18cm, 두께 25cm의 직사각형 단면을 가진 스팬 6m의 단순보가 있다. 그 중앙에 1.5ton의 하중을 작용할 때 최대 굽힘 응력은?

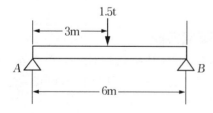

㉮ 100kgf/cm²    ㉯ 120kgf/cm²

㉰ 130kgf/cm²    ㉱ 145kgf/cm²

**해설** 단순보의 중앙에만 외력이 작용할 때의 최대 굽힘모멘트는 외워두는 것이 좋다.

$M_{\max} = \dfrac{Pl}{4}$,   $Z = \dfrac{bh^2}{6}$ 이므로,

$\sigma_b = \dfrac{M_{\max}}{Z} = \dfrac{\dfrac{P\ell}{4}}{\dfrac{bh^2}{6}} = \dfrac{6\,P\ell}{4\,bh^2}$,

$\sigma_b = \dfrac{6 \times 1500 \times 600}{4 \times 18 \times 25^2} = 120\text{kgf}$

**9** Question ······················· 기사99년8월/05년2회 출제

폭×높이가 30 cm×40 cm의 단면을 가진 다음 단순보의 최대 굽힘응력은 몇 kgf/cm² 인가? (단, 보의 자중은 무시한다.)

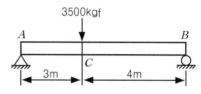

㉮ 50          ㉯ 65

㉰ 75          ㉱ 80

**해설** 단순보의 외력이 하나만 작용할 때의 최대 굽힘 모멘트도 외워두는 것이 좋다.

$M_{\max} = \dfrac{Pab}{l}$

위 그림에서 a=3m, b=4m, $l$ =7m을 알 수 있다.

$\dfrac{M}{Z} = \sigma_b$, $Z = \dfrac{bh^2}{6}$ 을 대입하면

$\sigma_b = \dfrac{6M}{bh^2} = \dfrac{6Pab}{bh^2 l}$    (단위를 맞추면,

a=300cm, b=400cm, $l$ =700cm)

$\sigma_b = \dfrac{6 \times 3500 \times 300 \times 400}{30 \times 40^2 \times 700} = 75\text{kgf/cm}^2$

**10** Question ······················· 기사00년10월 출제

길이 2 m, 단면이 10 cm×10 cm인 단순보의 중앙에 집중하중 1000 kgf을 받을 때 굽힘응력은 몇 kgf/cm²인가?

7.㉰   8.㉯   9.㉰   10.㉰

㉮ 150  ㉯ 200
㉰ 300  ㉱ 400

**애설** 단순보의 중앙에만 외력이 작용할 때의 최대 굽힘모멘트는 외워두는 것이 좋다.

$$M_{max} = \frac{Pl}{4}, \quad Z = \frac{bh^2}{6} \text{ 이므로,}$$

$$\sigma = \frac{M}{Z} = \frac{\dfrac{P\ell}{4}}{\dfrac{bh^2}{6}} = \frac{3P\ell}{2bh^2},$$

$$\sigma_b = \frac{3 \times 1000 \times 200}{2 \times 10 \times 10^2} = 300 \text{kgf/cm}^2$$

---

**Ⅱ Question** 기사03년3월 출제

길이가 2m인 원형인 단순 지지보의 지름이 25mm 일 때 보 중앙에 집중하중 400 kgf이 작용하면 최대 굽힘 응력은 몇 kgf/mm² 인가?

㉮ 65.22  ㉯ 100.38
㉰ 117.22  ㉱ 130.38

**애설** 단순보의 중앙에만 외력이 작용할 때의 최대 굽힘모멘트는 외워두는 것이 좋다.

$$M_{max} = \frac{Pl}{4}, \quad Z = \frac{\pi \times d^3}{32} \text{ 이므로,}$$

$$\sigma = \frac{\dfrac{P \times \ell}{4}}{\dfrac{\pi \times d^3}{32}} = \frac{P \times \ell \times 32}{\pi \times d^3 \times 4}$$

$$= \frac{400 \times 2000 \times 32}{\pi \times 25^3 \times 4} = 130.38 \text{kgf/mm}^2$$

---

# 6. 보의 처짐

**Ⅰ Question** 산업기사95년10월 출제

자유단에 수직 하중 P를 받는 길이 ℓ 인 외팔 보의 최대 처짐 공식은?(단, 굽힘 강성계수는 EI 이다)

㉮ $\dfrac{P\ell^3}{EI}$  ㉯ $\dfrac{P\ell^3}{2EI}$

㉰ $\dfrac{P\ell^3}{3EI}$  ㉱ $\dfrac{P\ell^3}{4EI}$

**2 Question** 산업기사96년10월/98년3월 출제

길이 ℓ 인 양단 단순 지지보에 균일 분포 하중 W 가 작용할 때 최대 처짐은?(단, 굽힘 강성 계수는 EI 이다)

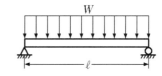

㉮ $\dfrac{5W\ell^4}{384EI}$  ㉯ $\dfrac{W\ell^3}{48EI}$

㉰ $\dfrac{W\ell^4}{8EI}$  ㉱ $\dfrac{W\ell}{3EI}$

# 2

# 기계요소

5.24789

$R_A + R_B - 500$
$= 0$

0.0557kgf

400-257cm

$T_r + T_a$

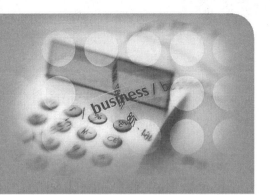

# PART 02 기계요소

## 01 결합용 기계요소

### 1 나사

#### (1) 나사의 리드와 피치

나사의 원리는 원기둥에 직각삼각형의 종이를 감으면 원기둥면에 나선(helix)이 그려지게 되는데, 이 나선을 따라서 홈이나 돌기를 만든 것을 말하며 이 돌기를 나사산이라고 한다.

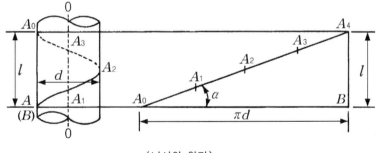

〈나사의 원리〉

위 그림에서 보면, 나사를 1회전 시켰을 때 나사산의 1점이 축방향으로 진행한 거리를 리드(lead)라고 하며, 서로 인접한 나사산 사이의 축방향 거리를 피치(pitch)라고 한다. 식으로 표현하면 다음과 같다.

리드(L) = 줄수(n) × 피치($p$)

이동거리 = 리드(L) × 회전수(R) = 줄수(n) × 피치($p$) × 회전수(R)

또한, 위 그림에서 직각삼각형의 경사각을 리드각 혹은 나선각이라고 하고, 기호로는 $\alpha$로 표시한다.

$$\tan \alpha = \frac{\text{높이}}{\text{밑변길이}} = \frac{L}{\pi d}$$

또한, 한줄나사이면, 리드(L) = 피치(P)이므로, 위 식에 대입하면 아래와 같이 유도된다.

$$\tan \alpha = \frac{L}{\pi d} = \frac{p}{\pi d} ,$$

위 식에서 보통 나사의 지름은 유효지름을 사용하므로,

$$\tan \alpha = \frac{L}{\pi d_e} = \frac{p}{\pi d_e} \text{ 로 표현이 가능하다.}$$

또한, 리드각은 다음과 같이 구할 수 있다.

$$\alpha = t^{-1}\left(\frac{p}{\pi d_e}\right)$$

**예제 1** 나사의 피치가 3mm인 2중 나사가 회전하면 리드는 몇 mm인가?

　　$L = n \times p$이므로,　$L = 2 \times 3 = 6$mm으로 계산된다.

**예제 2** 리드가 36mm인 3줄 나사가 있다. 이 나사의 피치는 몇 mm인가?

　　$L = n \times p$이므로,　$P = \dfrac{L}{n} = \dfrac{36}{3} = 12$mm로 계산된다.

**예제 3** 두줄 나사의 피치가 0.75mm일 때 5 회전시키면 축방향으로 몇 mm 이동하는가?

　　이동거리 $= L \times R = n \times p \times R = 2 \times 0.75 \times 5 = 7.5$mm로 계산된다.

## (2) 나사의 분류

### ● 미터나사(피치가 mm인 경우)

　　미터나사는 나사의 종류 기호, 나사지름 숫자 × 피치로 나타내는데, 미터 보통나사는 피치를 생략한다. 나사의 표시법은 다음과 같다.

## ● 인치나사(피치가 inch인 경우)

인치나사는 피치를 표시하는 대신에 산의 수로 표시한다. 인치나사는 나사의 종류 기호, 수나사의 지름 숫자, 산, 산의 수로 표시한다. 여기서 산의 수는 1인치(25.4mm)에 대한 산의 수를 의미한다.

TM 20 산 6

- 25.4mm에 대한 나사산의 수
- 나사의 호칭치수(바깥지름)
- 나사의 종류를 표시하는 기호

피치(P)는 서로 인접한 나사산사이의 거리이므로, 1inch(25.4mm)내에 나사산이 $z$ 라고 하면 다음과 같은 식으로 구할 수 있다.

$$피치(P) = \frac{1 inch}{나사산수} = \frac{25.4 mm}{z}$$

## ● 유니파이나사

유니파이나사도 피치 대신에 나사산의 수를 표시한다. 유나파이나사는 나사의 지름 숫자-산의 수, 나사의 종류기호로 표시한다. 여기서 산의 수는 1인치(25.4mm)에 대한 산의 수를 의미한다.

1/2 - 15 UNF

- 나사의 종류
- 산수
- 수나사의 바깥지름 번호, 호칭지름

**예제 1** 유니파이 보통나사인 $\frac{5}{16}$ -18UNC의 피치는 몇 mm인가?

기호에서 산의 수가 18개이다. 즉, 1인치(25.4mm)내에 18개의 나사산이 있다는 뜻이다. 그러므로, $P = \frac{25.4 mm}{z}$ 이므로, $P = \frac{25.4 mm}{18} = 1.4111$mm로 계산된다.

## (3) 나사의 효율

나사의 유효지름( $d_e$ )은 나사산의 바깥지름( $d$ )와 나사골의 지름( $d_1$ )의 평균이다. 이것을 식으로 표시하면 다음과 같다.

$$나사의 \ 유효지름(d_e) \ = \ \frac{d+d_1}{2}$$

나사산의 높이(h)는 나사산의 바깥 반지름과 나사골의 반지름의 차이다. 이것을 식으로 표시하면 다음과 같다.

$$나사산의 \ 높이(h) \ = \ 나사산의 \ 바깥 \ 반지름(r) - 나사골의 \ 반지름(r_1)$$

$$= \frac{d}{2} - \frac{d_1}{2} = \frac{d-d_1}{2}$$

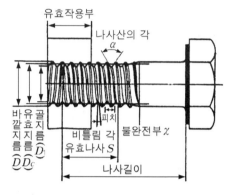
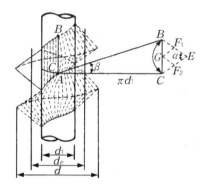

〈나사의 구조〉

나사의 효율이란 나사가 1회전하는 동안에 실제로 행해진 일량의 몇 %가 유효한 일을 하였는가를 나타내는 비율을 뜻한다.

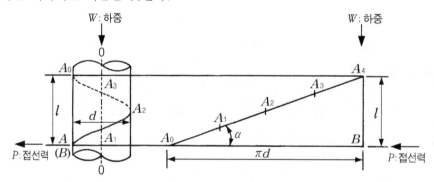

〈나사에 작용하는 힘〉

먼저, 마찰이 없는 경우, 나사를 누르는 하중 W가 축방향으로 작용한다면, 나사산을 따라 1회전하는 나사산에는 접선력이 생긴다. 여기서는 마찰이 없는 경우이므로, 접선력을 $P_0$라 하자. 나사가 1회전 한다면, 축방향으로 행한 일과 회전방향으로 행해진 일은

같을 것이다. 이를 식으로 표현하면 다음과 같다.

축방향으로 행한 일 = 회전방향으로 행해진 일, 일은 힘×거리이므로,

축방향으로 행한 일 = $W \times p$, 회전방향으로 행해진 일 = $P_0 \times (\pi d_e)$를 그대로 대입한다.

$$W \times p = P_0 \times (\pi d_e),$$

$P_0 = W \times \dfrac{p}{\pi d_e}$, 한줄나사일 경우 $\tan \alpha = \dfrac{L}{\pi d_e} = \dfrac{p}{\pi d_e}$ 이므로 대입한다.

$\boxed{P_0 = W \tan \alpha}$ ················································ 〔1식〕

〔식1〕의 의미는 회전하는 접선력($P_0$)는 작용힘($W$)에 대하여 리드각($\alpha$)의 함수로 표현된다.

이제, 마찰이 존재하는 경우를 알아보자.

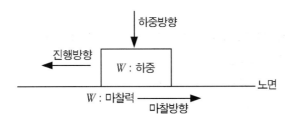

〈마찰과 방향〉

위 그림에서 보듯이 마찰력의 방향은 진행방향의 반대로 작용하고, 보통 하중의 작용힘과 마찰력의 비를 마찰계수($\mu$)라고 한다. 식으로 표현하면 다음과 같다.

$$\mu = \frac{마찰력}{작용힘(하중)} = \frac{W'}{W}$$

마찰계수를 각도(°)로 표시하면 다음과 같은 식으로 표현이 가능하다.

$$\mu = \tan \rho, \quad \rho = \tan^{-1} \mu$$

그러므로 마찰력($W'$) = $W \times \tan \rho$로 표현된다.

여기서, $\rho$는 마찰각을 나타낸다.

위 그림을 나사라고 생각하면, 작용하는 힘(W)에 의해 나사산을 따라 회전을 방해하는 마찰력($W'$)으로 생각하면 된다. 즉, 마찰이 존재하는 경우, 회전하려는 접선력을 $P$ 라고 하면, 접선력은 마찰이 없을 경우의 접선력($P_0$)과 마찰력($W'$)의 합된다. 이것을 각의 변수로 나타내면, 작용하는 힘(하중) 하나에 의해 리드각($\alpha$)과 마찰각($\rho$)의 합의 변

수로 회전 접선력($P$)를 나타낼 수 있다는 뜻이다. (주의 : 여기서, $P = P_0 + W'$로 표현할 수는 없다. 그 이유는 작용하는 힘이 하나이고, 이 하나의 힘에 의해서 동시에 접선력과 마찰력이 생성되기 때문이다.)

[식1]과 같이 표현하면 다음과 같다.

$$P = W\tan(\alpha + \rho)$$ ·················· [2식]

나사효율($\eta$)은 마찰력이 존재할 경우의 회전 접선력($P$)와 마찰력이 존재하지 않을 경우의 회전 접선력($P_0$)의 비이므로, 식으로 표현하면 다음과 같다.

$$\text{나사효율}(\eta) = \frac{P_0}{P} \times 100 = \frac{W\tan\alpha}{W\tan(\alpha + \rho)} \times 100 = \frac{\tan\alpha}{\tan(\alpha + \rho)} \times 100\,(\%)$$

**예제 1** 어떤 나사의 나선각(또는 리드각)이 2.5°이고 나사면의 마찰 계수가 0.12일 때 나사 효율을 구하면 얼마나 되겠는가?

🔘 아래의 나사효율 공식을 이용한다.

$$\eta = \frac{\tan\alpha}{\tan(\rho + \alpha)} \times 100,$$

마찰각을 구해보면, $\rho = \tan^{-1}0.12 = 6.84^o$

$$\eta = \frac{\tan 2.5}{\tan(6.84 + 2.5)} \times 100 = 26.54\%\text{으로 계산된다.}$$

**예제 2** 바깥지름이 40mm, 피치가 6mm인 사각 나사가 2,000kgf의 하중을 받을 때 나사의 효율은 얼마인가?(단, 나사부의 마찰계수 μ 는 0.1, 유효 지름은 35mm이다)

🔘 $\eta = \frac{\tan\alpha}{\tan(\rho + \alpha)} \times 100$에 대입하기 위해서 리드각과 마찰각을 구한다.

$$\tan\alpha = \frac{p}{\pi d_e},\qquad \tan\alpha = \frac{6}{\pi \times 35} = 0.054567,$$

$$\alpha = \tan^{-1}0.054567 = 3.123^o,\quad \tan\rho = \mu = 0.1,$$

$$\rho = \tan^{-1}0.1 = 5.71^o,$$

그러므로 리드각과 마찰각을 공식에 대입하면

$$\eta = \frac{\tan 3.123}{\tan(5.71 + 3.123)} \times 100 = 35.11\%\text{으로 계산된다.}$$

## ② 볼트와 너트

### (1) 볼트의 설계

#### ● 축하중만을 받는 경우의 볼트 지름 구하기

하중 W( kgf)가 볼트에 작용하고 있을 때, 볼트재료에 인장응력 $\sigma_t$ kgf/mm²이 생기므로, 볼트 지름 $d$ 는 다음과 같이 구할 수 있다( $d$ :바깥지름,  $d_1$ : 골지름).

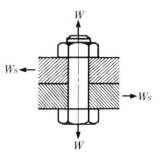

$W$ : 축하중

$$\text{인장응력} = \frac{\text{작용힘}}{\text{작용힘에 대한 수직면적}} \text{ 이므로,}$$

$$\sigma_t = \frac{W}{A}, \quad W = \sigma_t \times A,$$

$$A = \frac{\pi d_1^2}{4} \text{ 이므로, 대입하자}$$

$$\times \frac{\pi d_1^2}{4} \quad W = \sigma_t \times \frac{\pi d_1^2}{4} \quad \text{그러므로} \quad d_1 = \sqrt{\frac{1.27 W}{\sigma_t}}$$

$$d_1 = 0.8 d \text{ 이므로}$$

$$W = \frac{\pi}{4} d_1^2 \ \sigma_t = \frac{\pi}{4} (0.8 d)^2 \ \sigma_t \fallingdotseq 0.5 d^2 \sigma_t$$

$$\therefore \ d = \sqrt{\frac{2W}{\sigma_t}} \quad \cdots\cdots\cdots\cdots\cdots\cdots\cdots\cdots\cdots\cdots\cdots\cdots\cdots\cdots \text{〔1식〕}$$

#### ● 인장력( $W$ )과 수평하중( $W_s$ )를 동시에 받을 때의 볼트 지름 구하기

두 면 사이에 마찰이 존재하면서 수평하중  $W_s$ (kgf)를 받을 때, 볼트에 작용하는 전단력( $F$ )는 다음과 같이 구할 수 있다.

전단력( $F$ )=수평하중-마찰력이므로 그대로 대입한다.

$$F = W_s - \mu W$$

$$\text{전단응력}( \tau_a ) = \frac{\text{작용힘}}{\text{작용힘에 대한 수평면적}} \text{ 이므로,}$$

$$\tau_a = \frac{F}{A}, \quad A = \frac{\pi d^2}{4}$$

$$\tau_a = \frac{F}{\frac{\pi}{4}d^2} = \frac{4(W_s - \mu W)}{\pi d^2}$$

$$\therefore \ d = \sqrt{4\frac{(W_s - \mu W)}{\pi \tau_a}} = 2\sqrt{\frac{W_s - \mu W}{\pi \tau_a}} \quad \cdots\cdots\cdots\cdots\cdots\cdots \text{[2식]}$$

[2식]에서 다음을 고려해 보자.

㉮ 수평하중 $(W_s) = 0$을 대입하면, $\quad d = 2\sqrt{\dfrac{\mu W}{\pi \tau_a}}$

㉯ 인장력 $(W) = 0$을 대입하면, $\quad d = 2\sqrt{\dfrac{W_s}{\pi \tau_a}}$

● 축하중 $(W)$과 비틀림 모멘트 $(T)$를 동시에 받는 경우

이 경우는 볼트를 회전시켜 축방향으로 $W$가 작용하고, 축의 직각방향(판의 수평방향)으로는 전단력 $(F)$가 작용하는 경우이다.

㉮ **볼트에 발생하는 전단응력** $\tau$는

$$\tau = \frac{T}{z_p}, \ z_p = \frac{\pi d_1^3}{16} \quad \text{(약한 곳이 골이므로 골지름 사용)},$$

나사에 작용하는 회전력 $(T)$는 회전접선력 $(P)$와 유효반경 $(r_e)$의 곱으로 표시된다.

$$r_e = \frac{d_e}{2}, \ d_e = \frac{d + d_1}{2},$$

$$T = P \times r_e = P \times \frac{d_e}{2} = \frac{W \tan(\alpha + \rho) \times d_e}{2}$$

그대로 대입하자.

$$\tau = \frac{T}{\frac{\pi}{16}d_1^3} = \frac{W\frac{d_e}{2}\tan(\alpha + \rho)}{\frac{\pi}{16}d_1^3} \quad \text{(삼각나사)} \quad \cdots\cdots\cdots\cdots\cdots \text{[1식]}$$

으로 유도된다.

※ 참고 : 가정으로 $d_1 = 0.8d$ 라 하면, $d = \dfrac{d_1}{0.8} = 1.25 d_1$

$$d_e = \frac{d + d_1}{2} = \frac{1.25 d_1 + d_1}{2} = \frac{2.25 d_1}{2}$$

위 식을 [식1]에 대입하여 $d_1$을 구할 수도 있다.

### ㉯ 볼트의 지름

비틀림의 힘에 의한 응력은 수직응력의 1/3 정도이다. 그러므로 축방향의 하중을 원래 하중에 1/3배를 더하면 된다는 말이다.

인장응력에 의한 나사의 지름공식인

$$d=\sqrt{\frac{2W}{\sigma_t}}$$

에 $W$ 대신에 $W+\frac{1}{3}W=\frac{4}{3}W$ 를 대입하자

$$d=\sqrt{2\times\frac{4}{3}\frac{W}{\sigma_t}}=\sqrt{\frac{8W}{3\sigma_t}}$$ 으로 유도된다.

---

**예제 1** 아이 볼트(eye bolt)에 3000 kgf의 인장하중이 작용할 때 지름 d는 다음 중 어느 것이 가장 적합한가? (단, 재료의 허용 인장응력은 6 kgf/mm²)

🔘 아이볼트는 인장하중만 작용하므로 아래와 같이 구한다.

$$d=\sqrt{\frac{2W}{\sigma_t}}=\sqrt{\frac{2\times3000}{6}}=32\text{mm}$$

**예제 2** 12ton의 축방향 하중과 비틀림을 동시에 받는 체결용 나사의 지름은 몇 mm 인가?(단, 재료의 허용 인장 응력은 4.6kgf/mm²이다)

🔘 축하중과 비틀림을 동시에 받으므로 아래 공식을 사용한다.

$$d=\sqrt{\frac{8W}{3\sigma_a}}, \quad d=\sqrt{\frac{8\times12000}{3\times4.6}}=83.4\text{mm}$$으로 계산된다.

**예제 3** 안지름이 1m인 압력용기에 5kgf/cm² 의 내압이 작용하고 있다. 압력용기의 뚜껑을 18개의 볼트로 체결 할 경우 볼트의 지름은 얼마로 설정해야 하는가? (단, 볼트 지름방향의 허용인장응력을 1000kgf/cm²이고, 볼트에는 인장하중만 작용한다.)

🔘 압력용기에 작용하는 힘( $W_1$ )=내압 × 면적이므로 $W_1=5\times\frac{\pi\times100^2}{4}$,

압력용기에 작용하는 힘( $W_1$ )은 18개의 볼트에 작용하므로,

볼트 1개에 작용하는 힘( $W$ )= $\frac{W_1}{18}=\frac{5\times\pi\times100^2}{4\times18}=2181.66\text{kgf}$

위 문제는 인장하중만 작용하므로, 아래 공식에 대입한다.

$$d=\sqrt{\frac{4W}{\pi\sigma_t}}=\sqrt{\frac{4\times2181.66}{\pi\times1000}}=1.67\text{cm}$$

이것을 mm로 표시하면 16.7mm로 계산된다. 즉, M18을 사용하면 된다.

**예제 4** 15ton의 인장하중을 받는 볼트 호칭 지름으로 다음 중 가장 적합한 것은 ?(단, 안전율 3, 재료 인장강도는 5400kgf/cm² 이며, 골지름/바깥지름($d_1$/d) = 0.62 로 가정한다)

인장응력($\sigma_t$) $= \dfrac{\text{인장강도}}{\text{안전율}} = \dfrac{5400}{3} = 1800\text{kgf/cm}^2$

$\sigma_t = \dfrac{W}{A}$ 에서 $A = \dfrac{W}{\sigma_t} = \dfrac{5400}{1800} = 8.33\text{cm}^2 = 833\text{mm}^2$

$A = \dfrac{\pi d^2}{4}$ 에서

$d_m = \sqrt{\dfrac{4 \times 833}{\pi \times 0.62}} = 41.36\text{mm}$ 로 계산된다.

즉, M42을 사용해야 한다.

## (2) 너트의 설계

나사산이 걸리는 곳의 높이를 $h$ mm, 유효지름을 $d_e$ mm, 바깥지름을 $d$, 골지름을 $d_1$라 하고, 허용접촉면의 압력을 $q_a$ kgf/mm², 나사산의 수 $n$, 피치를 $p$ 라고 하자.

### 나사산의 수

너트에 작용하는 힘($W$)과 나사산 전체의 수($n$)에 접촉하는 접촉력이 같다.

너트에 작용하는 힘($W$) $= n \times$ 허용접촉면압 $\times$ 나사산 1개의 접촉면적

$W = n \times q_a \times \dfrac{\pi(d^2 - d_1^2)}{4}$ ,

$$n = \dfrac{4W}{\pi(d^2 - d_1^2)q_a} = \dfrac{W}{\pi d_e h q_a} \left( \because \ d_e = \dfrac{d + d_1}{2}, \quad h = \dfrac{d - d_1}{2} \right)$$

### 너트의 높이

너트의 높이($H$)는 나사산의 수와 피치의 곱이다. 식으로, 표현하면 다음과 같다.

$$H = np = \dfrac{4Wp}{\pi(d^2 - d_1^2)q_a} = \dfrac{Wp}{\pi d_e h q_a}$$

**예제 1** 50의 축 하중(W)을 받는 그림과 같은 4각 나사의 아이 볼트가 바깥지름 120mm, 골지름 100mm, 피치가 12mm일 때 너트의 높이는 얼마인가?(단, 너트의 허용 접촉 압력은 97kgf/cm²)

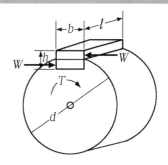

💡 $H = np = \dfrac{4Wp}{\pi(d^2 - d_1^2)q_a}$ 에 적용한다.

$$H = \dfrac{4 \times 50000 \times 1.2}{\pi \times (12^2 - 10^2) \times 97} = 17.89 \text{cm로 계산된다.}$$

## 3 묻힘키(sunk key)

키의 측면에 작용하는 하중을 $W$ kgf이라 하고, 축의 지름을 $d$ mm, 키의 높이를 h mm, 폭을 $b$ mm, 길이를 $l$ mm, 키가 전달시키는 비틀림 모멘트를 $T$ kgf·mm라고 하자.

〈묻힘키의 기호〉

### 🔘 키가 축과 보스의 접촉면에서 전단이 될 때

이 경우는 키의 양측면적($\dfrac{h}{2} \times l$)에 작용힘($W$)가 작용하고 있는 경우이다. 즉, 전단응력이 발생하고, 그 전단면은 ($b \times l$)이 된다.

키의 전단응력($\tau$)는 다음과 같이 구할 수 있다.

비틀림모멘트($T$) = 반지름 × $W$이고,

작용힘($W$)는 키의 양 측면에 작용하므로, W=전단면적($b \times l$) ×전단응력($\tau$)로 표시된다.

$W = b \times l \times \tau$,

$T = W \times r = W \times \dfrac{d}{2}$ 이므로, $W = \dfrac{T \times 2}{d}$,

$\tau = \dfrac{W}{b \times l}$,　　$\tau = \dfrac{T \times 2}{b \times l \times d}$

로 유도된다.

### 🔘 키의 측면이 측압을 받을 때

이 경우는 축의 구동에 의해 키의 반쪽 측면($\dfrac{h}{2} \times l$)에 작용힘($W$)가 작용하여 키를 압축하고 있는 경우이다. 즉, 압축응력이 발생하고, 그 압축면적은 ($\dfrac{h}{2} \times l$)이 된다.

키의 압축응력 $(\sigma_c)$는 $W = A \times \sigma_c = \dfrac{h}{2} l\sigma_c$의 관계에서

$$\sigma_c = \frac{W}{tl} = \frac{2W}{hl} = \frac{4T}{dhl} \ (\text{kgf/mm}^2)$$

여기서, $t$는 묻힘 키의 묻힘 깊이로, 키높이의 $\dfrac{1}{2}$를 뜻한다. 즉, $t = \dfrac{h}{2}$를 뜻한다.

또한 회전력(Torque) $= W \times \dfrac{d}{2}$이므로, 위와 같은 식으로 유도된다.

**예제 1** 지름 50mm 의 축에 보스의 길이 60mm 의 기어를 b × h = 15 × 10 의 키로써 축에 고정한다. 이 경우 축에 30,000kgf·mm 의 회전력이 걸릴 때 키의 전단 응력은 얼마인가?

$\tau = \dfrac{T \times 2}{b \times l \times d}$에 그대로 대입한다.

$\tau = \dfrac{2 \times 30000}{15 \times 60 \times 50} = 1.333 \text{kgf/mm}^2$로 계산된다.

**예제 2** 성크 키(sunk key)의 길이가 200mm, 하중 P = 800kgf, b = 1.5 h 라 하고 허용 전단 응력 $\tau_a$ = 5.3 kg/mm² 라 할 때 key 의 높이는 약 몇 mm 로 하면 되는가?

$\tau = \dfrac{W}{b \times l}$에 b = 1.5 h를 대입하자.

$\tau = \dfrac{W}{1.5h \times l}$, $h = \dfrac{W}{1.5 \times l \times \tau}$

$h = \dfrac{8000}{1.5 \times 200 \times 2} = 13.33 \text{mm}$로 계산된다.

**예제 3** 지름 110 mm, 회전수 500 rpm인 축에 묻힘 키를 치수가 b×h×ℓ (폭×높이×길이) = 28 mm×18 mm×300 mm로 설계하려고 한다면 키의 전단응력에 의한 전달 동력은 약 PS인가?(단, 키의 허용 전단응력은 $\tau_a$ = 3.2 kgf/mm² 이다.)

먼저, 작용힘($W$)를 구하고, 다음 회전력($T$)를 구하고, 마력($N_b$)를 구한다.

$W = b \times l \times \tau$

$W = 28 \times 300 \times 3.2 = 26880 \text{ kgf}$

$T = \dfrac{W \times d}{2} = \dfrac{26880 \times 110}{2} = 1478400 \text{kgf} - \text{mm} = 1478.4 \text{kgf-m}$

$N_b = T \times w = \dfrac{2 \times \pi \times T \times N}{75 \times 60} = \dfrac{T \times N}{716.19}$ (단, $T$ 의 단위가 kgf-m임을 주의)

$= \dfrac{1478.4 \times 500}{716.19} = 1032.11 \text{(Ps)}$으로 계산된다.

## 4 리벳

### (1) 리벳의 강도

리벳의 피치를 $p$ mm, 1 피치당의 인장하중을 $W$ kgf, 판 두께를 $t$ mm, 리벳 체결 후의 지름(리벳구멍 지름)을 $d$ mm, 리벳중심에서 강판의 가장자리까지의 거리를 $e$ mm라고 하자.

### ● 리벳이 전단되는 때

전단되는 면적이 $\dfrac{\pi d^2}{4}$ 이므로, 리벳의 전단응력을 $\tau$ kgf/mm²라 하면,

〈리벳의 전단〉

$$W = \frac{\pi}{4} d^2 \tau \ (\text{kgf})$$

맞대기이음의 경우는 상하에 2개의 덮개 판을 대고 리벳이음을 하므로,

$W = n \times \dfrac{\pi}{4} d^2 \tau$, 여기서, $n = 2$로 한다.

### ● 리벳 구멍사이에서 판이 인장될 때

인장되어지는 부분의 면적은 $(p - d)$와 두께($t$)의 곱으로 표시될 수 있다.

인장응력을 $\sigma_t$ kgf/mm²라 하면, 아래와 같이 표시할 수 있다.

$$W = t(p - d)\sigma_t \ (\text{kgf})$$

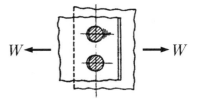

〈리벳축 또는 구멍의 압축판의 전단〉

### ● 판 또는 리벳이 압축으로 파괴되는 때

압축되어지는 부분의 면적은 직경($d$)과 두께($t$)의 곱으로 표시될 수 있다.

압축응력을 $\sigma_c$ kgf/mm²라 하면, 아래와 같이 표시할 수 있다.

$$W = dt\sigma_c \ (\text{kgf})$$

### ● 판 가장자리가 전단되는 때

전단되어지는 부분의 면적이 $e \times t$ 이고, 이 면적은 리벳을 기준으로 좌우에 각각 1개의 면이 있으므로,

〈판의 전단〉

전체전단면적은 $2 \times e \times t$ 이다. 그러므로 작용 힘은 다음과 같이 표시된다.

$$W = 2et\tau \text{ [kgf]}$$

## (2) 강판 효율

리벳이음에서 리벳구멍을 뚫은 판의 강도와 구멍을 뚫기 전의 판의 강도와의 비율을 강판 효율이라고 한다. 식으로 표현하면 다음과 같다.

$$강판효율(\eta_t) = \frac{리벳구멍을 뚫은 판의 강도}{리벳구멍을 뚫기전판의 강도}$$

$$= \frac{리벳사이(리벳구멍 제외)의 인장력}{리벳사이의 인장력}$$

$$\eta_t = \frac{t(p-d)\sigma_t}{tp\sigma_t} = \frac{p-d}{p} = 1 - \frac{d}{p}$$

여기서, $d$ : 리벳 구멍 지름(mm)  $\sigma_t$ : 판재의 인장강도(kgf/mm²)를 말한다.

## (3) 리벳 효율

리벳의 전단강도와 구멍을 뚫기 전의 판 강도와의 비율을 리벳의 효율이라고 한다. 식으로 표현하면 다음과 같다.

$$리벳효율(\eta_s) = \frac{리벳직경에서의 전단력}{리벳사이의 인장력} = \frac{n\frac{\pi}{4}d^2\tau}{tp\sigma_t}$$

여기서, $\tau$ : 리벳재료의 전단강도  $n$ : 1 피치내의 리벳 전단면 수를 말한다.

**예제 1** 판 두께 16mm, 리벳 지름 16mm, 리벳 구멍 지름 17mm, 피치 64mm인 1줄 리벳 겹치기 이음에서 1피치마다 하중이 1,500kgf 작용할 때 효율은 얼마인가?

🔵 $\eta_t = \left(1 - \frac{d}{p}\right) \times 100$ 이므로, 그대로 대입한다.

$\eta_t = \left(1 - \frac{17}{64}\right) \times 100 = 73.4375\%$으로 계산된다.

**예제 2** 강판의 두께 t = 12mm, 리벳의 지름 d = 20mm, P = 50mm의 1줄 겹치기 리벳 이음에서 1피치의 하중을 1,200kgf 일 경우 강판의 인장 응력은 몇 kgf/mm² 인가?

🔵 리벳이음을 한 강판의 인장강도를 구하는 식은 $W = t(p-d)\sigma_t$이므로,

$\sigma_t = \frac{W}{(p-d) \times t}$  $\sigma_t = \frac{1200}{(50-20) \times 12} = 3.3333$kgf/mm²으로 계산된다.

**예제 3** 두께 12mm강판을 리벳이음으로 안지름 1000mm인 보일러 동체를 만들었다. 강판의 허용인장 응력을 6kgf/mm², 리벳이음의 효율을 70%라 할 때 몇 kgf/cm²의 내압까지 사용할 수 있는가?

그림과 같은 보일러라고 가정하면, 리벳의 전 단응력과 보일러 내압과 같다고 할 수 있다. 즉, 전체 전단응력 = 보일러 내압이므로 식으로 표시하면,

$\tau = P$ 이므로, 아래 식에 대입한다.

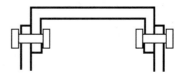

〈보일러의 리벳이음〉

$$리벳효율(\eta_s) = \frac{n\frac{\pi}{4}d^2\tau}{tp\sigma_t} \quad (여기서\ d는\ 리벳의\ 직경)$$

$$\eta_s = \frac{A\times P}{tp\sigma_t} = \frac{\frac{\pi d^2}{4}\times P}{tp\sigma_t} \quad (여기서\ d는\ 보일러의\ 직경)$$

또한, 인장응력이 작용하는 면적을 $t \times p \times n$로 하지 말고, 피치가 아주 촘촘히 보일러의 둘레를 싸고 있다고 생각하면 그 면적은 $t \times \pi d$(d는 보일러 직경)으로 표시가 가능하다.

$$\eta_s = \frac{\frac{\pi d^2}{4}\times P}{tp\sigma_t} = \frac{\frac{\pi d^2}{4}\times P}{\pi d\sigma_t} = \frac{d\times P}{4\sigma_t},$$

$$P = \frac{\eta_s \times \sigma_t \times 4}{d} = \frac{0.7\times6\times4}{1000} = 0.0168\,\text{kgf/mm}^2 = 1.68\text{kgf/cm}^2$$

part2. 기계요소

## 단원익힘문제

**1** Question

3줄 나사에서 피치가 0.5mm 이면 이 나사의 리드는 몇 mm 인가?

 해설 $L = n \times p$이므로,

$L = 3 \times 0.5 = 1.5$mm으로 계산된다.

**2** Question

외경 32 mm의 사각나사에서 피치는 8 mm, 유효지름이 28 mm, 마찰계수가 0.1이라고 할 때 이 나사의 효율은?

 해설 $\eta = \dfrac{\tan\alpha}{\tan(\rho+\alpha)} \times 100$에 대입하기 위해서 리드각과 마찰각을 구한다.

$$\tan\alpha = \frac{p}{\pi d_e} = \frac{8}{3.14 \times 28} = 0.091,$$

$$\alpha = \tan^{-1} 0.091 = 5.199°$$

$$\tan\rho = \mu = 0.1,$$

$$\rho = \tan^{-1} 0.1 = 5.71°,$$

그러므로 리드각과 마찰각을 공식에 대입하면

$$\eta = \frac{5.199}{5.199 + 5.71} \times 100 = 47.65\% \text{으로 계산}$$

된다.

**3** Question ●

바깥지름 24 mm인 4각 나사의 피치 6mm, 유효지름 22.051mm, 마찰계수가 0.1 이라면 나사의 효율은 몇 % 인가?

 $\eta = \dfrac{\tan\alpha}{\tan(\rho + \alpha)} \times 100$에 대입하기 위해

서 리드각과 마찰각을 구한다.

$$\tan\alpha = \frac{p}{\pi d_e} = \frac{6}{3.14 \times 22.061} = 0.087,$$

$$\alpha = \tan^{-1} 0.087 = 4.972°,$$

$$\tan\rho = \mu = 0.1,$$

$$\rho = \tan^{-1} 0.1 = 5.71°,$$

그러므로 리드각과 마찰각을 공식에 대입하면

$$\eta = \frac{4.972}{4.972 + 5.71} \times 100 = 46.54\% \text{으로 계산}$$

된다.

**4** Question ●

안지름 200mm, 내압 60kgf/cm²의 압력용기의 뚜껑을 8개의 볼트로 조립할 때 사용되는 볼트의 지름은 약 몇 mm인가?(단, 볼트의 허용 인장응력을 4.5kgf/mm²으로 한다.)

해설 압력용기에 작용하는 힘( $W_1$ )=내압 × 면적이므로

$$W_1 = 60 \times \frac{\pi \times 20^2}{4},$$

여기서 200mm=20cm를 대입함,

압력용기에 작용하는 힘( $W_1$ )은 8개의 볼트에 작용하므로,

볼트 1개에 작용하는

$$\text{힘}(W) = \frac{W_1}{8} = \frac{60 \times \pi \times 20^2}{8}$$

$$= 2356.2 kgf$$

위 문제는 인장하중만 작용하므로,

아래 공식에 대입한다.

$$d = \sqrt{\frac{4W}{\pi\sigma_t}} = \sqrt{\frac{4 \times 2356.2}{\pi \times 450}} = 25.8mm$$

즉, M26을 사용하면 된다.

**5** Question ●

96kgf-m 의 토크를 전달하는 지름 50mm인 축에 사용할 묻힘 키의 폭과 높이가 12mm × 8mm일 때 다음 중 키의 길이로 가장 적합한 것은?(단, 키의 전단응력만으로 계산하고 키의 허용 전단응력은 800kgf/cm² 이다.)

기사 04-1회

해설 $\tau = \dfrac{T \times 2}{b \times l \times d}$ 에서

$l = \dfrac{T \times 2}{b \times \tau \times d}$ 이므로, 그대로 대입한다.

단위를 cm 로 통일한다.

$$l = \frac{9600 \times 2}{1.2 \times 800 \times 5} = 4\,cm = 40mm$$로 계산된다.

## 02 축관계 기계요소

## 1 축

### (1) 강도에 의한 축지름 설계

● 굽힘 모멘트($M$)만을 받는 축

㉮ 실체축(實體軸)의 경우

이 경우는 축의 내부가 가득 찬 실축을 말한다.

실축에서의 단면계수($Z$)는 아래와 같다.

$$Z = \frac{\pi d^3}{32}$$

또한, 굽힘모멘트($M$)은 굽힘응력($\sigma_b$)와 단면계수($Z$)의 곱과 같다.

$$M = \sigma_b \times Z = \sigma_b \times \frac{\pi d^3}{32}$$

$$\therefore d = \sqrt[3]{\frac{10.2}{\sigma_a} \, M} \fallingdotseq 2.17 \sqrt[3]{\frac{M}{\sigma_a}} \quad \cdots\cdots\cdots\cdots\cdots\cdots\cdots\cdots\cdots\cdots\cdots \text{[1식]}$$

여기서, $M$은 축의 굽힘 모멘트(kgf-mm), $\sigma_b$은 축의 허용 굽힘응력(kgf/mm²), $Z$는 단면계수(斷面係數) (mm²)을 나타내며, 단위를 통일해야 한다.

㉯ 중공축(中空軸)의 경우

이 경우는 축의 내부가 빈 축을 말한다.

중공축에서의 단면계수($Z$)는 아래와 같다.

$$Z = \frac{\pi}{32} \times \left( \frac{d_2^4 - d_1^4}{d_2} \right)$$

또한, 굽힘모멘트($M$)은 굽힘응력($\sigma_b$)와 단면
계수($Z$)의 곱과 같다.

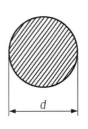
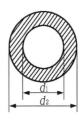

〈중공축〉

$$M = \sigma_b \times Z,$$

$$M = \frac{\pi}{32} \left( \frac{d_2^4 - d_1^4}{d_2} \right) \sigma_b = \frac{d_2^3}{10.2} (1 - x^4) \sigma_b$$

**101**

여기서, $x = \dfrac{d_1}{d_2}$ 이다.

$$\therefore d_2 = \sqrt[3]{\dfrac{10.2M}{(1-x^4)\sigma_b}} \fallingdotseq 2.17\sqrt[3]{\dfrac{M}{(1-x^4)\sigma_b}}$$ ························· [2식]

### ㉰ 실체축과 중공축의 비교

위에서 유도된 실체축의 직경식[1식]과 중공축의 직경식[2식]을 비교해보면 다음과 같다.

$$\dfrac{d}{d_2} = \sqrt[3]{\dfrac{1}{1-x^4}}$$

## ● 비틀림 모멘트($T$)만을 받는 축

### ㉮ 실체축의 경우

실축에서의 극단면계수($Z_p$)는 아래와 같다.

$$Z_p = \dfrac{\pi d^3}{16}$$

또한, 비틀림 모멘트($T$)는 전단응력($\tau_a$)와 극단면계수($Z_p$)의 곱과 같다.

$$T = \tau_a \times Z_p = \tau_a \times \dfrac{\pi d^3}{16}$$ ·································· [1식]

$$T = \dfrac{\pi}{16} d^3 \tau_a \fallingdotseq \dfrac{d^3}{5.1} \tau_a$$

$$\therefore d = \sqrt[3]{\dfrac{16T}{\pi\tau_a}} \fallingdotseq \sqrt[3]{\dfrac{5.1T}{\tau_a}} = 1.72\sqrt[3]{\dfrac{T}{\tau_a}}$$

여기서, $T$ 는 축의 비틀림 모멘트(kgf-mm), $d$ 는 축의 지름(mm), $\tau_a$는 축의 허용 비틀림 응력(kgf/mm²), $Z_p$는 극단면 계수(mm²)를 말하며, 단위를 통일해야 한다.

이제, $H$(동력), $N$[rpm]으로 전달시키는 축의 지름 $d$[cm]를 구해보자.

•비틀림 모멘트($T$)의 단위가 (kgf-cm)이고, $H$ 가 마력(PS)일 경우

1PS=75kgf-m/s, 1m=100cm이므로,

$$H_{ps} = \dfrac{T \times w}{75 \times 100} = \dfrac{2\pi NT}{75 \times 60 \times 100}$$ ,(여기서, $w = \dfrac{2\pi N}{60}$ 이므로)

$$\therefore T = \dfrac{71620 H_{PS}}{N}$$ ·································· [2식]

〔1식〕=〔2식〕이므로,

$$\frac{\pi}{16}d^3\tau_a = \frac{71620H_{PS}}{N},$$

$$d = 71.5\sqrt[3]{\frac{H_{PS}}{\tau_aN}}\,(\text{cm}) \quad\text{................................}\quad 〔3식〕$$

으로 유도된다.

여기서, d의 단위는 cm임을 주의해야 하고, $H_{ps}$는 마력, $\tau_a$는 kgf/cm² 이어야 한다.

참고로 d의 단위가 mm가 나오려면 아래 식으로 구한다(3식=4식).

$$d = 154\sqrt[3]{\frac{H_{PS}}{\tau_aN}}\,(\text{mm}) \quad\text{................................}\quad 〔4식〕$$

• 비틀림 모멘트($T$)의 단위가 (kgf-cm)이고, $H$가 마력(kW)일 경우,

1PS=102kgf-m/s, 1m=100cm이므로,

$$H_{kW} = \frac{T\times w}{102\times100} = \frac{2\pi NT}{102\times60\times100},$$

$$\therefore\ T = \frac{97400H_{kW}}{N} \quad\text{................................}\quad 〔5식〕$$

〔1식〕=〔5식〕이므로,

$$\frac{\pi}{16}d^3\tau_a = \frac{97400H_{kW}}{N},$$

$$d = 79.2\sqrt[3]{\frac{H_{kW}}{\tau_aN}}\,(\text{cm}) \quad\text{................................}\quad 〔6식〕$$

으로 유도된다.

여기서, d의 단위는 cm임을 주의해야 하고, $H_{kW}$는 마력, $\tau_a$는 kgf/cm² 이어야 한다.

참고로 d의 단위가 mm가 나오려면 아래 식으로 구한다(6식=7식).

$$d = 170\sqrt[3]{\frac{H_{kW}}{\tau_aN}}\,(\text{mm}) \quad\text{................................}\quad 〔7식〕$$

㉯ **중공축의 경우**

중공축에서의 극단면계수($Z_p$)는 아래와 같다.

$$Z_p = \frac{\pi}{16}\times\left(\frac{d_2^4 - d_1^4}{d_2}\right)$$

또한, 비틀림 모멘트($T$)는 전단응력($\tau_a$)와 극단면계수($Z_p$)의 곱과 같다.

$$T = \tau_a \times Z_p = \tau_a \times \frac{\pi}{16} \times \left( \frac{d_2^4 - d_1^4}{d_2} \right) \cdots\cdots\cdots\cdots\cdots\cdots\cdots\cdots \text{〔1식〕}$$

안지름/바깥지름의 비 $x = d_1/d_2$라 하면,

$$d_2 = \sqrt[3]{\frac{5.1T}{(1-x^4)\tau_a}} = 1.72\sqrt[3]{\frac{T}{(1-x^4)\tau_a}} \ (\text{cm})$$

으로 유도된다.

이제, $H$(동력), $N$〔rpm〕으로 전달시키는 축의 지름 $d$〔cm〕를 구해보자. 실체축과 같은 방식으로 유도하면 다음과 같다.

- $H$가 마력(PS)일 경우

$$d_2 = 71.5\sqrt[3]{\frac{H_{PS}}{(1-x^4)\tau_a N}} \ (\text{cm})$$

- $H$가 마력(kW)일 경우

$$d_2 = 79.2\sqrt[3]{\frac{H_{kW}}{(1-x^4)\tau_a N}} \ (\text{cm})$$

● 굽힘과 비틀림을 동시에 받을 축

$$M_e = \frac{1}{2}\left(M + \sqrt{M^2 + T^2}\right) = \frac{M}{2}\left[1 + \sqrt{1 + \left(\frac{T}{M}\right)^2}\right] = \frac{1}{2}(M + T_e)$$

$$T_e = \sqrt{M^2 + T^2} = M\sqrt{1 + \left(\frac{T}{M}\right)^2}$$

여기서, $M_e$ : 상당(相當) 굽힘 모멘트(equivalent bending moment), $T_e$ : 상당(相當) 비틀림 모멘트(equivalent twisting moment)를 말한다.

㉠ 상당 비틀림 모멘트에 의한 경우

- 실체축 : $d = \sqrt[3]{\dfrac{5.1 T_e}{\tau_a}}$     • 중공축 : $d_2 = \sqrt[3]{\dfrac{5.1 T_e}{(1-x^4)\tau_a}}$

㉡ 상당 굽힘 모멘트에 의한 경우

- 실체축 : $d = \sqrt[3]{\dfrac{10.2 M_e}{\sigma_a}}$     • 중공축 : $d_2 = \sqrt[3]{\dfrac{5.1 T}{(1-x^4)\tau_a}}$

**예제 1** 1,000rpm 으로 716.2kgf · cm 의 비틀림 모멘트를 전달하는 회전축에서 전달 마력은?

비틀림 모멘트( $T$ )의 단위가 (kgf-cm)이고, $H$ 가 마력(PS)일 경우,

1PS=75kgf-m/s, 1m=100cm이므로,

$$H_{ps} = \frac{T \times w}{75 \times 100} = \frac{2\pi NT}{75 \times 60 \times 100}$$

$$H_{ps} = \frac{1000 \times 716.2}{71620} = 10\text{PS}$$으로 계산된다.

**예제 2** 350rpm 으로 70 PS 를 전달하는 축의 전달 토크는 몇 kgf · cm 인가?

$$H_{ps} = \frac{T \times w}{75 \times 100} = \frac{2\pi NT}{75 \times 60 \times 100} = \frac{NT}{71620}$$ 에서,

$$T = \frac{71620 H_{ps}}{N} \quad (\text{T : 전달 토크(kgf · cm)})$$

$$T = \frac{71620 \times 70}{350} = 14324\text{kgf · cm}$$으로 계산된다.

**예제 3** 각속도 4 rad /sec 로 5kw 의 동력을 전달하는 전동축에 작용하는 토크는 얼마인가?

비틀림 모멘트( $T$ )의 단위가 (kgf-m)이고, $H$ 가 마력(kW)일 경우,

1PS=102kgf-m/s, 1m=100cm이므로,

$$H_{kW} = \frac{T \times w}{102}, \quad 5\,\text{kW} = \frac{T \times 4}{102},$$

$$T = \frac{5 \times 102}{4} = 127.5(\text{kgf-m})$$

**예제 4** 길이 L = 50cm, 지름 d = 1cm 인 동력축이 있다. 허용 전단 응력이 $\tau_a = 64 \times 10^2 \text{ kgf/cm}^2$ 일 때 전달되는 토크는 약 몇 kgf · cm 인가?

위에서 설명된 공식을 적용한다.

$$T = \tau_a \times Z_p = \tau_a \times \frac{\pi d^3}{16}$$

$$T = \frac{\pi}{16} \times 1^3 \times 64 \times 10^2 = 1256.6(\text{kgf-cm})$$으로 계산된다.

**예제 5** 500rpm 으로 15kw 의 동력을 전달하는 축의 비틀림 응력은 몇 kgf/mm²은 얼마인가?(단, 축의 지름은 50mm 이다)

비틀림 모멘트( $T$ )의 단위가 (kgf-cm)이고, $H$ 가 마력(kW)일 경우,

1PS=102kgf-m/s, 1m=100cm이므로,

$$H_{kW} = \frac{T \times w}{102 \times 100} = \frac{2\pi NT}{102 \times 60 \times 100},$$

$$T = \frac{97400 H_{kW}}{N} = \frac{97400 \times 15}{500} = 2922 (\text{kgf-cm})$$

$$T = \tau_a \times Z_p = \tau_a \times \frac{\pi d^3}{16} \text{ 이므로,}$$

$$\tau_a = \frac{16 \times T}{\pi \times d^3} = \frac{16 \times 2922}{\pi \times 5^3} \text{ (단위를 맞춤, } 50mm = 5cm)$$

$$= 119.05 \text{kgf/cm}^2 = 1.1905 \text{kgf/mm}^2$$

**예제 6** 30kw의 동력을 200rpm으로 전달하는 연강축의 지름을 구하시오.(단, 축의 허용 전단 응력은 2kgf/mm²)

🔘 위에서 배운 공식을 활용한다. (식의 유도과정을 알고 있으면 공식을 외울 필요는 없다.)

$$d = 170 \sqrt[3]{\frac{H_{kW}}{N \times \tau_a}} \text{ (mm)}, \qquad d = 79.2 \sqrt[3]{\frac{H}{N \times \tau_a}} \text{ (cm)}$$

$$d = 170 \sqrt[3]{\frac{30}{200 \times 2}} = 71.69mm$$

**예제 7** 106(kgf‑mm)의 비틀림 모멘트를 받는 중공축의 내경은 몇 mm인가?(단, 비틀림 허용 응력 $\tau_a$ = 5.3kgf/mm², $\lambda$ = d₁/d₂ = 0.7 이다)

🔘 아래 공식을 이용한다.(공식의 유도과정을 이해하고 있으면 공식을 외울 필요가 없다.)

$$x = \frac{d_1}{d_2} \text{ 라고 하고, 아래 공식에 대입한다.}$$

$$d_2 = 1.72 \sqrt[3]{\frac{T}{(1 - x^4) \times \tau_a}} \qquad (x\text{:지름비, } d_2 : \text{중공축의 내경[mm])}$$

$$d_2 = 1.72 \sqrt[3]{\frac{10^6}{(1 - 0.7^4) \times 5.3}} = 108.106mm$$

$$d_1 = 108.106 \times 0.7 = 75.6742mm \text{로 계산된다.}$$

**예제 8** 축에 굽힘 모멘트는 1.5×106 kgf-mm와 비틀림 모멘트는 2×106 kgf-mm를 동시에 받을 때 축의 지름으로 다음 중 가장 적합한 것은?(단, 축 재료의 비틀림 응력은 4 kgf/mm², 허용 굽힘 응력은 6 kgf/mm²이다)

🔘 아래와 같이 구분하여 구해본다.

① 상당 굽힘 모멘트와 지름

$$M_e = \frac{M + \sqrt{M^2 + T^2}}{2} = \frac{1.5 \times 10^6 + \sqrt{(1.5 \times 10^6)^2 + (2 \times 10^6)^2}}{2}$$

$$= 2 \times 10^6 \text{ kgf-mm,}$$

아래 식에 대입한다.

$$d = \sqrt[3]{\frac{32 \times M_e}{\sigma_a \times \pi}} = \sqrt[3]{\frac{10.2 \times 2 \times 10^6}{6}} = 150.37 \text{mm}$$

② 상당 비틀림 모먼트와 지름

$$T_e = \sqrt{M^2 + T^2} = \sqrt{(1.5 \times 10^6)^2 + (2 \times 10^6)^2} = 2.5 \times 10^6 \text{kgf-m}$$

아래 식에 대입한다.

$$d = \sqrt[3]{\frac{16 \times T_e}{\tau_a \times \pi}} = \sqrt[3]{\frac{5.1 \times 2.5 \times 10^6}{4}} = 147.17 \text{mm}$$

∴ 위 2개의 식에서 산출된 축 지름의 큰 쪽을 선택하여 표준 규격에 의해 150mm를 선택한다.

**예제 9** 재질이 동일하며 회전수도 같을 경우 축직경을 2배로 하면 동일강도로서 전달시킬 수 있는 마력 (ps)은 몇 배가 되는가?

▶ 유도한 공식이 다음과 같다.

$$d = 154 \sqrt[3]{\frac{H_{PS}}{\tau_a N}} \text{(mm)},$$

여기에서 보듯이 마력은 직경의 세제곱근과 비례한다.

즉 직경을 2배하면 마력은 $2^3 = 8$배로 증가한다.

## (2) 축의 비틀림 강도(torsional rigidity)

여기서는 실체축과 중공축의 계산식 유도과정이 같으므로, 실체축만을 예를 들어 계산식을 유도한다.

그림과 같이 비틀림을 받았을 때 OB가 각(角) $\theta$(단위:°, degree)만큼 변위하였다면, $\theta$를 라디안(radian)으로 표시하면

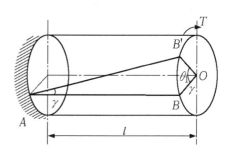

$$a = \frac{\overline{BB'}}{r} \text{(radian)},$$

$\theta° = \dfrac{180}{\pi} \times a$ 으로 환산을 할 수 있다.

$$\boxed{\phi = \frac{da}{dx} = \frac{a}{l}}$$

여기서, $\phi$는 축 길이당 비틀림각(radian)을 의미하고, $a$는 비틀림각(radian)을 의미한다.

또한, $x$는 축길이 방향의 미소변위이고, $l$은 축의 총길이를 의미한다.

$$\gamma = r \times \phi$$

여기서, $r$는 전단변형율을 의미하고, $r$은 축의 반경을 의미한다.

그러므로 $\gamma = r \times \theta = r \times \dfrac{\alpha}{l}$ 으로 유도된다.

그리고 전단응력($\tau_a$)는 hook의 법칙에 따라 다음과 같은 관계가 있다.

$$\tau_a = G \times \gamma \qquad \text{여기서, G는 횡탄성계수이다.}$$

그러므로

$$\tau_a = G \times r \times \dfrac{\alpha}{l} \quad\text{.............................................}\quad [1식]$$

또한, 비틀림 토크와 극단면계수는 아래와 같은 관계가 있다.

$$\tau_a = \dfrac{T}{Z_p},$$

여기서, 극단면계수($Z_p$)는 극관성모멘트($I_p$)와 아래와 같은 관계가 있다.

$$Z_p = \dfrac{I_p}{r},$$

그러므로

$$\tau_a = \dfrac{T}{Z_p} = \dfrac{T}{\dfrac{I_p}{r}} = \dfrac{T \times r}{I_p} \quad\text{.........................}\quad [2식]$$

따라서 〔1식〕 = 〔2식〕이므로

$$\tau_a = G \times r \times \dfrac{\alpha}{l} = \dfrac{T \times r}{I_p}$$

$$\alpha = \dfrac{Tl}{GI_p} \, (\text{radian}) \quad\text{...............................}\quad [3식]$$

으로 유도된다.

여기서, 극관성모멘트($I_p$)는 실체축(원)이므로,

$$I_p = \dfrac{\pi d^4}{32} \, \text{이다.}$$

또한, $\alpha$의 단위가 radian 이므로, 비틀림각을 $\theta$(단위 : °, degree)로 표현하면 360°가 $2\pi$(radian)이므로,

$$\theta° = \dfrac{180}{\pi} \times \alpha \quad\text{..................................}\quad [4식]$$

의 관계가 있으므로, 〔3식〕에서 구한 비틀림각($\alpha$ : radian)을 4식에서 각도(단위 : °, degree)로 환산이 가능하다.

〔4식〕의 $\alpha$를 〔3식〕에 대입한다.

$$\alpha = \frac{\theta \times \pi}{180} = \frac{Tl}{GI_p}$$

$$\theta(°) = \frac{180}{\pi} \times \frac{Tl}{GI_p} = 57.3 \times \frac{Tl}{GI_p}$$

로 유도된다.

**예제 1** 시험재료인 연강의 횡탄성계수 $G = 8.3 \times 10^3$ kgf/mm²이고, 길이가 1m인 축을 회전력( $T$ : kgf-m)를 주었을 경우 비틀림각이 $\frac{1}{4}$° 보다 작게 축의 직경을 설계하고자 한다. 축의 지름을 구하는 식을 유도하시오.

🔘 위의 공식을 그대로 이용한다.

$$\theta(°) = \frac{180}{\pi} \times \frac{Tl}{GI_p},$$

길이 단위를 mm로 환산한다.

$$\theta(°) = \frac{180}{\pi} \times \frac{T \times 1000 \times 1000}{GI_p},$$

여기서, $T$ kgf-m $= T \times 1000$ kgf-mm, $l = 1$m $= 1000$mm이다.

$I_p = \frac{\pi d^4}{32}$ 이므로, 위 식에 대입하자

$$\theta(°) = \frac{180}{\pi} \times \frac{T \times 1000 \times 1000}{G \times \frac{\pi d^4}{32}}$$

여기에, $G$와 $\theta$를 대입하자.

$$\frac{1}{4} = \frac{180}{\pi} \times \frac{T \times 1000 \times 1000}{8.3 \times 10^3 \times \frac{\pi d^4}{32}}$$

$$d^4 = \frac{4 \times 32 \times 180 \times 1000 \times T}{\pi^2 \times 8.3}, \quad d = \sqrt[4]{281257.8\,T} \ (\text{mm})$$

로 유도된다.

## 2 축이음

### (1) 원판클러치

원판클러치는 양축단에 원판모양의 마찰판을 부착하여 그 접촉면 사이의 마찰력에 의하여 회전력을 전달하는 장치이다.

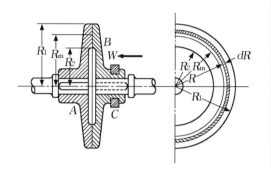

〈원판 클러치〉

### ● 평균(유효)지름

원판클러치의 내경을 $d_1$, 외경을 $d_2$라고 하면, 평균지름($d_m$)은 다음과 같이 구한다.

$$d_m = \frac{(d_2 + d_1)}{2}, \quad r_m = \frac{d_m}{2} = \frac{d_2 + d_1}{4}$$

### ● 접촉면 폭($b$)

접촉면의 폭은 외경의 반지름과 내경의 반지름 차이다.

$$b = \frac{(d_2 - d_1)}{2}$$

### ● 회전력(토크 : $T$)

회전력($T$)은 $F \times r$ 이고, 축방향으로 작용력($W$)가 존재하면,

$$T = F \times r_m, \quad F = \mu \times W \times Z$$

여기서, $Z$는 판의 수를 나타낸다.

$$T = \mu \times W \times Z \times \frac{d_m}{2} \quad \cdots\cdots\cdots\cdots\cdots\cdots\cdots\cdots\cdots\cdots\cdots\cdots \text{〔1식〕}$$

접촉면의 압력($p$:kgf/㎟)이 작용한다면,

$$p = \frac{W}{A},$$

또한, 압력이 작용하는 면적($A$)는 다음과 같다.

$$A = \frac{\pi(d_2^2 - d_1^2)}{4}$$

그러므로 축방향 작용력($W$)를 구하면

$$W = p \times A = p \times \frac{\pi(d_2^2 - d_1^2)}{4} \quad \cdots\cdots\cdots\cdots\cdots\cdots\cdots\cdots\cdots \text{〔2식〕}$$

$d_m = \dfrac{(d_2 + d_1)}{2}$ 와 〔2식〕을 〔1식〕에 대입하자.

$$T = \mu \times p \times \frac{\pi(d_2^2 - d_1^2)}{4} \times Z \times \frac{1}{2} \times \frac{d_2 + d_1}{2} \quad \cdots\cdots\cdots \text{〔3식〕}$$

으로 유도된다.

### ● 접촉면 평균압력($p_m$: kgf/mm$^2$)

접촉면 압력은 위와 같이 $p = \dfrac{W}{A}$ 로 표현되지만, 평균면적의 함수로 표현된다. 이렇게 평균 면적으로 표현되는 압력을 접촉면 평균압력($p_m$)이라 한다.

평균면적($A_m$)=평균원주길이($\pi d_m$) × 접촉폭($b$)이므로,

$$p_m = \frac{W}{A_m} = \frac{W}{\pi d_m b}$$

다판의 경우는 원판의 수를 $Z$ 라 하면,

$$p_m = \frac{W}{A_m \times Z} = \frac{W}{\pi d_m b \times Z}$$

이 평균압력에 의해 $T$를 구해보자.

$$W = p_m \times A_m = p_m \times \pi d_m b$$

위 식을 1식에 대입하자.

$$T = \mu \times p_m \times \pi d_m b \times Z \times \frac{d_m}{2} \quad \cdots\cdots\cdots\cdots\cdots\cdots \text{〔4식〕}$$

으로 유도된다.

### ● 전달마력

전달마력은 다음과 같이 구한다.

$$H_p(ps) = \frac{T \times \omega}{75}, \quad H_p(kW) = \frac{T \times \omega}{102}$$

여기서, $T$ 는 회전력으로 단위는 kgf-m이고, $\omega$ 는 각속도를 의미한다.

$\omega = \dfrac{2\pi N}{60}$ (rad/s)이다.

앞의 축공식 $T = 716200 \times \dfrac{H_{ps}}{N}$ 을 이용할 수도 있다.

즉, [4식]을 대입한다.

$$T = \mu \times p_m \times \pi d_m b\pi \times Z \times \frac{d_m}{2} = 716200 \times \frac{H_{ps}}{N}$$

$$H_{ps} = \mu \times p_m \times \pi d_m b\pi \times Z \times \frac{d_m}{2} \times \frac{N}{716200}$$

으로 유도된다.

**예제 1** 원판 클러치에 있어서 접촉면의 바깥지름 $D_1 = 300$ mm, 안지름 $D_2 = 200$ mm, 마찰면의 평균 압력 $q = 0.015$ kgf/mm² 이고, 마찰계수 $\mu = 0.3$ 인 경우 축의 회전수가 400 rpm이면 몇 kW 의 동력을 전달시킬 수 있는가?

아래 두 공식을 이용한다.

$$T = \mu \times p \times \frac{\pi(d_2^2 - d_1^2)}{4} \times Z \times \frac{1}{2} \times \frac{d_2 + d_1}{2} \qquad H_p(kW) = \frac{T \times \omega}{102},$$

$$H_p(kW) = \frac{2\pi N}{102 \times 60} \cdot \mu \cdot \frac{\pi}{4}(d_1^2 - d_2^2) \cdot p \cdot \frac{d_1 + d_2}{4}$$

$$= \frac{2 \times \pi \times 300 \times 0.3 \times \pi(0.3^2 - 0.2^2) \times 0.015 \times 10^6 \times 0.5}{102 \times 60 \times 4 \times 4}$$

$$= 6.8\,kW$$

**예제 2** 단판 마찰클러치의 접촉면 평균 지름이 80mm, 전달 토크 494kgf·mm, 마찰계수 0.2 인 경우에 토크를 전달시키려면 몇 kgf의 힘이 필요한가 ?

다음공식을 이용한다.

$$T = \mu \times p_m \times \pi d_m b \times Z \times \frac{d_m}{2}, \quad W = p_m \times A_m = p_m \times \pi d_m b \text{이므로,}$$

$$T = \mu \times W \times \frac{d_m}{2} \text{ (단판이므로 } Z = 1)$$

$$W = \frac{2T}{\mu d_m} = \frac{2 \times 494}{0.2 \times 80} = 61.75\,mm$$

**예제 3** 접촉면의 안지름 60mm, 바깥지름 100mm 의 단판 클러치를 1 PS, 1450rpm 으로 전동할 때 클러치를 미는 힘은 몇 kgf 인가?(단, 클러치 접촉면은 주철과 청동으로서 마찰계수는 0.2 이다)

먼저 회전력을 구하고, 클러치 미는 힘을 다음에 구한다.

$$H_p(ps) = \frac{T \times \omega}{75}, \quad H_p(ps) = \frac{T \times 2\pi N}{75 \times 60}, \quad 1 = \frac{T \times 2\pi \times 1450}{75 \times 60}$$

$$T = \frac{75 \times 60}{2\pi \times 1450} = 0.49391(\text{kgf-m}) = 493.9\text{kgf-mm}$$

$$T = \mu \times W \times \frac{d_m}{2} \ (단판이므로 \ Z = 1, \quad d_m = \frac{(d_2 + d_1)}{2})$$

$$W = \frac{2T}{\mu d_m} = \frac{2 \times 2 \times 493.9}{0.2 \times (60 + 100)} = 61.75\text{kg}$$

**예제 4** 마찰면의 수가 4인 디스크 클러치에서 접촉면 안지름 50mm, 바깥지름 90mm 이고 스러스트에 70kgf 을 작용시킬 때 전달시킬 수 있는 토크는 몇 kgf · mm 인가?(단, 클러치판의 마찰계수 $\mu$ = 0.3 이다)

🔘 스러스트의 힘이 미는 힘을 말한다.

$$T = \mu \times W \times Z \times \frac{d_m}{2} \ (단판이므로 \ Z = 4, \quad d_m = \frac{(d_2 + d_1)}{2})$$

$$T = \mu \times W \times Z \times \frac{d_2 + d_1}{4} = 0.3 \times 70 \times 4 \times \frac{90 + 50}{4} = 2940\text{kgf-mm}$$

## (2) 원추클러치

원추클러치는 그림과 같이 나타낼 수 있으며, 원판 클러치 보다 큰 토크를 전달할 수 있다.

🔵 **원추면(접촉면)에 작용하는 힘**

축방향으로 작동하는(미는) 힘 ($W$)은 양 원추면에 작용하므로 다음과 같이 구한다.

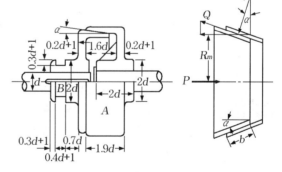

〈원추클러치〉

$$\boxed{W = Q \sin \alpha + \mu Q \cos \alpha = Q(\sin \alpha + \mu \cos \alpha)}$$

여기서, $Q$ 는 원추각에 의해서 원추면(접촉면)에 직각으로 작용하는 힘을 말한다. 그래서 다음과 같이 쓸 수 있다.

$$\boxed{Q = \frac{W}{\sin \alpha + \mu \cos \alpha}} \quad \cdots\cdots\cdots\cdots\cdots\cdots\cdots\cdots\cdots\cdots\cdots\cdots\cdots\cdots [1식]$$

## ● 전달(마찰)회전력( $T$ )

회전력은 원추면에 직각으로 작용하는 힘과 마찰계수, 평균반경의 곱으로 표시된다.

$$T = \mu \times Q \times \frac{d_m}{2}, \quad d_m = \frac{(d_2 + d_1)}{2}$$

위 식에 〔1식〕을 대입하자.

$$T = \mu \times \frac{W}{\sin a + \mu \cos a} \times \frac{d_m}{2}$$

## ● 접촉면 평균압력( $p_m$ : kgf/mm²)

접촉 평균면적( $A_m$ )=평균원주길이( $\pi d_m$ ) × 접촉폭( $b$ )이므로,

$$p_m = \frac{W}{A_m} = \frac{W}{\pi d_m b}$$

위의 원추면 접촉폭( $b$ )가 주어진다면 우리는 원추각을 아래와 같이 구할 수 있다. 이 말은 접촉면의 내경과 외경이 주어지면 접촉폭( $b$ )을 구할 수 있다는 말과 같다.

$$\sin a = \frac{d_2 - d_1}{2b}$$

이 평균압력에 의해 $T$ 를 구해보자.

$$W = p_m \times A_m = p_m \times \pi d_m b, \qquad T = \mu \times p_m \times \pi d_m b \times \frac{d_m}{2}$$

으로 유도된다.

**예제 1**　단식 원추 클러치의 전달 마력은?(단, 원추 접촉면의 평균 지름 D : 500mm, 마찰면의 폭 b : 40mm, 원추 접촉면의 단위 직압력 P : 0.8kgf/cm², 회전속도 N : 1,000rpm, 허용 마찰계수 $\mu$ : 0.3)

　🔘 아래 두 공식을 이용한다.

$$T = \mu \times p_m \times \pi d_m b \times \frac{d_m}{2}, \qquad H_p(ps) = \frac{T \times 2\pi N}{75 \times 60},$$

접촉면압( $p_m$ )의 단위가 cm로 되었으므로 길이 단위를 cm로 통일한다.

$$T = 0.3 \times 0.8 \times \pi \times 50 \times 4 \times \frac{50}{2} = 3769.9 \text{kgf-cm}$$

$$H_p(ps) = \frac{3769.9 \times 2\pi \times 1000}{75 \times 60 \times 100} \text{ (여기서 분모의 100은 } T \text{의 단위를 kgf-m로 환산)}$$

$$= 52.63789 \text{ps}$$

## 3 베어링

### (1) 구름 베어링의 수명 계산 공식

Hertz는 $L_n$ : 베어링의 계산수명 ($10^6$회전 단위), $L_h$ : 베어링의 수명시간, $P$ : 베어링의 하중(kgf), $C$ : 기본 동정격 하중(kgf)을 이용한 관계식을 만들었는데, 다음과 같다.

$$L_n = \left(\frac{C}{P}\right)^r \times 10^6 \quad \text{(rev : 회전수)}$$

여기서, $r$ : 베어링의 내외륜(內外輪)과 전동체의 접촉상태에서 결정되는 정수(定數)로, 볼베어링의 경우는 3, 롤러베어링은 $\frac{10}{3}$ 라는 상수값을 갖는다.

다시 수명을 시간으로 표시할 때가 편리한 경우가 있으므로, 위 식을 시간으로 표시하여 보자. 축의 회전수를 $N$(rpm)이라 하면,

$$L_h = \frac{L_n}{N}$$

의 관계가 있으므로, 단위를 맞추어 주면,(1h=60min)

$$L_h(hour) = \frac{L_n}{N \times 60} \, ,$$

$$L_h(hour) = \left(\frac{C}{P}\right)^r \times \frac{10^6}{N \times 60}$$

$$L_h(hour) = \left(\frac{C}{P}\right)^r \times \frac{16670}{N}$$

으로 유도된다. 위 식은

$$L_h(hour) = 500\left(\frac{C}{P}\right)^r \frac{33.3}{N}$$

으로 유도된다.

또, $f_h$를 수명계수(壽命係壽)라 하고,

$f_h = \frac{C}{P}^r \sqrt{\frac{33.3}{N}} = \frac{C}{P} \times f_n$이라 하면, 위식은 $L_h = 500 f_h^r$의 관계가 있다.

여기서, $f_n$은 속도계수(速度係數, speed factor)라 한다.

따라서 다음과 같이 정리할 수 있다.

- 볼 베어링 $\quad L_h = 500\left(\frac{C}{P}\right)^3 \frac{33.3}{N} = \frac{16670}{N}\left(\frac{C}{P}\right)^3$

- 롤러 베어링 $L_h = 500\left(\dfrac{C}{P}\right)^{\frac{10}{3}}\dfrac{33.3}{N} = \dfrac{16670}{N}\left(\dfrac{C}{P}\right)^{\frac{10}{3}}$

- 구름 베어링의 수명계수와 속도 계수

| 베어링의 형식 | 볼 베어링 | 롤러 베어링 |
|---|---|---|
| 수명시간 | $L_h = 500f_h^3$ | $L_h = 500f_h^{\frac{10}{3}}$ |
| 수명계수 | $f_h = f_n\dfrac{C}{P}$ | $f_h = f_n\dfrac{C}{P}$ |
| 속도 계수 | $f_n = \sqrt[3]{\dfrac{33.3}{N}}$ | $f_n = \sqrt[\frac{10}{3}]{\dfrac{33.3}{N}}$ |

## (2) 미끄럼 베어링의 설계

### ● 끝 저널(end journal)의 지름

저널에 걸리는 하중을 $P$, 저널의 지름을 $d$, 저널의 길이를 $l$, 허용 굽힘응력을 $\sigma_a$라 하면, 최대 굽힘모멘트($M$)은 저널의 양끝에 존재한다.

$M = \dfrac{Pl}{2}$ 이므로,

실체축의 굽힘응력($\sigma_a$) $= \dfrac{M}{Z}$ 의 관계가 있으므로 대입한다.

$M = \dfrac{Pl}{2} = \sigma_a Z = \dfrac{\pi d^3}{32}\sigma_a$ ........................................ [1식]

$\therefore\ d = \sqrt[3]{\dfrac{5.1Pl}{\sigma_a}}$

으로 유도된다.

저널과 베어링과의 접촉면에서 받는 압력을 허용 수압력(許容水壓力)이라고, 이를 $p_a$ 로 표시하면,

$p_a = \dfrac{P}{A} = \dfrac{P}{dl}$, $P = p_a \times dl$ 을 [1식]에 대입한다.

$M_{max} = p_a \times d \times l \times \dfrac{l}{2} = \sigma_a Z = \dfrac{\pi d^3}{32}\sigma_a$

그러므로 저널의 직경과 지름비는 아래와 같이 유도된다.

$\dfrac{l}{d} = \sqrt{\dfrac{\sigma_a}{5.1p_a}}$

## ● 중간 저널의 지름

축의 全길이를 $L$, 저널 길이를 $\ell$ 이라 하면,

축의 최대굽힘 모멘트(M)은 $\dfrac{PL}{8}$ 에 작용한다.

$$M_{\max} = \frac{PL}{8} = \frac{\pi}{32} d^3 \sigma_a$$

$$\therefore\ d = \sqrt[3]{\frac{4PL}{\pi}\sigma_a} \doteqdot \sqrt[3]{1.27\frac{PL}{\sigma_a}} \quad\cdots\cdots\cdots\cdots\cdots\cdots\cdots\cdots\cdots\cdots\cdots\cdots\text{〔2식〕}$$

으로 유도된다.

전체길이 $L$과 저널의 길이 $l$ 과의 비 $\dfrac{L}{l} = e$라고, $L = el = 1.5l$ 을 보통 사용하므로,

〔2식〕에 대입하면, 저널의 직경과 지름비는 아래와 같이 유도된다.

$$d = \sqrt[3]{1.27\frac{P \times 1.5l}{\sigma_a}} = \sqrt[3]{\frac{1.27 \times 1.5p_a dl^2}{\sigma_a}}$$

$$\therefore\ \frac{l}{d} = \sqrt{\frac{\sigma_a}{1.9p_a}}$$

## ● 마찰력

레이디얼 저널의 단위 시간당 마찰일을 $W_f$, 축의 회전수를 $N$〔rpm〕, 원주속도 $v$ 〔m/s〕라 하면,

마찰력( $F$)는 마찰계수( $\mu$)와 작용힘( $P$)의 곱이므로,

$$F = \mu P$$

$$W_f = Fv = \mu Pv = \mu P\frac{\pi dN}{1000 \times 60}\ \text{〔kgf-m/s〕}$$

여기서 $d$ 는 축의 지름으로 단위는 mm이다.

위 식을 마력 $H_p$(PS)로 표현하자.

$$H_p(PS) = \frac{W_f}{75} = \frac{\mu Pv}{75}$$

단위 면적당의 마찰일을 $w_f$라고 하면,

$$w_f = \frac{W_f}{dl} = \mu\frac{P}{dl}v = \mu p_a v\ \text{〔kgf/mm}^2\text{-m/s〕}$$

여기서, $p_a v$를 최대 허용 압력 속도 계수라 한다.

베어링의 과열을 방지하기 위해서는 $p_a v$를 허용치로 정하면,
저널의 길이($l$)는 다음과 같이 유도된다.

$$p_a v = \frac{P}{dl} \cdot \frac{\pi dN}{1000 \times 60} = \frac{\pi PN}{1000 \times 60 \times l}$$

$$\therefore \; l = \frac{\pi PN}{1000 \times 60 p_a v}$$

**예제 1** 축의 직경 d = 80mm, 베어링의 길이 $l$ = 150mm, 하중 P = 1,200kgf 인 슬라이딩 베어링의 압력 p 의 값은 얼마인가?

🔘 아래 공식을 활용한다.

$p_a = \dfrac{P}{d \times l}$ , 여기서 $P$ 는 하중으로 단위가 kgf이다.(다른 장에서는 $W$ 로 표시)

$p_a = \dfrac{1200}{80 \times 150} = 0.1 \text{kgf/mm}^2$

**예제 2** 베어링 하중 2.52 톤, 회전수 n = 800rpm, 저널의 직경은 얼마인가?(단, 베어링의 압력은 0.2kgf/mm² 이고 길이와 직경의 비 $l$ / d = 2 이다)

🔘 $P$ 는 하중으로 단위가 kgf이다

$p_a = \dfrac{P}{d l}$

$\dfrac{l}{d} = 2$ 이므로 $l = 2d$         $p_a = \dfrac{P}{d l} = \dfrac{P}{2 d^2}$

$d = \sqrt{\dfrac{P}{2 \times p_a}}$    $d = \sqrt{\dfrac{2520}{2 \times 0.2}} = 79.37 mm = 7.94 \text{cm}$

**예제 3** 기본 부하 용량이 1,800kgf 인 볼 베어링이 레이디얼 하중 200kgf 을 받고 150rpm 으로 회전할 때 이 베어링의 수명은 몇 시간인가?

🔘 다음의 베어링 수명 공식을 이용한다.

$L_h = \left( \dfrac{C}{P} \right)^3 \times 500 \times \dfrac{33.3}{N}$ ,

$L_h = \left( \dfrac{1800}{200} \right)^3 \times 500 \times \dfrac{33.3}{150} = 80919 (\text{hour})$로 계산된다.

**예제 4** 안지름 60mm, 길이 60mm 의 청동 저널 베어링을 250rpm 의 전동축 용으로 사용하였을 경우 몇 kg의 베어링 하중을 안전하게 받을 수 있는가?(단, $p_a v$ = 0.1kg/mm² · m/s 이다)

아래의 공식을 활용한다.

$$p_a v = \frac{\pi \times P \times N}{1000 \times 60 \times \ell}$$

$$P = \frac{1000 \times 60 \times 60 \times 0.1}{3.14 \times 250} = 458.59 \text{kg}$$

**예제 5** 저널의 직경이 53 mm, 회전수가 600 rpm, 작용하중이 500 kgf인 베어링의 마찰계수 $\mu = 0.005$일 때 베어링의 마찰손실 마력은 약 몇 PS인가?

아래 공식을 이용한다.

$$H_p (PS) = \frac{W_f}{75} = \frac{\mu P v}{75} \text{ 이므로,}$$

$$v = \frac{\pi D N}{60 \times 1000} = \frac{\pi \times 53 \times 600}{60 \times 1000} = 1.665 \,(\text{m/s}),$$

$$H_P = \frac{0.005 \times 500 \times 1.665}{75} = 0.0555 \text{PS} \text{ 로 계산된다.}$$

part2. 기계요소

# 단원익힘문제

**1 Question**

300rpm 으로 2.5kw 를 전달시키고 있는 축에 작용하는 비틀림 모멘트는 약 몇 kg-cm 인가?

**해설** 비틀림 모멘트( $T$ )의 단위가 (kgf-cm)이고, $H$ 가 마력(kW)일 경우,

1kW=102kgf-m/s, 1m=100cm이므로,

$$H_{kW} = \frac{T \times w}{102 \times 100} = \frac{2\pi N T}{102 \times 60 \times 100},$$

$$T = \frac{97400 H_{kW}}{N} = \frac{97400 \times 2.5}{300}$$

$$= 811.667 \,(\text{kgf-cm})$$

**2 Question**

회전수 200rpm 으로 10 PS 를 전달하는 축에서 비틀림 모멘트 T = 3,600kgf · cm 이고 허용 전단응력이 210kgf/cm² 이라면 축의 지름은 몇 mm 로 하여야 하는가?

**해설** 비틀림 모멘트( $T$ )의 단위가 (kgf-cm)이고, $H$ 가 마력(ps)일 경우,

1PS=75kgf-m/s, 1m=100cm이므로,

$$H_{ps} = \frac{T \times w}{75 \times 100} = \frac{2\pi N T}{75 \times 60 \times 100} = \frac{N T}{71620}$$

에서,

$$T = \frac{71620 H_{ps}}{N}, (\text{T : 전달 토크(kgf · cm)})$$

$$T = \frac{71620 \times 10}{200} = 3581\,\mathrm{kgf \cdot cm},$$

$$T = \tau_a \times Z_p = \tau_a \times \frac{\pi d^3}{16} \text{ 이므로,}$$

$$d^3 = \frac{16 \times T}{\pi \times \tau_a},$$

$$d = \sqrt[3]{\frac{16 \times T}{\pi \times \tau_a}} = \sqrt[3]{\frac{16 \times 3581}{\pi \times 210}}$$

$$= 4.428\mathrm{cm} = 44.28\mathrm{cm}$$

**3 Question**

각속도 4 rad/s 로 4 kW의 동력을 전달하는 전동축에 작용하는 토크는 약 몇 m-kgf 인가?

**해설** 비틀림 모멘트( $T$ )의 단위가 (kgf-m)이고, $H$ 가 마력(kW)일 경우,

1kW $=102$kgf-m/s, 1m$=100$cm이므로,

$$H_{kW} = \frac{T \times w}{102}, \quad 4kW = \frac{T \times 4}{102}$$

$$T = \frac{4 \times 102}{4} = 102(\mathrm{kgf\text{-}m})$$

**4 Question**

지름이 40 mm인 연강제 실축에 2000 rpm으로 10 PS을 전달할 때 생기는 전단응력은 약 몇 kgf/cm²인가?

**해설** 비틀림 모멘트( $T$ )의 단위가 (kgf-cm)이고, $H$ 가 마력(ps)일 경우,

1PS $=75$kgf-m/s, 1m$=100$cm이므로,

$$H_{ps} = \frac{T \times w}{75 \times 100} = \frac{2\pi NT}{75 \times 60 \times 100} = \frac{NT}{71620},$$

$$T = \frac{71620 H_{ps}}{N}, (T : \text{전달 토크(kgf} \cdot \text{cm)})$$

$$T = \frac{71620 \times 10}{200} = 3581\,\mathrm{kgf \cdot cm},$$

$$T = \tau_a \times Z_p = \tau_a \times \frac{\pi d^3}{16} \text{ 이므로,}$$

$$\tau_a = \frac{16 \times T}{\pi \times d^3} = \frac{16 \times 358.1}{\pi \times 4^3}\,(40\mathrm{mm}=4\mathrm{cm})$$

$$= 28.496\mathrm{kgf/cm^2}$$

**5 Question**

1000rpm으로 2000 kgf-cm의 비틀림 모멘트를 전달하는 축의 전달 동력은 몇 kW 인가?

**해설** 비틀림 모멘트( $T$ )의 단위가 (kgf-cm)이고, $H$ 가 마력(kW)일 경우,

1kW $=102$kgf-m/s, 1m$=100$cm이므로,

$$H_{kW} = \frac{T \times w}{102} = \frac{2\pi NT}{102 \times 60 \times 100},$$

$$H_{kw} = \frac{2 \times \pi \times 1000 \times 2000}{102 \times 60 \times 100} = 20.533\mathrm{kW}$$

**6 Question**

비틀림만 받는 지름이 32mm 차축에 고정된 타이어 지름이 830mm 일 때, 최대 1.6ton 의 하중이 차축에 가해진다. 이축에 차륜이 노면에 미끄러지도록 토크를 가할 경우에 생기는 응력은 몇 kgf/mm² 인가? (단, 타이어와 노면의 마찰계수 $\mu = 0.5$로 한다.)

**해설** 최대토크는 최대하중×타이어반경이고, 차축(좌우바퀴)에 1600kgf이 가해지므로, 한바퀴에 가해지는 하중은 800kgf이므로,

$$T_{max} = 800 \times \frac{830}{2} = 332000\mathrm{kgf\text{-}mm}$$

타이어 노면과의 마찰계수가 존재하므로, 실제 축에는 미끄럼이 생긴다. 즉, 축에 저항으로 작용하는 토크는 마찰계수만큼 작용한다.

$$T = \mu \times T_{max} = 0.5 \times 664000$$

$$= 166000\mathrm{kgf\text{-}mm}$$

$$T = \tau_a \times Z_p = \tau_a \times \frac{\pi d^3}{16} \text{ 이므로,}$$

$$\tau_a = \frac{16 \times T}{\pi \times d^3} = \frac{16 \times 166000}{\pi \times 32^3}$$

$$= 25.8\mathrm{kgf/mm^2}$$

**7** Question

접촉면의 안지름 40mm, 바깥지름 80mm 인 단판 클러치로 45cm · kgf의 토크를 전달하는데 필요한 스러스트는 얼마인가 ? (단, 마찰 계수는 0.15 이다)

 해설 다음 공식을 활용한다.

$T = \mu \times W \times \dfrac{d_m}{2}$ (단판이므로 $Z = 1$,

$d_m = \dfrac{(d_2 + d_1)}{2} = \dfrac{8 + 4}{2} = 6cm$ ),

거리 단위를 모두 cm로 통일하자.

$W = \dfrac{2T}{\mu d_m} = \dfrac{2 \times 45}{0.15 \times 6} = 100 \text{kg}$

**8** Question

바깥지름 300mm, 안지름 250mm, 클러치를 미는 힘 500kgf, 마찰계수가 0.2라고 할 경우 클러치 전달토크(torque)는 몇 kgf · mm인가?

 해설 다음 공식을 활용한다.

$T = \mu \times W \times \dfrac{d_m}{2}$ (단판이므로 $Z = 1$,

$d_m = \dfrac{(d_2 + d_1)}{2} = \dfrac{300 + 250}{2} = 275mm$)

거리 단위를 모두 mm로 통일하자.

$T = 0.2 \times 500 \times \dfrac{275}{2} = 13750 \text{kgf-mm}$

**9** Question

베어링 하중 1260 kgf, 회전수 600 rpm의 저널 베어링의 폭과 지름의 비가 2이고, 허용 베어링 압력 0.1 kgf/mm²일 때 지름은 약 얼마인가?

 해설 $P$ 는 하중으로 단위가 kgf이다

$p_a = \dfrac{P}{d\ell}$ , $\dfrac{\ell}{d} = 2$ 이므로, $\ell = 2d$

$p_a = \dfrac{P}{d\ell} = \dfrac{P}{2d^2}$

$d = \sqrt{\dfrac{P}{2 \times p_a}}$ $d = \sqrt{\dfrac{1260}{2 \times 0.1}} = 80mm$

**10** Question

축 지름이 60 mm, 저널의 길이가 120mm, 하중이 1300 kgf인 슬라이딩 베어링의 압력은 약 몇 kgf/mm²인가?

 해설 $P$ 는 하중으로 단위가 kgf이다

$p_a = \dfrac{P}{d\ell}$ ,

$p_a = \dfrac{1300}{60 \times 120} = 0.18 \text{kgf/mm}^2$

**11** Question

볼베어링 번호 6008 에서 이 베어링의 안지름은?

 해설 볼베어링 번호의 마지막 두 자리가 직경을 뜻하는데, 직경을 5로 나눈 값으로 표시된다. 그러므로 마지막 두 자리가 08이므로, 8×5=40mm를 뜻한다.

**12** Question

500 rpm으로 회전하고 있는 볼베어링에 500 kgf 의 레이디얼 하중이 작용하고 있다. 이 베어링의 기본동적 부하용량(basic dynamic load capacity)이 3000 kgf일 때, 베어링의 정격수명은? (단, 하중계수는 1로 한다.)

 해설 다음의 베어링 수명 공식을 이용한다.

$L_h = \left( \dfrac{C}{P} \right)^3 \times 500 \times \dfrac{33.3}{N}$

$L_h = \left( \dfrac{3000}{500} \right)^3 \times 500 \times \dfrac{33.3}{500} = 7192.8 \text{(hour)}$

# 1 기어

## (1) 기어의 각부 명칭

① 피치원(pitch circle) : 기어를 원통 마찰차로 가정하였을 때 마찰차가 접촉하고 있는 원에 해당되는 부분, 즉, 기어의 중심이 되는 원이다.

② 원주피치(circular pitch) : 피치원상의 이에서 이 사이의 거리이다.

③ 기초원(base circle) : 이 모양의 곡선을 만드는 원이다.

④ 이끝원(addendum circle) : 기어의 이 끝을 연결하는 원이다.

⑤ 이 뿌리원(tooth circle) : 기어의 이뿌리를 연결하는 원이다.

⑥ 이끝높이(addendum) : 피치원에서 이끝원까지의 거리이다.

⑦ 이뿌리 높이(dedendum) : 피치원에서 이뿌리 높이까지의 거리이다.

⑧ 총 이 높이(height of tooth) : 이끝높이와 이뿌리높이를 합한 크기이다.

⑨ 이 두께(tooth thickness) : 피치원에서 측정한 이의 두께이다.

⑩ 유효 이 높이(working depth) : 서로 물린 한 쌍의 기어에서 두 기어의 이끝 높이의 합이다.

⑪ 클리어런스(clearance) : 이끝에서부터 이것과 물리고 있는 기어의 이뿌리원까지의 거리이다.

⑫ 백래시(back lash) : 한 쌍의 기어가 물렸을 때 이의 뒷면에 생기는 간극이다.

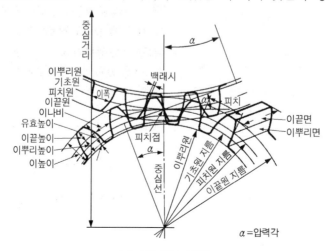

〈기어의 각부 명칭〉

## (2) 기어의 이의 크기 표시방법

### ● 모듈(m, module)

피치원의 지름을 잇수로 나눈 값이며, 같은 기어에서 모듈이 클수록 잇수는 적어지고 이는 커진다.

$$m = \frac{\text{피치원의 지름}(D)}{\text{잇수}(Z)} \ [\text{mm}]$$

### ● 원추피치( $p$ : circular pitch)

피치원상에서 서로 인접하고 있는 이까지의 거리이며, 같은 기어에서 원주피치가 클수록 잇수는 적어지고 이는 커진다.

$$p = \frac{\text{피치원의 둘레}(\pi D)}{\text{잇수}(Z)} = \pi m$$

### ● 지름피치( $p_d$ ; diametral pitch)

피치원상의 잇수를 피치원의 지름(지름피치는 피치원의 지름을 inch 단위로 표시한다)으로 나눈값을 말하며, 같은 기어에서는 지름피치가 클수록 잇수가 많고 이는 작아진다.

$$p_d = \frac{Z}{D(inch)} = \frac{25.4Z}{D} \qquad p_d = \frac{25.4}{m} = \frac{25.4\pi}{p}$$

**예제 1** 피치원의 지름이 100 mm이고 잇수가 20인 표준 평기어의 모듈(module)은 얼마인가?

$m = \dfrac{D}{Z}$ 공식을 이용한다.

$m = \dfrac{100}{20} = 5$

**예제 2** 표준스퍼 기어에서 모듈이 3일 때, 기어의 원주피치는 약 몇 mm 인가?

$p = \pi \times m$ 공식을 이용한다.

$p = \pi \times 3 = 9.42\text{mm}$

**예제 3** 잇수 z=24, 모듈 m=2인 표준기어가 있다. 피 치원의 반지름 R은 얼마인가?

아래 공식을 이용한다.

$m = \dfrac{D}{Z}, \qquad D = m \times Z, \qquad D = 2 \times 24 = 48mm,$

$r = \dfrac{D}{2} = \dfrac{48}{2} = 24\text{mm}$

### (3) 표준 스퍼 기어 설계

### ● 회전비

각 기어의 회전수를 $N_1$, $N_2$, 지름을 $D_1$, $D_2$라 하면 회전비 $\varepsilon$는 아래와 같은 관계를 갖는다.

$$\varepsilon = \frac{N_2}{N_1} = \frac{D_1}{D_2} = \frac{mZ_1}{mZ_2} = \frac{Z_1}{Z_2}$$

### ● 기초원의 지름($D_g$)

기초원의 지름을 $D_g$, 압력각을 $\alpha$라 하면,

$$D_g = Zm \cos \alpha = D \cos \alpha$$

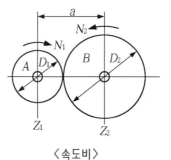

〈속도비〉

〈법선 피치〉

### ● 법선 피치(normal pitch)($p_n$)

기초원 지름 ($D_g$)의 원주를 잇수

로 나눈 것으로, 법선 피치 ($p_n$) 또는 기초원 피치($p_g$)라 한다.

$$p_n = p_g = \frac{\pi D_g}{Z} = \frac{\pi D}{Z} \cos \alpha = \pi m \cos \alpha$$

물림율($S_\eta$)이란 물림길이($S$)을 법선피치로 나눈값을 말한다.

$$물림율(S_\eta) = \frac{S}{p_n}$$

### ● 바깥지름 ($D_0$)

표준기어에서 이끝 높이 2배를 피치원의 지름 ($D$)에 합하면 바깥지름 ($D_0$)이 된다. (이끝높이 $= m$)

$$D_0 = m(Z+2) = \frac{(Z+2)}{p_d} \text{ (inch)} \qquad \therefore m = \frac{D_0}{Z+2} \text{ (mm)}$$

### ● 중심거리($L$)

중심거리란 축과 축 사이의 거리를 말한다.

$$L = \frac{D_1 + D_2}{2} = \frac{(Z_1 + Z_2)}{2} \text{ (mm)}$$

**예제 1** 모듈(module)이 4, 잇수가 각각 25 개 및 50 개인 한 쌍의 스퍼 기어(spur gear)의 기어 중심 거리는?

$L$ 을 중심 거리(mm), $m$을 모듈, $Z$ 를 기어의 잇수이다.

$$L = \frac{m(Z_1 + Z_2)}{2}$$

$$L = \frac{4(25 + 50)}{2} = 150\text{mm}$$

**예제 2** 중심 거리가 120, 한쪽 기어의 피치원 지름이 80 일 때 상대 기어의 피치원 지름은 얼마인가?

$L$ 을 중심 거리(mm), $D$는 내(외)경이다.

$$L = \frac{D_1 + D_2}{2}$$

$$D_1 = 120 \times 2 - 80 = 160\text{mm}$$

**예제 3** 모듈 6, 잇수 50 인 스퍼 기어의 바깥지름은?

$D_0$를 바깥지름이라고 하면, $D_0 = m(Z + 2)$

$$D_0 = 6(50 + 2) = 312\text{mm}$$

**예제 4** 스퍼기어의 피니언이 3,000 rpm으로 잇수가 20개일 때 1,000rpm으로 감속하려면 기어의 잇수는 몇 개가 적당한가?

$N_1 = 3000\,rpm$, $N_2 = 1000\,rpm$, $Z_1 = 20$, $Z_2 = x$ 라고 하면

$$\frac{N_2}{N_1} = \frac{Z_1}{Z_2}, \quad \frac{1000}{3000} = \frac{20}{x}$$

$$x = \frac{3000 \times 20}{1000} = 60\text{개}$$

**예제 5** 피치원 지름이 40mm, 잇수가 20 인 표준 스퍼어 기어의 이끝 높이는 약 몇 mm 인가?

보통 이끝의 높이는 모듈과 같으므로 이끝높이 $= \frac{40}{20} = 2\text{mm}$으로 계산된다.

**예제 6** 기초원 지름이 150〔mm〕, 잇수 30, 압력각 20°인 인벌류트 스퍼 기어에서 물림길이가 7π〔mm〕라면 이 기어의 물림율은?

물림율$(S_\eta) = \frac{S}{p_n}$ 이므로, 먼저 법선피치를 구한다.

$$p_n = p_g = \frac{\pi D_g}{Z} = \frac{\pi \times 150}{30}$$

$$물림율(S_\eta) = \frac{S}{p_n} = \frac{7\pi}{\frac{\pi 150}{30}} = \frac{30 \times 7}{150} = 1.4$$

**예제 7** 중심거리가 900mm 인 한쌍의 표준 스퍼 기어의 회전비가 3 : 1 일 때 피니언의 피치원 지름은 몇 mm 인가?

피니언의 회전수와 피치원의 지름을 각각 $N_1, D_1$, 피동기어의 회전수와 피치원의 지름을 각각 $N_2, D_2$라고 하면, 회전수는 지름에 반비례한다.

$\dfrac{N_1}{N_2} = \dfrac{D_2}{D_1}$ 에 대입한다.

$\dfrac{3}{1} = \dfrac{D_2}{D_1}$, $D_2 = 3D_1$ ·············· 〔1식〕

중심거리는 아래와 같이 구하므로, 〔1식〕을 대입한다.

$L = \dfrac{D_1 + D_2}{2} = \dfrac{D_1 + 3D_1}{2} = \dfrac{4D_1}{2} = 2D_1$

$900 = 2D_1$, $D_1 = \dfrac{900}{2} = 450$mm로 계산된다.

$D_2$는 1식에 의하여 $3 \times 450 = 1350$mm로 계산된다.

**예제 8** 외접하는 표준 평기어에서 감속비 1 : 2, 모듈 m=4, 피니언의 잇수 25인 한 쌍의 기어의 중심거리는 얼마인가?

아래 공식을 이용하여 피동기어의 잇수($Z_1$)를 구한다.

$\dfrac{N_2}{N_1} = \dfrac{Z_1}{Z_2}$ 에서 $\dfrac{N_2}{N_1} = \dfrac{1}{2} = \dfrac{25}{Z_2}$ 이므로, $Z_2 = 50$개이다.

$L = \dfrac{m(Z_1 + Z_2)}{2}$ 을 이용한다.

$L = \dfrac{4(25 + 50)}{2} = 150$mm로 계산된다.

## (3) 헬리컬 기어 설계

아래 그림은 헬리컬 기어를 헬리컬 기어랙(rack)으로 생각하고 도시한 그림이다.

### ● 피치원의 지름

비틀림 각을 $\beta$라고 하면,

$$\text{피치원지름}(D) = \dfrac{Z \times m}{\cos \beta}$$

으로 나타낸다.

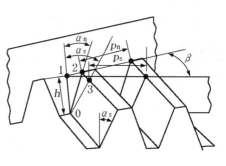

〈헬리컬 기어〉

● 바깥지름 ($D_0$)

표준기어에서 이끝 높이 2배를 피치원의 지름 ($D$)에 합하면 바깥지름 ($D_0$)이 된다. 식으로 표현하면 다음과 같다.

$$D_0 = D + 2m$$

● 중심거리 ($L_H$)

중심거리란 축과 축사이의 거리를 말한다.

스퍼기어와 다음과 같은 관계가 있다.

$$L_H = \frac{(D_1 + D_2)}{2} = \frac{(Z_1 + Z_2)}{2 \times \cos \beta} m$$

**예제 1** 비틀림 각이 30°인 헬리컬 기어에서 피치원의 지름(P. C. D) = 101.61mm 이고, 치 직각 모듈이 4일 때 이 기어의 바깥지름(mm)은 얼마인가?

아래의 공식을 이용한다.

$$D_0 = m(Z+2) = mZ + 2m = 101.61 + 2 \times 4 = 109.61mm$$

**예제 2** 비틀림 각이 20°인 한 쌍의 헬리컬 기어에서 잇수가 각각 40, 80 이고 직각 모듈이 5일 때 중심 거리는 얼마인가?

아래의 공식을 이용한다.

$$L_H = \frac{(D_1 + D_2)}{2} = \frac{(Z_1 + Z_2)}{2 \times \cos \beta} m$$

$$L_H = \frac{5(40 + 80)}{2 \times \cos 20°} = 319.253mm \text{으로 계산된다.}$$

**예제 3** 원주 속도가 7m/sec 로 25kw 를 전달하는 헬리컬 기어에서 비틀림 각이 30° 일 때 축방향으로 작용하는 힘은 몇 kgf 인가?

아래의 공식을 이용한다.

$$H_p(\text{kW}) = \frac{P \times V}{102} , \text{(여기서 } P \text{는 힘을 나타내며, 다른 장에서는 } W, F \text{로 표기)}$$

여기서 1kW=102kgf-m 이기 때문이다. P는 원주에 작용하는 접선 힘(kgf)을 말한다.

$$P = \frac{102 \times 25}{7} = 364.285 \text{ kgf}$$

축방향 힘 = $P \times \tan 30° = 364.28 \times 0.577 = 210.18kgf$

**예제 4** 비틀림 각이 30°인 헬리컬 기어에서 잇수가 50, 치직각 모듈이 4일 때 바깥지름은 약 몇 mm 인가?

🔵 아래의 공식을 이용한다.

$$피치원지름(D) = \frac{Z \times m}{\cos \beta} = \frac{50 \times 4}{\cos 30^o} = 230.94\,\text{mm}$$

$$바깥지름(D_0) = D + 2 \times m = 230.94 + 2 \times 4 = 238.94\,\text{mm}$$

## (4) 기어 트레인(치차열)

주동축의 회전수에서 필요한 회전수를 얻기 위해 3개 이상의 기어를 적절히 조합한 것이며 기어 트레인의 속도비 $i$는 다음과 같다.

$$i = \frac{피동회전수(N_Z)}{구동회전수(N_A)} = \frac{구동잇수의 곱}{피동잇수의 곱}$$

### • 2단물림 기어일 경우(중간기어가 없는 경우)

$$i = \frac{N_Z}{N_A} = \frac{Z_A}{Z_Z}$$

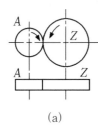
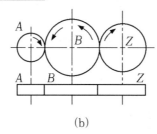
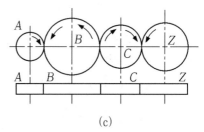

(a)          (b)          (c)

〈2단 물림 기어〉

2단 물림기어의 경우 (b),(C)에서 B와 C기어는 중간기어로 최종기어의 Z에 회전을 전달할 뿐, 감속이나 증속과 같은 영향을 줄 수는 없다.

### • 다단 물림 기어일 경우

(a)의 경우(2단 물림의 경우)

속도비는 아래와 같다.

$$i = \frac{N_Z}{N_A} = \frac{Z_A \times Z_C}{Z_B \times Z_Z}$$

중심거리는 아래와 같이 구한다.

$$L = \frac{D_1}{2} + \frac{D_2}{2} + \frac{D_3}{2} + \frac{D_4}{2}, \qquad L = \frac{m \times (Z_1 + Z_2 + Z_3 + Z_4)}{2}$$

(b)의 경우(다단 기어 트레인일 경우)

$$i = \frac{N_Z}{N_A} = \frac{Z_A \times Z_C \times Z_E \times Z_G}{Z_B \times Z_D \times Z_F \times Z_Z}$$

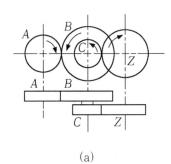

(a)

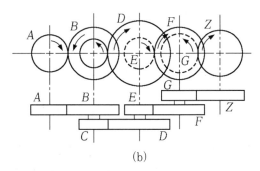

(b)

〈다단 물림 기어〉

**예제 1** 그림과 같은 치차열(gear train)을 하고 있는 표준 평
치차에서 모듈 M = 5, 치수류를 각각 $Z_1$ = 42, $Z_2$
= 50, $Z_3$ = 16, $Z_4$ = 20 이라고 할 때, 중심 거리
A 는 몇 mm인가 ?

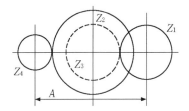

🔹 중심거리는 아래와 같이 구한다.

$L = \dfrac{m \times (Z_1 + Z_2 + Z_3 + Z_4)}{2}$ 에 대입한다.

$$L = \frac{5 \times (42 + 50 + 16 + 20)}{2} = 320\text{mm}$$

**예제 2** 그림과 같이 4 개의 기어로 1,200rpm 을 100rpm 으
로 감속하려 한다. 이때 각각의 잇수는 $Z_1$ = 20, $Z_2$
= 80, $Z_3$ = 20 이다. $Z_4$ 는 몇 개인가 ?

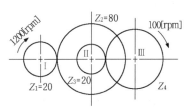

🔹 속도비는 아래와 같이 구한다.

$$i = \frac{N_Z}{N_A} = \frac{Z_A \times Z_C}{Z_B \times Z_Z},$$

$$i = \frac{100}{1200} = \frac{20 \times 20}{80 \times Z_Z}$$

$$Z_Z = \frac{1200 \times 20 \times 20}{100 \times 80} = 60\text{개로 구해진다.}$$

**예제 3** 그림과 같은 기어전동장치에서 기어수가 $Z_1 = 30$, $Z_2 = 40$, $Z_3 = 20$, $Z_4 = 30$ 인 경우 Ⅰ축이 300 rpm 으로 우회전하면 Ⅲ 축은 어느 방향으로 몇 회전 하는가?(단, $Z_2$ 는 Ⅰ축의 기어와 맞물린 기어 이고, $Z_3$ 는 Ⅲ 축 기어와 맞물린 기어 잇수임)

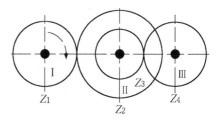

🔘 회전의 방향은 I축이 우회전, II축은 I축과 외접하므로 회전방향이 반대되므로 좌회전, II과 III축도 외접하므로 회전방향이 반대되므로 우회전이 된다.

$$i = \frac{N_Z}{N_A} = \frac{Z_A \times Z_C}{Z_B \times Z_Z} \qquad i = \frac{N_Z}{300} = \frac{30 \times 20}{40 \times 30}$$

$$N_Z = \frac{300 \times 30 \times 20}{40 \times 30} = 150 \text{rpm} \text{ 으로 구해진다.}$$

**예제 4** 그림과 같은 기어장치에서 각 기어의 잇수를 $Z_1 = 20$, $Z_2 = 85$, $Z_3 = 25$, $Z_4 = 100$ 이면 회전 속도비(回轉速度比) $N_1 : N_4$는?

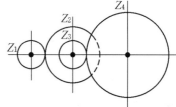

🔘 회전의 방향은 I축이 우회전, II축은 I축과 외접하므로 회전방향이 반대되므로 좌회전, II과 III축도 외접하므로 회전방향이 반대되므로 우회전이 된다.

$$i = \frac{N_4}{N_1} = \frac{Z_1 \times Z_3}{Z_2 \times Z_4}, \qquad i = \frac{20 \times 25}{85 \times 100}$$

$$\frac{N_1}{N_4} = \frac{85 \times 100}{20 \times 25} = 17 \text{로 계산된다.}$$

## ② 벨트와 체인

### (1) 평벨트

🔵 **벨트 풀리의 속도비**

원동차의 지름과 회전수를 각각 $D_1$, $N_1$, 종동차의 지름과 회전수를 각각 $D_2$, $N_2$라 고 하면 속도비($i$)는 $i = \dfrac{N_2}{N_1} = \dfrac{D_1}{D_2}$ 이다.

## ● 벨트길이($L$) 계산방법

### ㉮ 바로걸기

$$L = 2C + \frac{\pi}{2}(D_1 + D_2) + \frac{(D_2 - D_1)^2}{4C}$$

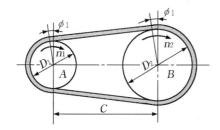
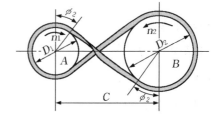

〈벨트 거는 방법〉

### ㉯ 엇걸기

$$L = 2C + \frac{\pi}{2}(D_1 + D_2) + \frac{(D_1 + D_2)^2}{4C}$$ 여기서, $C$는 축간의 중심거리를 말한다.

위 식에서 2C의 의미는 축과 축사이의 벨트길이를 의미하고, $\frac{\pi(D_1 + D_2)}{2}$ 의 의미는 양 축에서 생기는 반원의 원주길이를 의미한다. 바로걸기에서 $\frac{(D_2 - D_1)^2}{4C}$ 는 벨트의 접촉각 에 의해 생기는 벨트의 길이로, 큰 원($D_2$)는 접촉각에 의해 더 많은 벨트길이가 필요하여 더하여 주어야 하며 작은 원($D_1$)은 접촉각에 의해 더 작은 벨트길이가 필요하여 빼주어야 한다. 엇걸기에서 $\frac{(D_2 - D_1)^2}{4C}$ 도 벨트의 접촉각 에 의해 생기는 벨트의 길이로, 큰 원($D_2$)와 작은 원($D_1$)는 접촉각에 의해 더 큰 벨트길이가 필요하므로 모두 다 더해 주어야 한다.

## ● 벨트의 폭

벨트에 생기는 응력($\sigma$)은 긴장측의 인장응력 ($\sigma_t$)과 풀림에 감아 돌아갈 때의 굽힘응력 ($\sigma_b$)으로 된다. 벨트의 두께를 $t$, 너비를 $b$, 벨트 풀리의 지름을 $D$, 벨트의 탄성계수를 $E$ 라 하면 $\sigma$는 다음 식으로 나타낸다.

$$\sigma = \sigma_t + \sigma_b = \frac{T_1}{bt} + \frac{tE}{D}$$

$\dfrac{t}{D}$ 가 작을 경우에는 $\sigma_b$는 무시할 수 있으므로

$$\sigma = \frac{T_1}{bt\eta} \qquad \therefore \; b = \frac{T_1}{\sigma t\eta}$$

여기서, $\eta$는 이음효율, $T_1$는 긴장축 장력(kgf)을 나타낸다.

## ● 벨트의 장력

유효장력( $T_e$)는 인장측 장력( $T_t$)-이완측 장력( $T_s$)이다. 식으로 표현하면, 다음과 같다.

$$T_e = T_t - T_s \quad \text{······························· [1식]}$$

Eitelwein은 장력비를 아래와 같이 규정했다.

### ㉮ 원심력을 무시할 경우

$$\frac{T_t}{T_s} = e^{\mu\theta},$$

여기서 $\theta$(radian)은 벨트의 접촉각, $\mu$는 벨트 풀리 사이의 마찰계수이다.

$$T_t = e^{\mu\theta} \times T_s \quad \text{······························· [2식]}$$

[1식]에 [2식]을 대입하면,

$$T_e = e^{\mu\theta} \times T_s - T_s, \; T_e = e^{\mu\theta} \times T_s - T_s$$

$$T_e = T_s(e^{\mu\theta} - 1), \; T_s = T_e\left(\frac{1}{e^{\mu\theta} - 1}\right) \quad \text{·············· [3식]}$$

[3식]을 유도할 수 있다.

[2식]에서 $T_s$로 유도하면

$$T_s = \frac{T_t}{e^{\mu\theta}} \quad \text{······························· [4식]}$$

[1식]에 [4식]을 대입하면,

$$T_e = T_t - \frac{T_t}{e^{\mu\theta}},$$

$$T_e = T_t\left(\frac{e^{\mu\theta} - 1}{e^{\mu\theta}}\right), \quad T_t = T_e\left(\frac{e^{\mu\theta}}{e^{\mu\theta} - 1}\right) \quad \text{·········· [5식]}$$

[5식]을 유도할 수 있다.

### ㉯ 원심력을 고려할 경우

원심력을 고려하면 인장측 장력은 원심력 고려하지 않은 〔5식〕에 원심력을 더해주어야 한다.

$$T_t = T_e \left( \frac{e^{\mu\theta}}{e^{\mu\theta}-1} \right) + \frac{\omega v^2}{g} \quad \text{─────────────────── 〔6식〕}$$

여기서 $w$ 는 벨트 1m당 무게이다(단위는 kgf/m).

원심력을 고려하면 이완측 장력은 원심력 고려하지 않은 3식에 원심력을 더해주어야 한다.

$$T_s = T_e \left( \frac{1}{e^{\mu\theta}-1} \right) + \frac{\omega v^2}{g} \quad \text{─────────────────── 〔7식〕}$$

## ● 전달마력

먼저, 벨트의 속도( $v$ )를 구해보자. 벨트의 속도는 원동축의 피치원의 원주와 원종축의 회전수(N : rpm)의 곱으로 표시된다.

$$v = \pi D \times N$$

위 식에서 원동축의 지름( $D$ )의 단위가 mm 일 경우 속도( $v$ )의 단위를 m/s로 환산하려면,

$$v = \frac{\pi D N}{1000 \times 60} \text{ (m/s)로 구해진다.}$$

전달 마력은 아래와 같이 나타낼 수 있다.

$$H_p(ps) = \frac{T_e \times v}{75} = \frac{(T_t - T_s)v}{75} \quad \text{─────────────── 〔8식〕}$$

여기서, $T_e$ 는 유효 장력(kgf)으로 인장측 장력( $T_t$ )-이완측 장력( $T_s$ )이다.

원심력을 고려하지 않고 위 식을 인장측 장력을 넣어서 표현해 보자.

〔8식〕에 〔5식〕을 대입하면,

$$H_p(ps) = \frac{T_e \times v}{75} = \frac{T_t v}{75} \left( \frac{e^{\mu\theta}-1}{e^{\mu\theta}} \right) \quad \text{───────── 〔9식〕}$$

$$H_p(kW) = \frac{T_e \times v}{102} = \frac{T_t v}{102} \left( \frac{e^{\mu\theta}-1}{e^{\mu\theta}} \right)$$

〔9식〕에서 인장응력( $\sigma$ )이 작용하고, 벨트의 단면적( $A$ )이 주어진다면 다음과 같이 식이 변환된다.

$$\sigma = \frac{T_t}{A}, \quad T_t = \sigma \times A \,(\, T_t : \text{인장측 장력}) \text{ 이므로, [9식]에 대입하면,}$$

$$H_p(ps) = \frac{T_e \times v}{75} = \frac{T_t v}{75}\left(\frac{e^{\mu\theta}-1}{e^{\mu\theta}}\right) = \frac{\sigma A v}{75}\left(\frac{e^{\mu\theta}-1}{e^{\mu\theta}}\right) \text{로 변환된다.}$$

원심력을 고려하지 않고 [8식]을 이완측 장력으로 표현해 보자.

[8식]에 [3식]을 대입하면,

$$H_p(ps) = \frac{T_e \times v}{75} = \frac{T_s v}{75}(e^{\mu\theta}-1)$$

$$H_p(kW) = \frac{T_e \times v}{102} = \frac{T_s v}{102}(e^{\mu\theta}-1)$$

**예제 1** 4m/sec 의 속도로 전동하고 있는 벨트의 긴장측 장력이 125kgf, 이완측의 장력이 50kg 이라고 하면 전동하고 있는 동력은 몇 마력(PS) 인가?

아래 식에 대입한다.

$$H_p(ps) = \frac{T_e \times v}{75} = \frac{(T_t - T_s)v}{75},$$

$$T_e = T_t - T_s = 125 - 50 (\text{kgf}), \quad v = 4 \,(\text{m/s})\text{이므로,}$$

$$H_p = \frac{(125 - 50) \times 4}{75} = 4\text{PS로 계산된다.}$$

**예제 2** 평벨트 전동에서 인장측의 장력이 115kgf 이고, 장력비 $e^{\mu\theta} = 2.875$ 인 경우 이완측의 장력은 몇 kgf 인가?(단, $\theta$ rad 은 벨트의 접촉각, $\mu$ 는 벨트 풀리 사이의 마찰계수이며, 벨트 속도의 원심력 영향은 무시한다)

원심력을 무시하므로, $\dfrac{T_t}{T_s} = e^{\mu\theta}$에 대입한다.

$$T_s = \frac{115}{2.875} = 40\text{kgf으로 계산된다.}$$

**예제 3** 벨트의 속도가 5m/sec 이다. 20kw 를 전달하려면 인장측의 장력은 몇 kgf 인가?(단, 인장측 장력은 이완측의 장력의 2 배이다)

$H_p(kW) = \dfrac{T_e \times v}{102}$ 에 대입한다. $T_e = \dfrac{102 \times 20}{5} = 408\text{kgf}$

$T_e = T_t - T_s$에서 인장측의 장력은 이완측 장력의 2 배이므로 $T_e = 2T_s - T_s = T_s$

∴ 이완측의 장력은 유효 장력과 같으므로 $T_t = 408\text{kgf} \times 2 = 816\text{kgf}$

**예제 4** 평벨트의 두께×나비가 5 mm×80 mm이고 허용 인장응력이 0.2 kgf/mm²일 때 7.5 m/s의 속도로 운전하면 전달할 수 있는 최대 동력은 몇 PS인가?(단, 장력비는 $e^{\mu\theta}=2.00$이다.)

🔘 $\sigma=\dfrac{T_t}{A}$ , $T_t=\sigma\times A$ ( $T_t$ : 인장측 장력) 이므로,

$$H_p(ps)=\frac{T_e\times v}{75}=\frac{T_t v}{75}\left(\frac{e^{\mu\theta}-1}{e^{\mu\theta}}\right)=\frac{\sigma A v}{75}\left(\frac{e^{\mu\theta}-1}{e^{\mu\theta}}\right)$$ 로 변환된다.

$$H_{ps}=\frac{0.2\times5\times80\times(2-1)\times7.5}{75\times2}=4(\text{PS})$$

**예제 5** 평벨트 바로걸기의 경우 축의 중심거리가 1000 mm, 원동차의 지름 $D_1$ = 250mm, 종동차의 지름 $D_2$ = 500mm 일 때 평벨트의 길이는?

🔘 아래 식에 대입한다.

$$L=2C+\frac{\pi}{2}(D_1+D_2)+\frac{(D_2-D_1)^2}{4C}$$

$$L=2\times1000+\frac{\pi}{2}(250+500)+\frac{(500-250)^2}{4\times1000}=3193.7\text{mm}$$

**예제 6** 원동차 지름이 24 cm, 회전수가 200 rpm이고 종동차 지름이 36 cm일 때 벨트와 풀리의 미끄럼을 3 %로 하면 종동차의 회전수는 약 몇 rpm으로 되는가?

🔘 미끄럼율이 3%이므로, $N_1=200(1-0.03)=194\,\text{rpm}$이다.

$$i=\frac{N_2}{N_1}=\frac{D_1}{D_2}$$

$$N_2=\frac{D_1}{D_2}\times N_1=\frac{24}{36}\times200=129.33\text{rpm}$$

## (2) V 벨트의 전달마력

V벨트에서의 마찰계수는 다음과 같다.

V벨트의 홈각을 $\theta'$라고 하면, V벨트에 작용하는 힘( $W$ )에 의해 V벨트의 한 면에 수직력( $F$ )는 다음과 같이 구해진다.

$$F=\frac{\dfrac{W}{2}}{\sin\dfrac{\theta'}{2}+\mu\cos\dfrac{\theta'}{2}}$$

여기서, $\mu$는 V벨트 면에 작용하는 마찰계수를 말한다.

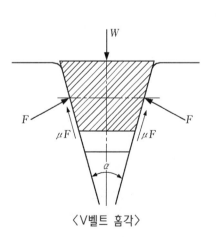

〈V벨트 홈각〉

V벨트의 양면에 수직력이 작용하므로, V벨트에 작용하는 마찰력($F_e$)은 다음과 같이 구해진다.

$$F_e = 2\mu F = 2\mu \times \cfrac{\dfrac{W}{2}}{\sin\dfrac{\theta'}{2} + \mu\cos\dfrac{\theta'}{2}}$$ ················ 〔1식〕

위 〔1식〕을 평벨트와 같이 표현해보자.

평벨트에 사용되는 마찰계수를 $\mu'$(환산마찰계수)라고 하면,

$$\mu' = \frac{F_e}{W},$$

$$F_e = \mu' W$$ ································································ 〔2식〕

〔1식〕=〔2식〕이므로

$$\mu' W = \mu \times \cfrac{W}{\sin\dfrac{\theta'}{2} + \mu\cos\dfrac{\theta'}{2}},$$

$$\mu' = \cfrac{\mu}{\sin\dfrac{\theta'}{2} + \mu\cos\dfrac{\theta'}{2}}$$ ················ 〔3식〕

로 유도된다.

즉 V벨트의 모든 공식은 평벨트와 같고, 단지 평벨트에 사용하는 마찰계수 ($\mu$)대신에 위 3식의 환산마찰계수 $\mu'$를 대입하여 풀면 된다.

V벨트 1가닥의 전달마력을 $H_0$라 하면

$$H_0 = \frac{T_e v}{75} = \frac{v}{75}\left(T_t - \frac{wv^2}{g}\right)\left(\frac{e^{\mu'\theta}-1}{e^{\mu'\theta}}\right) = \frac{T_t v}{75}\left(1 - \frac{wv^2}{T_t g}\right)\left(\frac{e^{\mu'\theta}-1}{e^{\mu'\theta}}\right)$$

여기서, $T_t$는 벨트의 긴장측장력(kgf), $T_s$는 벨트의 이완측장력(kgf), $T_e$는 유효장력 ($T_t - T_s$), $v$는 벨트 속도(m/sec), $w$는 벨트의 단위 길이에 대한 무게(kgf/m)를 뜻한다.

따라서 V벨트가 $Z$ 가닥일 때의 전달마력을 $H_p$라 하면

$$H_p = \frac{ZT_t v}{75}\left(1 - \frac{wv^2}{T_t g}\right)\left(\frac{e^{\mu'\theta}-1}{e^{\mu'\theta}}\right) \text{(원심력을 고려)}$$

참고로 원심력을 고려하지 않으면 다음과 같다.

$$H_p = \frac{ZT_t v}{75}\left(\frac{e^{\mu'\theta}-1}{e^{\mu'\theta}}\right)$$

**예제 1** 3kW, 1800rpm 인 전동기로 300rpm 인 펌프를 회전시킬 경우 두 축간 거리가 600mm 인 V 벨트에서 원동축의 풀리 지름이 $D_1$ = 120mm 일 때 종동축 풀리 지름은?

🔵 속도비의 공식을 이용한다.

$$\frac{N_2}{N_1} = \frac{D_1}{D_2}$$

$$D_2 = \frac{1800 \times 120}{300} = 720 \text{mm}$$

**예제 2** 7.5 m/s 속도로 동력을 전달하고 있는 V 벨트의 긴장측의 장력이 172 kgf, 이완측의 장력이 70 kgf 이라면, 전달하고 있는 동력은 몇 kW인가?

🔵 $H_p(kW) = \dfrac{T_e \times v}{102} = \dfrac{(T_t - T_s)v}{102}$ ,

$T_e = T_t - T_s = 172 - 70 = 102 \, (\text{kgf})$ ,  $v = 7.5 \, (\text{m/s})$ 이므로,

$$H_p = \frac{Te \cdot v}{102} = \frac{102 \times 7.5}{102} = 7.5 \text{kW}$$

**예제 3** V벨트의 속도가 20m/sec인 경우, V벨트 1m 당의 무게가 w = 0.1kgf/m, 긴장축의 장력이 16kgf일 때, 회전력은 약 몇 kgf 인가?(단, 장력비는 $e^{\mu\theta}$ = 4 이다.)

🔵 원심력을 고려해야 하므로, 긴장측의 장력은 아래와 같이 구해진다.

$$T_t = T_e \left( \frac{e^{\mu\theta}}{e^{\mu\theta}-1} \right) + \frac{\omega v^2}{g} , \quad T_e = \left( T_t - \frac{\omega v^2}{g} \right) \left( \frac{e^{\mu\theta}-1}{e^{\mu\theta}} \right)$$

$$T_e = \left( 16 - \frac{0.1 \times 20^2}{9.8} \right) \left( \frac{4-1}{4} \right) = 8.94 \text{kgf} \text{ 으로 계산된다.}$$

## (3) 체인

### 🔵 체인 전동의 속도

체인 원동차의 지름과 회전수를 각각 $D_1$, $N_1$ 체인 피동차의 지름과 회전수를 각각

$D_2$, $N_2$라고 하면, 속도비( $i$ )는 $i = \dfrac{N_2}{N_1} = \dfrac{D_1}{D_2} = \dfrac{Z_1}{Z_2}$ 이다.

한 축에서 피치( $p$)는 기어의 이와 이 사이의 거리를 말하므로,

피치와 잇수의 곱은 원주지름과 같다. 이를 식으로 표현하면 다음과 같다.

$$p \times Z = \pi D$$

그러므로 체인의 평균 속도 $v_m$ (m/s)는

$$v_m = \frac{N_1 p Z_1}{1000 \times 60} = \frac{N_2 p Z_2}{1000 \times 60}$$

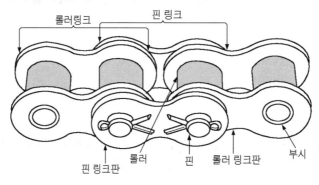

〈롤러 체인〉

● 전달 동력

체인 전동에서 장력을 $F$ kgf, 전동 마력을 $H_p$라 하면

$$H_p(ps) = \frac{F \times v_m}{75}, \qquad H_p(kW) = \frac{F \times v_m}{102}$$

**예제 1** 호칭 번호 100 번의 로울러 체인용 스프로킷 휘일에서 잇수 40일 때 피치원 지름(mm)은 ?(단, 호칭번호 100 번 체인의 피치는 31.75 mm이다.)

체인의 피치와 피치원의 지름과의 관계는 $p \times Z = \pi D$ 이므로,

$$D = \frac{p \times Z}{\pi} = \frac{31.75 \times 40}{\pi} = 404.46\text{mm}$$

**예제 2** 체인의 원동차 잇수($Z_1$)가 30개, 회전수($N_1$) 300 rpm이고, 종동차 잇수($Z_2$)가 20개일 때 종동차의 회전수($N_2$)와 종동차의 속도($V_2$)는 각각 얼마인가?(단, 종동차의 피치는 15mm 이다.)

$i = \dfrac{N_2}{N_1} = \dfrac{D_1}{D_2} = \dfrac{Z_1}{Z_2}$ 이므로,

$$\frac{N_2}{300} = \frac{30}{20}, \quad N_2 = \frac{30}{20} \times 300 = 450\,\text{rpm}$$

$$v_m = \frac{N_2 p Z_2}{1000 \times 60} \text{ (m/s)이므로,}$$

$$v_m = \frac{450 \times 15 \times 20}{1000 \times 60} = 2.25\text{m/s로 계산된다.}$$

## ③ 마찰차

### (1) 원통 마찰차

두 축이 평행할 때 사용한다.

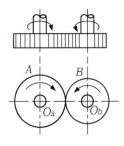
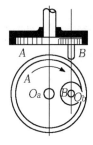

(a) 외접한 경우      (b) 내접한 경우

〈원통 마찰차〉

● 속도비

원동차의 지름과 회전수를 각각 $D_1$, $N_1$, 피동차의 지름과 회전수를 각각 $D_2$, $N_2$라

고 하면 속도비($i$)는 $i = \dfrac{N_2}{N_1} = \dfrac{D_1}{D_2}$ 이다.

● 축 중심간 거리($C$)

축 중심간의 거리는 두 축의 반지름의 합(혹은 차)이다.

$$C = \frac{D_1 \pm D_2}{2}$$ (+는 외접, −는 내접마찰차)

● 전달토크($T$ : kgf-mm)

전달토크($T$)는 마찰차의 마찰전달 구동력($F$)와 반지름($r$)의 곱이다.

$$T = F \times r$$

또한, 마찰계수($\mu$)는 작용력(접선회전구동력 : $W$)에 대한 마찰전달 구동력($F$)이므

로, $\mu = \dfrac{F}{W}$, $F = \mu W$, $r = \dfrac{D_2}{2}$ ($D_2$는 종동축의 직경으로 단위는 mm)

그러므로 전달토크는 다음과 같이 유도된다.

$$T = \mu W \frac{D_2}{2} \text{(kgf-mm)}$$

### ● 원주속도

마찰차의 원주속도( $v$ )는 원동축의 피치원의 원주와 원종축의 회전수(N : rpm)의 곱으로 표시된다.

$$v = \pi D_1 \times N_1 = \pi D_2 \times N_2$$

위 식에서 원동축의 지름( $D$ )의 단위가 mm 일 경우 속도( $v$ )의 단위를 m/s로 환산하려면,

$$v = \frac{\pi DN}{1000 \times 60} \ (\text{m/s})\text{로 구해진다.}$$

### ● 전달마력

전달 마력은 아래와 같이 나타낼 수 있다.

$$H_p(ps) = \frac{F \times v}{75} = \frac{\mu W \times v}{75}$$

여기서, $F$ 는 마찰력(kgf)으로, $W$ 는 작용력(접선회전구동력)을 나타낸다.

$v = \dfrac{\pi DN}{1000 \times 60} \ (\text{m/s})$ 를 대입하면

$$H_p(ps) = \frac{F \times v}{75} = \frac{\mu W \times v}{75} = \frac{\mu W}{75} \times \frac{\pi DN}{1000 \times 60}$$

위 식을 kW로 환산을 하면 다음과 같다.

$$H_p(kW) = \frac{F \times v}{102} = \frac{\mu W \times v}{102} = \frac{\mu W}{102} \times \frac{\pi DN}{1000 \times 60}$$

### ● 마찰차의 폭( $b$ )

마찰차의 폭은 작용력( $W$ )에서 접촉면의 허용폭당 압력( $f$ )를 나눈값이다.

$$b = \frac{W}{f}$$

예제 1　원통 마찰차를 이용하여 원주 속도 9m/sec 로 5 PS 를 전달하려면 마찰차를 누르는 힘은 몇 kgf이 필요한가?(단, 마찰 계수는 0.3 이다)

　$H_p(ps) = \dfrac{F \times v}{75} = \dfrac{\mu W \times v}{75}$ 에 대입한다.

$$W = \frac{75 \times H_p}{\mu \times v}, \quad W = \frac{5 \times 75}{0.3 \times 9} = 138.88\text{kgf} \ \text{로 계산된다.}$$

**예제 2** 원동차의 지름 200mm, 종동차의 지름 350mm 의 원통 마찰차가 있다. 12 분간 630 회전할 때 종동차는 20 분간에 몇 회전하는가?

> 원동차의 분당회전수( $N_1$ ) $= \dfrac{630}{12}$ (rpm)이고, $\dfrac{N_2}{N_1} = \dfrac{D_1}{D_2}$ ,
>
> $\dfrac{N_2}{\frac{630}{12}} = \dfrac{200}{350}$ , $N_2 = \dfrac{200}{350} \times \dfrac{630}{12} = 30\text{rpm}$ 으로 계산된다.
>
> 20분 동안의 종동차 회전수 $30 \times 20 = 600\text{rpm}$ 로 계산된다.

**예제 3** 원통 마찰차 직경이 125mm 이고 종동차의 직경이 350mm 인 마찰차의 마찰 계수가 0.2 일 때 200kgf 의 힘으로 서로 밀어 붙이면 최대 토크는 몇 kgf-mm 인가?

> $T = \mu W \dfrac{D_2}{2}$ 에 대입한다.
>
> $T = 200 \times 0.2 \times \dfrac{350}{2} = 7000\text{kgf-mm}$

**예제 4** 원동차의 지름이 300 mm, 종동차의 지름이 450 mm, 폭 75 mm인 원통 마찰차가 있다. 원동 차가 300 rpm으로 회전할 때 전달 동력은 몇 kW인가?(단, 마찰차의 단위 길이 당 허용 압력은 2 kgf/mm이고 마찰계수 $\mu$ = 0.20이다.)

> 작용력( $W$ ) $= f \times b = 2 \times 75 (\text{kgf})$
>
> 원동차의 속도를 구한다.
>
> $v = \dfrac{\pi D_1 N_1}{1000 \times 60} = \dfrac{\pi \times 300 \times 300}{1000 \times 60}$ (m/s)
>
> 전달동력은 다음에서 구한다.
>
> $H_p(kW) = \dfrac{F \times v}{102} = \dfrac{\mu W \times v}{102} = \dfrac{\mu W}{102} \times \dfrac{\pi D_1 N_1}{1000 \times 60}$
>
> $= \dfrac{0.2 \times 2 \times 75}{102} \times \dfrac{\pi \times 300 \times 300}{1000 \times 60} = 1.836\text{kW}$ 로 계산된다.

## (2) 원뿔 마찰차

두 축이 약간의 각도를 갖고 있을 때 사용한다.

● 속도비

원동차의 지름과 회전수를 각각

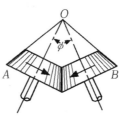
(a) 외접한 경우

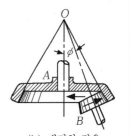
(b) 내접한 경우

〈원뿔 마찰차〉

$D_1$, $N_1$, 종동차의 지름과 회전수를 각각 $D_2$, $N_2$라고 하면 속도비($i$)는

$$i = \frac{N_2}{N_1} = \frac{D_1}{D_2} = \frac{\sin\alpha}{\sin\beta}$$ 이다. $\alpha$는 원동차의 원추각, $\beta$는 종동차의 원추각을 말한다.

● **원추각에 의한 접선의 작동력( $W_1$, $W_2$ )**

$$W = \frac{W_1}{\sin\alpha} = \frac{W_2}{\sin\beta}$$

여기서, $W$는 원동차의 구동 작동력을 말한다.

part2. 기계요소 　　　　　　　　**단원익힘문제**

**①** Question

어떤 평기어의 잇수가 100개이고 피치원의 직경이 400mm인 경우 이 기어의 모듈은 얼마인가?

 아래 공식을 이용한다.

$$m = \frac{D}{Z},$$

$$m = \frac{400}{100} = 4로 계산된다.$$

**②** Question

기어 잇수 25개, 피치원의 지름 75 mm 인 표준 스퍼기어의 모듈은 얼마인가?

 아래 공식을 이용한다.

$$m = \frac{D}{Z},$$

$$m = \frac{75}{25} = 3으로 계산된다.$$

**③** Question

Za = 19, Zb = 56, M = 4, $\alpha$ = 20° 인 한 쌍의 표준 평기어가 있다. 이 기어장치의 중심 거리는 얼마인가?

 $L$을 중심 거리(mm), $m$을 모듈, $Z$를 기어의 잇수 이다.

$$L = \frac{m(Z_1 + Z_2)}{2}$$

$$L = \frac{4 \times (19 + 56)}{2} = 150\text{mm}$$

**④** Question

두개의 평치차가 서로 물고 있을 때 모듈이 5 이고 잇수 $Z_1$ =20, $Z_2$ =34 이면 축간 거리는 몇 mm 인가?

 $L$을 중심 거리(mm), $m$을 모듈, $Z$를

기어의 잇수이다.

$$L = \frac{m(Z_1 + Z_2)}{2}$$

$$L = \frac{5 \times (20 + 34)}{2} = 135\text{mm}$$

**5** Question

바깥지름 152mm, 잇수 36인 스퍼 기어(spur gear)의 모듈은 얼마인가?

 해설 $D_0$를 바깥지름이라고 하면,

$$D_0 = m(Z+2) \qquad m = \frac{152}{36+2} = 4$$

**6** Question

외접한 한쌍의 표준평치차의 중심거리가 100mm 이고, 한쪽 기어의 피치원 지름이 80mm일 때 상대기어의 피치원 지름은?

 해설 $L$을 중심 거리(mm), $D$는 내(외)경

$$L = \frac{D_1 + D_2}{2}$$

$$D_2 = 100 \times 2 - 80 = 120\text{mm}$$

**7** Question

스퍼기어의 원동축 피니언이 300rpm으로 잇수가 20개일 때, 100rpm으로 감속하려면 종동축 기어의 잇수는?

해설 피니언의 회전수와 잇수를 각각 $N_1$, $Z_1$, 피동기어의 회전수와 잇수를 각각 $N_2$, $Z_2$라고 하면, 회전수는 지름에 반비례한다.

$$\frac{N_1}{N_2} = \frac{D_2}{D_1} = \frac{Z_2}{Z_1} \text{에 대입한다.}$$

$$\frac{300}{100} = \frac{Z_2}{20} \qquad \therefore Z_2 = 3 \times 20 = 60\text{개}$$

**8** Question

8m/sec의 속도로서 16PS을 전달하는 벨트 전동장치에서 긴장측의 장력은 몇 kgf 인가?(단, 긴장측의 장력은 이완측 장력의 2배이고 원심력은 무시한다)

 해설 $H_p(kW) = \dfrac{T_e \times v}{102}$에 대입한다.

$$T_e = \frac{75 \times 16}{8} = 150\text{kgf},$$

$T_e = T_t - T_s$에서 인장측의 장력은 이완측 장력의 2배이므로 $T_e = 2T_s - T_s = T_s$

$\therefore$ 이완측의 장력은 유효 장력과 같으므로

$$T_t = 150\text{kgf} \times 2 = 300\text{kgf로 계산된다.}$$

**9** Question

4 m/sec의 속도로 회전하는 평벨트의 긴장측의 장력을 114 kgf, 이완측 장력을 45 kgf이라 하면 전달 동력은 약 몇 마력(PS) 인가?

 해설

$$H_p(ps) = \frac{T_e \times v}{75} = \frac{(T_t - T_s)v}{75},$$

$$T_e = T_t - T_s = 114 - 45(\text{kgf}),$$

$$v = 4(m/s)\text{이므로},$$

$$H_p = \frac{(114 - 45) \times 4}{75} = 3.68\text{PS}$$

**10** Question

2m/s로 4ps를 전달하는 벨트 전동장치에서 필요한 벨트의 유효장력은 몇 kgf 인가?(단, 원심력은 고려하지 않는다.)

 해설 $H_p(ps) = \dfrac{T_e \times v}{75}$,

$$T_e = \frac{H_p \times 75}{v} = \frac{4 \times 75}{2} = 150\text{kgf}$$

# 04 제어용 기계요소

## 1 스프링

### (1) 스프링의 휨과 하중

① 스프링에 하중을 가하면 하중에 비례하여 인장 또는 압축, 휨 등이 일어난다. 지금 하중을 $W$ kgf, 변위량 $\delta$ mm라고 하면,

$$W = k\delta \quad (\,k : \text{스프링 상수})$$

② 하중에 의하여 발생하는 일 $U(\text{kgf} \cdot \text{m})$는

$$U = \frac{1}{2} W\delta = \frac{1}{2} k\delta^2$$

③ 스프링 상수 $k_1$, $k_2$의 두 개를 접속시 스프링 상수 $k$는

㉮ 병렬의 경우(그림 a, b의 경우)

$$k = k_1 + k_2$$

㉯ 직렬의 경우(그림 c의 경우)

$$\frac{1}{k} = \frac{1}{k_1} + \frac{1}{k_2}$$

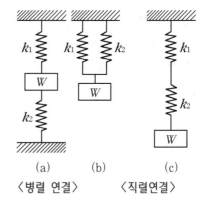

(a)　　　(b)　　　(c)

〈병렬 연결〉　　〈직렬연결〉

### (2) 스프링의 설계

● 코일 스프링(coil spring)의 설계

㉮ 스프링의 강도

그림과 같이 $d$ : 소선(素線)의 지름[mm], $D$ : 코일의 평균지름[mm], $W$ : 하중[kgf], $\delta$ : 스프링의 처짐[mm], $p$ : 코일의 피치[mm], $\theta$ : 비틀림각 $n$ : 유효권수라고 하자

먼저 소선의 비틀림에 의한 전단응력( $\tau$ )이라 하면

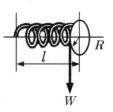

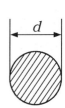

$$T = \tau Z_P = \frac{\pi}{16} d^3 \tau \text{ 이므로, } \quad \tau = \frac{16T}{\pi d^3} = 16 \times \frac{W \times r}{\pi d^3} = \frac{8DW}{\pi d_3}$$

$r$을 코일의 평균 반지름, $G$를 가로 탄성계수라 하면 스프링의 처짐 $\delta$는

$$\delta = \frac{8nD^3W}{Gd^4} = \frac{64nr^3W}{Gd^4} \quad \cdots\cdots\cdots\cdots\cdots\cdots\cdots\cdots\cdots\cdots\cdots\cdots\cdots\cdots\cdots\cdots\cdots\cdots \text{ 〔1식〕}$$

### ㉯ 스프링의 지수(指數)

$$C = \frac{2r}{d} = \frac{D}{d}$$

$C$를 스프링 지수라 부르며 $12 > C > 5$의 범위에 있다.

### ㉰ 스프링 상수

스프링 상수는 $k = \dfrac{W}{\delta}$이므로, 〔1식〕을 대입하여 정리하자.

$$k = \frac{W}{\delta} = \frac{Gd^4}{8D^3n} = \frac{Gd}{8nC^3} = \frac{GD}{8nC^4} = \frac{Gd^4}{64nr^3}$$

### ㉱ 에너지 계산

에너지는 $U = \dfrac{W\delta}{2}$이므로, 〔1식〕을 대입하여 정리하자.

$$U = \frac{W\delta}{2} = \frac{32nr^3W^2}{Gd^4} = \frac{V\tau^2}{4K^2G}$$

여기서 $V$는 스프링 재료의 부피이며 $V = \dfrac{\pi d^2}{4} \cdot 2\pi rn$이 된다.

## ● 삼각 판스프링 설계

오른쪽 그림과 같이 평등(平等) 강도의 보 (beam)에서의 응력 일정으로 계산한다. 고정단의 폭 $b$ mm, 두께 $h$ mm, 길이 $\ell$ mm로 끝에 $W$ kgf 의 하중이 가해졌을 때 다음과 같다.

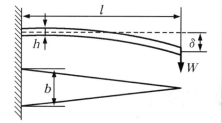

㉮ 굽힘응력 $\sigma_b = \dfrac{6Wl}{bh^2}$

㉯ 자유단에 발생하는 처짐 $\delta = \dfrac{6Wl^3}{bh^3E}$

㉰ 고정단의 너비 $b = \dfrac{6Wl}{\sigma_b h^2}$

## ● 겹판 스프링 설계

㉮ 겹판 스프링은 아래 그림과 같이 내다지보로 생각하면 굽힘 응력과 처짐은

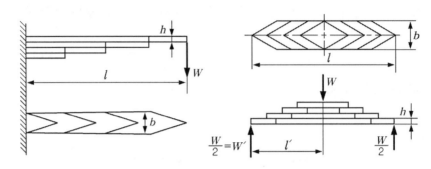

- 굽힘응력  $\sigma_b = \dfrac{6\,Wl}{nbh^2}$  　　 ・ 처짐 $\delta = \dfrac{6\,Wl^3}{Enbh^3}$

㉯ 겹판 스프링이 양단지지보로 되어 있는 경우, 가운데 부분에 발생하는 굽힘응력과 처짐은

- 굽힘응력 $\sigma_b = \dfrac{3}{2}\ \dfrac{Wl}{nbh^2}$  　　 ・ 처짐 $\delta = \dfrac{3}{8}\ \dfrac{Wl^3}{nbh^3E}$

---

**예제 1**  　그림과 같은 스프링 장치에서 P = 10kgf 일 때의 이 식의 수직 처짐량은 몇 cm 인가?(단, 각 스프링 상수 $K_1$ = 2kgf/cm, $K_2$ = 3kgf/cm 이다)

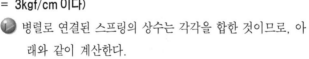

　🔘 병렬로 연결된 스프링의 상수는 각각을 합한 것이므로, 아래와 같이 계산한다.

　　$k = k_1 + k_2 = 2 + 3 = 5\text{kgf/cm}$

　　처짐량($\delta$) $= \dfrac{W}{k} = \dfrac{10}{5} = 2\text{cm}$로 계산된다.

---

## 2  브레이크

### (1) 브레이크의 토크

$D$를 브레이크 드럼의 지름(mm), $F$를 브레이크 레버에 가하는 조작력(kgf), $W$를 브레이크 드럼과 브레이크 블록 사이에 작용하는 힘(kgf)이라고 하면, $F$와 $W$는 브레이

크 레버의 치수( $a$, $d$, $c$ : 단위가 mm)에 의해 상관관계를 이룬다. 또한, $f$를 브레이크 제동력(제동마찰력: kgf)이라고 하면 $W$와 $f$는 다음과 같은 관계를 갖는다.

$$f = \mu \times W$$

여기서, $\mu$는 브레이크 드럼과 브레이크 블록 사이의 마찰계수를 말한다.

$T$를 브레이크 토크(kgf-mm)라고 하면 다음과 같이 표현할 수 있다.

$$T = f\frac{D}{2} = \mu\frac{WD}{2}$$

## (2) 브레이크의 조작력( $F$ : kgf)

먼저, 기호를 정의한다. $F$를 브레이크의 조작력, $a$를 힌지지점과 브레이크 조작력이 작동하는 지점까지의 거리, $b$를 힌지지점과 브레이크 블록이 제동(마찰)되는 작용선과의 거리, $c$를 힌지지점과 브레이크 블록이 제동(마찰)되는 작용선과의 수평거리, $W$를 브레이크 드럼과 브레이크 블록 사이에 작용하는 힘(kgf), $\mu$를 브레이크 드럼과 브레이크 블록 사이의 마찰계수, $f$를 제동력(제동 마찰력)이라고 정의한다.

### ● 힌지지점이 제동작용선 왼쪽에 놓여 있을 경우(내작용선 c 〉 0)

#### • 우회전의 경우

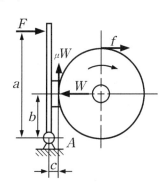

힌지의 지점을 중심으로 회전하는 모든 토크( $T$ )의 합은 "0"이므로, 식으로 표현하자.

$$\Sigma T = 0$$

시계의 방향으로 회전하는 것을 ( + )방향, 시계의 반대 방향으로 회전하는 것을 ( - )방향으로 정하면,

$Fa - Wb - \mu Wc = 0$,

여기서, 우회전이므로, 제동마찰력( $f = \mu \times W$ )는 위쪽 방향이 되어 힌지의 지점을 기준으로 하면 시계의 반대방향으로 회전하므로 ( - )부호를 갖는다.

$$F = \frac{W}{a}(b + \mu c),$$

여기서, $f = \mu \times W$ ( $W = \frac{f}{\mu}$ )의 관계가 있으므로, 대입하자.

$$\therefore \ F = \frac{W}{a}(b + \mu c) = \frac{f}{\mu a}(b + \mu c) \ \text{으로 유도된다.}$$

- **좌회전의 경우**

  시계의 방향으로 회전하는 것을 (+)방향, 시계의 반대방향으로 회전하는 것을 (−)방향으로 정하면,

  $$\Sigma T = 0, \qquad Fa - Wb + \mu Wc = 0$$

  여기서, 좌회전이므로, 제동마찰력($f = \mu \times W$)는 아래 방향이 되어 힌지의 지점을 기준으로 하면 시계의 방향으로 회전하므로 (+)부호를 갖는다.

  $$F = \frac{W}{a}(b - \mu c),$$

  여기서, $f = \mu \times W$ ($W = \frac{f}{\mu}$)의 관계가 있으므로, 대입하자.

  $$\therefore F = \frac{W}{a}(b - \mu c) = \frac{f}{\mu a}(b - \mu c)$$

  으로 유도된다.

### 힌 지지점이 제동작용선 오른쪽에 놓여 있을 경우(외작용선 c ⟨ 0)

- **우회전의 경우**

  시계의 방향으로 회전하는 것을 (+)방향, 시계의 반대방향으로 회전하는 것을 (−)방향으로 정하면,

  $$\Sigma T = 0, \quad Fa - Wb + \mu Wc = 0$$

  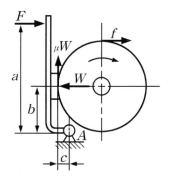

  여기서, 우회전이므로, 제동마찰력($f = \mu \times W$)는 윗방향이 되어 힌지의 지점을 기준으로 하면 시계의 방향으로 회전하므로 (+)부호를 갖는다.

  $$F = \frac{W}{a}(b - \mu c),$$

  여기서, $f = \mu \times W$ ($W = \frac{f}{\mu}$)의 관계가 있으므로, 대입하자.

  $$\therefore F = \frac{W}{a}(b - \mu c) = \frac{f}{\mu a}(b - \mu c)$$

  으로 유도된다.

- **좌회전의 경우**

  시계의 방향으로 회전하는 것을 (+)방향, 시계의 반대방향으로 회전하는 것을 (−)방향으로 정하면,

$$\Sigma T=0, \quad Fa-Wb-\mu Wc=0$$

여기서, 좌회전이므로, 제동마찰력($f=\mu \times W$)는 아래 방향이 되어 힌지의 지점을 기준으로 하면 시계의 반대방향으로 회전하므로 ($-$)부호를 갖는다.

$$F=\frac{W}{a}(b+\mu c),$$

여기서, $f=\mu \times W$ ( $W=\dfrac{f}{\mu}$ ) 의 관계가 있으므로, 대입하자.

$$\therefore F=\frac{W}{a}(b+\mu c)=\frac{f}{\mu a}(b+\mu c)$$

으로 유도된다.

### ● 힌지지점과 제동 작용선 일치할 경우(중작용선 c=0)

우회전이나 좌회전이나 모두가 $c=0$이므로,

$$\Sigma T=0, \quad Fa-Wb\pm\mu Wc=0$$

위 식에서 $\pm\mu Wc=0$으로, 아래 식으로 표현된다.

$$Fa-Wb=0, \quad F=W\frac{b}{a}$$

여기서, $W=\dfrac{f}{\mu}$ 이므로 대입하자.

$$\therefore F=W\frac{b}{a}=\frac{fb}{\mu a}$$

으로 유도된다.

## (2) 브레이크의 압력과 용량

### ● 브레이크 압력

브레이크 블록과 브레이크 드럼 사이의 제동압력을 $q(\text{kgf/mm}^2)$라고 하면,

$$q=\frac{W}{A}$$

여기서, $A$ 를 브레이크 블록의 마찰면적($\text{mm}^2$), $W$는 블록을 브레이크 드럼에 밀어 붙이는 힘($\text{kgf}$)이다. 브레이크 블록의 가로길이를 b(mm), 세로길이를 e(mm)라고 하면, $A=b\times e$로 표현될 수 있다. 그러므로 위 식은 아래와 같이 표현된다.

$$q=\frac{W}{A}=\frac{W}{be}$$

## ● 브레이크 용량

제동마력($H_p$)는 제동력($f$)와 제동속도(드럼의 원주속도 : $v$)의 곱으로 표시된다.

$$H_{ps} = \frac{f \times v}{75}$$

여기서, 제동력($f$)의 단위는 kgf이고, 드럼의 원주속도($v$)는 m/s이다.

또한, $f = \mu \times W$ 의 관계가 있으므로, 위식에 대입하면,

$$H_{ps} = \frac{f \times v}{75} = \frac{\mu \times W \times v}{75},$$

또한, $q = \frac{W}{A}$ ( $W = qA$)의 관계가 있으므로, 위 식에 대입하면,

$$H_{ps} = \frac{fv}{75} = \frac{\mu Wv}{75} = \frac{\mu qAv}{75}$$

따라서 위 식을 마찰면의 단위면적마다의 일률로 표현하기 위해 양변을 $A$ 로 나누어 주면,

$$H_{ps} = \frac{\mu qAv}{75}, \qquad 75H_{ps} = \mu Wv = \mu qAv,$$

$$\frac{75H_{ps}}{A} = \frac{\mu Wv}{A} = \mu qv \text{(m-kgf/mm}^2\text{-s)} \text{ 로 표현된다.}$$

이 $\mu qv$는 마찰계수, 브레이크 압력, 속도의 상승적(相承積)으로 브레이크의 용량이라고 한다. 즉, 브레이크 블록의 접촉면적 1 mm²마다 1 초 동안에 흡수하고 또 열로 방출되는 에너지이다.

예제 1 그림과 같은 브레이크의 드럼 축에 10,000kgf-mm 의 토크가 작용하고 있는 블록 브레이크의 레버 끝에 가하는 힘 F 는 얼마인가?(단, 마찰계수 $\mu$ = 0.2 이다)

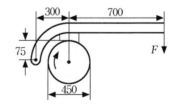

▶ 먼저 드럼의 토크( $T$ )에서 제동력( $f$ )를 구한다.

$$f = \frac{2T}{D} = \frac{2 \times 10000}{450} = 44.4444 \text{kgf}$$

힌지의 지점이 브레이크 작용선의 오른쪽에 있고, 우회전을 하므로, 아래 식에서 $F$ 를 구하면 된다.

$$F = \frac{f(b - \mu c)}{\mu a}$$

$$F = \frac{44.4444 \times (300 - 0.2 \times 75)}{0.2 \times 1050} = 60.317 \text{kgf}$$

**예제 2** 중량 3ton의 자동차가 시속 30km로 달리다가 브레이크를 걸기 시작하여 8.8m후에 정지하였다. 베어링 등 다른 마찰을 무시한다면 브레이크에 발생하는 열량(kcal)은?(단, 바퀴와 도로와의 마찰계수는 0.4이다.)

> 중량($W$)이 3ton이므로, 도로와의 마찰력(제동력 : $f$)는 아래와 같이 구한다.
>
> $$f = \mu \times W = 0.4 \times 3000 = 1200\text{kgf} = 1200\text{kgf},$$
>
> 그러므로 제동일 = 제동력 × 제동거리이므로,
>
> 제동일 = $1200 \times 8.8 = 10760\text{kgf-m}$
>
> 1kcal = 427kgf-m의 관계가 있으므로,
>
> 제동열량 = $\dfrac{10760}{427} = 24.7\ \text{kcal}$로 구해진다.

**예제 3** 그림과 같은 블록 브레이크에서 드럼 축의 레버를 누르는 힘 F 를 우회전할 때는 $F_1$, 좌회전 할 때의 F를 $F_2$라고 하면 $F_1$ / $F_2$의 값은 얼마인가?

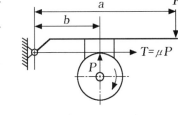

> 위 브레이크는 브레이크 블록의 제동 작용선이 힌지의 지점과 일치하므로 힌지지점과 작용선 사이의 거리($c$)가 "0"이다. 즉, 브레이크 조작력(F)는 우회전일 경우와 좌회전일 경우와 같은 힘이 필요하다.
>
> 즉 $F_1 = F_2 = W\dfrac{b}{a} = \dfrac{fb}{\mu a}$ 으로 구해진다.
>
> 그러므로 $\dfrac{F_1}{F_2} = 1$로 계산된다.

# 자기진단

## 1.결합용 기계요소

## ▶ 나 사

### ◈ 나사의 리드와 피치

**1** Question — 산업기사96년10월/03년3월/05년3월 출제

나사의 피치가 3mm 인 2 중 나사가 회전하면 리드는 몇 mm 인가 ?

㉮ 3mm  ㉯ 4mm
㉰ 5mm  ㉱ 6mm

**해 설** $L = n \times p$ 이므로, $L = 2 \times 3 = 6$mm

**2** Question — 산업기사03년8월 출제

리드가 36mm인 3줄 나사가 있다. 이 나사의 피치는 몇 mm인가?

㉮ 3  ㉯ 12
㉰ 24  ㉱ 108

**해 설** $L = n \times p$ 이므로,
$$P = \frac{L}{n} = \frac{36}{3} = 12\text{mm}$$

**3** Question — 산업기사05년1회 출제

두 줄 나사의 피치가 0.75 mm일 때 5 회전시키면 축방향으로 몇 mm 이동하는가 ?

㉮ 1.5  ㉯ 7.5
㉰ 3.75  ㉱ 37.5

**해 설** 이동거리 $= L \times R = n \times p \times R$
$$= 2 \times 0.75 \times 5 = 7.5\text{mm}$$

**4** Question — 기사97년9월/01년3월/산업기사04년4회 출제

3 줄 나사에서 피치가 0.5mm 이면 이 나사의 리드는 몇 mm 인가 ?

㉮ 1.0mm  ㉯ 1.5mm
㉰ 2.0mm  ㉱ 3.0mm

**해 설** $L = n \times p$ 이므로,
$$L = 3 \times 0.5 = 1.5 \text{ mm}$$

### ◈ 나사의 분류

**1** Question — 기사99년8월/94년6월 출제

유니파이 보통나사인 $\frac{5}{16}$ -18UNC의 피치는 몇 mm인가?

㉮ 7.9375  ㉯ 2.50
㉰ 1.2700  ㉱ 1.4111

**해 설** 기호에서 산의 수가 18개이다. 즉, 1인 치(25.4mm)내에 18개의 나사산이 있다는

뜻이다. 그러므로, $P = \dfrac{25.4mm}{z}$ 이므로,

$P = \dfrac{25.4mm}{18} = 1.4111mm$

## ◆ 나사의 효율

**1** Question ·········· 기사94년6월 출제 ●

어떤 나사의 나선각(또는 리드각)이 2.5°이고 나사면의 마찰 계수가 0.12 일 때 나사 효율을 구하면 얼마나 되겠는가?

㉮ 20%  ㉯ 25%
㉰ 26.5%  ㉱ 24.7%

해설 ▨▨▨ 아래의 나사효율 공식을 이용한다.

$\eta = \dfrac{\tan \alpha}{\tan(\rho + \alpha)} \times 100$,

마찰각을 구해보면,

$\rho = \tan^{-1} 0.12 = 6.84°$

$\eta = \dfrac{\tan 2.5}{\tan(6.84 + 2.5)} \times 100$

$= 26.54\%$으로 계산된다.

**2** Question ·········· 기사95년7월 출제 ●

바깥지름이 40mm, 피치가 6mm 인 사각 나사가 2,000kgf 의 하중을 받을 때 나사의 효율은 얼마인가?(단, 나사부의 마찰계수 $\mu$ 는 0.1, 유효 지름은 35mm 이다)

㉮ 35%  ㉯ 16%
㉰ 44%  ㉱ 49%

해설 ▨▨▨ $\eta = \dfrac{\tan \alpha}{\tan(\rho + \alpha)} \times 100$에 대입하기

위해서 리드각과 마찰각을 구한다.

$\tan \alpha = \dfrac{p}{\pi d_e}$,

$\tan \alpha = \dfrac{6}{\pi \times 35} = 0.054567$,

$\alpha = \tan^{-1} 0.054567 = 3.123°$,

$\tan \rho = \mu = 0.1$,

$\rho = \tan^{-1} 0.1 = 5.71°$,

그러므로 리드각과 마찰각을 공식에 대입하면

$\eta = \dfrac{\tan 3.123}{\tan(5.71 + 3.123)} \times 100$

$= 35.11\%$

**3** Question ·········· 기사01년6월 출제 ●

외경 32 mm의 사각나사에서 피치는 8 mm, 유효지름이 28 mm, 마찰계수가 0.1이라고 할 때 이 나사의 효율은?

㉮ 35 %  ㉯ 41 %
㉰ 47 %  ㉱ 53 %

해설 ▨▨▨ $\eta = \dfrac{\tan \alpha}{\tan(\rho + \alpha)} \times 100$에 대입하기

위해서 리드각과 마찰각을 구한다.

$\tan \alpha = \dfrac{p}{\pi d_e} = \dfrac{8}{3.14 \times 28} = 0.091$,

$\alpha = \tan^{-1} 0.091 = 5.199°$

$\tan \rho = \mu = 0.1$,

$\rho = \tan^{-1} 0.1 = 5.71°$,

그러므로 리드각과 마찰각을 공식에 대입하면

$\eta = \dfrac{5.199}{5.199 + 5.71} \times 100 = 47.65\%$

**4** Question ·········· 산업기사03년5월 출제 ●

바깥지름 24 mm인 4각 나사의 피치 6mm, 유효지름 22.051mm, 마찰계수가 0.1 이라면 나사의 효율은 몇 % 인가?

㉮ 30  ㉯ 45
㉰ 60  ㉱ 75

**예설** $\eta = \dfrac{\tan\alpha}{\tan(\rho+\alpha)} \times 100$ 에 대입하기

위해서 리드각과 마찰각을 구한다.

$$\tan\alpha = \frac{p}{\pi d_e} = \frac{6}{3.14 \times 22.061} = 0.087$$

$$\alpha = \tan^{-1} 0.087 = 4.972^o,$$

$$\tan\rho = \mu = 0.1,$$

$$\rho = \tan^{-1} 0.1 = 5.71^o,$$

그러므로 리드각과 마찰각을 공식에 대입하면

$$\eta = \frac{4.972}{4.972 + 5.71} \times 100 = 46.54\%$$

## ▶ 볼트와 너트

### ◆ 볼트의 설계

**1** Question　　　　　　　　기사00년3월 출제

아이 볼트(eye bolt)에 3000 kgf의 인장하중이 작용할 때 지름 d는 다음 중 어느 것이 가장 적합한가? (단, 재료의 허용 인장응력은 6 kgf/mm²)

㉮ 16 mm　　　　㉯ 32 mm
㉰ 48 mm　　　　㉱ 54 mm

**예설** 아이볼트는 인장하중만 작용하므로 아래와 같이 구한다.

$$d = \sqrt{\frac{2W}{\sigma_t}} = \sqrt{\frac{2 \times 3000}{6}} = 32\text{mm}$$

**2** Question　　　　　　　　기사93년9월 출제

12ton 의 축방향 하중과 비틀림을 동시에 받는 체결용 나사의 지름은 몇 mm 인가?(단, 재료의 허용 인장 응력은 4.6kgf/mm²이다)

㉮ 44mm　　　　㉯ 58mm

㉰ 68mm　　　　㉱ 84mm

**예설** 축하중과 비틀림을 동시에 받으므로 아래 공식을 사용한다.

$$d = \sqrt{\frac{8W}{3\sigma_a}}$$

$$d = \sqrt{\frac{8 \times 12000}{3 \times 4.6}} = 83.4\text{mm}$$

**3** Question　　　　　　　　산업기사04년1회 출제

안지름이 1m인 압력용기에 5 kgf/cm² 의 내압이 작용하고 있다. 압력용기의 뚜껑을 18개의 볼트로 체결 할 경우 볼트의 지름은 얼마로 설정해야 하는가? (단, 볼트 지름방향의 허용인장응력을 1000 kgf/cm²이고, 볼트에는 인장하중만 작용한다.)

㉮ 16.7mm, M18
㉯ 21.7mm, M22
㉰ 26.7mm, M27
㉱ 31.7mm, M33

**예설** 압력용기에 작용하는 힘( $W_1$ ) = 내압 ×

면적이므로　$W_1 = 5 \times \dfrac{\pi \times 100^2}{4}$ ,

압력용기에 작용하는 힘( $W_1$ )은 18개의 볼트에 작용하므로,

볼트 1개에 작용하는 힘( $W$ )

$$= \frac{W_1}{18} = \frac{5 \times \pi \times 100^2}{4 \times 18} = 2181.66\text{kgf}$$

위 문제는 인장하중만 작용하므로, 아래 공식에 대입한다.

$$d = \sqrt{\frac{4 \times W}{\pi \times \sigma_t}} = \sqrt{\frac{4 \times 2181.66}{\pi \times 1000}}$$

$$= 1.67\text{cm}$$

이것을 mm로 표시하면 16.7mm로 계산된다. 즉, M18을 사용하면 된다.

1.㉯　2.㉱　3.㉮

**4** Question ━━━━━━━ 산업기사05년1회 출제 ●

15 ton의 인장하중을 받는 볼트 호칭 지름으로 다음 중 가장 적합한 것은 ?(단, 안전율 3, 재료 인장강도는 5400kgf/cm²이며, 골지름/바깥지름($d_1/d$) = 0.62 로 가정한다)

㉮ M30　　　　　㉯ M36
㉰ M42　　　　　㉱ M48

**해설**　인장응력($\sigma_t$) =

$$\frac{인장강도}{안전율} = \frac{5400}{3} = 1800\text{kgf/cm}^2$$

$$\sigma_t = \frac{W}{A}\,에서$$

$$A = \frac{W}{\sigma_t} = \frac{5400}{1800}$$

$$= 8.33\text{cm}^2 = 833\text{mm}^2$$

$$A = \frac{\pi d^2}{4}\,에서$$

$$d_m = \sqrt{\frac{4\times833}{\pi\times0.62}} = 41.36\text{mm}$$

즉, M42을 사용해야 한다.

**5** Question ━━━━━━━ 기사05년1회 출제 ●

안지름 200 mm, 내압 60 kgf/cm²의 압력용기의 뚜껑을 8개의 볼트로 조립할 때 사용되는 볼트의 지름은 약 몇 mm인가?(단, 볼트의 허용 인장응력을 4.5kgf/mm²으로 한다.)

㉮ 24　　　　　㉯ 26
㉰ 28　　　　　㉱ 30

**해설**　압력용기에 작용하는 힘($W_1$) =내압 × 면적이므로

$$W_1 = 60 \times \frac{\pi\times20^2}{4},$$

여기서 200mm=20cm를 대입함.

압력용기에 작용하는 힘($W_1$)은 8개의 볼트에 작용하므로,

볼트 1개에 작용하는

$$힘(W) = \frac{W_1}{8} = \frac{60\times\pi\times20^2}{8}$$

$$= 2356.2\text{kgf}$$

위 문제는 인장하중만 작용하므로, 아래 공식에 대입한다.

$$d = \sqrt{\frac{4W}{\pi\sigma_t}} = \sqrt{\frac{4\times2356.2}{\pi\times4.5}}$$

$$= 25.8\text{mm}$$

즉, M26을 사용하면 된다.

## ◆ 너트의 설계

**I** Question ━━━━━━━ 기사95년7월 출제 ●

50 의 축 하중(W)을 받는 그림과 같은 4각 나사의 아이 볼트가 바깥지름 120mm, 골지름 100mm, 피치가 12mm 일 때 너트의 높이는 얼마인가?(단, 너트의 허용 접촉 압력은 97kgf/cm²)

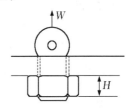

㉮ 80mm　　　　㉯ 120mm
㉰ 160mm　　　　㉱ 180mm

**해설**　$H = np = \dfrac{4Wp}{\pi(d^2 - d_1^2)q_a}$

$$H = \frac{4\times50000\times1.2}{\pi\times(12^2-10^2)\times97}$$

$$= 17.89\,\text{cm}$$

## ▶ 묻힘키(sunk key)

**1** Question 　　　　　　기사95년7월 출제

지름 50mm의 축에 보스의 길이 60mm의 기어를 b × h = 15 × 10 의 키로써 축에 고정한다. 이 경우 축에 30,000kgf · mm 의 회전력이 걸릴 때 키의 전단 응력은 얼마인가?

㉮ 26kgf/mm²　　㉯ 13kgf/mm²

㉰ 2.6kgf/mm²　　㉱ 1.3kgf/mm²

**해설** $\tau = \dfrac{T \times 2}{b \times l \times d}$ 에 그대로 대입한다.

$$\tau = \frac{2 \times 30000}{15 \times 60 \times 50} = 1.333 \text{kgf/mm}^2$$

**2** Question 　　　　　　산업기사97년3월 출제

성크 키(sunk key)의 길이가 200mm, 하중 P = 800kg, b = 1.5 h 라 하고 허용 전단 응력 $\tau_a = 5.3\,\text{kgf/mm}^2$ 라 할 때 key 의 높이는 약 몇 mm 로 하면 되는가?

㉮ 13.3mm　　㉯ 14.3mm

㉰ 15.3mm　　㉱ 16.3mm

**해설** $\tau = \dfrac{W}{b \times l}$ 에 b = 1.5 h를 대입하자.

$$\tau = \frac{W}{1.5h \times l}, \quad h = \frac{W}{1.5 \times l \times \tau}$$

$$h = \frac{8000}{1.5 \times 200 \times 2} = 13.33 \text{mm}$$

**3** Question 　　　　　　기사01년8월 출제

지름 110 mm, 회전수 500 rpm인 축에 묻힘 키를 치수가 b×h×ℓ (폭×높이×길이)=28 mm×18 mm×300 mm로 설계하려고 한다면 키의 전단 응력에 의한 전달 동력은 약 PS인가?(단, 키의 허용 전단응력은 $\tau_a$ =3.2 kgf/mm² 이다.)

㉮ 516　　　　㉯ 762

㉰ 1032　　　㉱ 2580

**해설** 먼저, 작용힘( $W$ )을 구하고, 다음 회전력( $T$ )을 구하고, 마력( $N_b$ )을 구한다.

$$W = b \times l \times \tau$$

$$W = 28 \times 300 \times 3.2 = 26880\,\text{kgf}$$

$$T = \frac{W \times d}{2} = \frac{26880 \times 110}{2}$$

$$= 1478400\,\text{kgf-mm}$$

$$= 1478.4\,\text{kgf-m}$$

$$N_b = T \times w = \frac{2 \times \pi \times T \times N}{75 \times 60} = \frac{T \times N}{716.19}$$

(단, $T$ 의 단위가 kgf-m임을 주의)

$$= \frac{1478.4 \times 500}{716.19} = 1032.11\,(\text{Ps})$$

**4** Question 　　　　　　기사04년1회 출제

96kgf-m 의 토크를 전달하는 지름 50mm인 축에 사용할 묻힘 키의 폭과 높이가 12mm×8mm 일 때 다음 중 키의 길이로 가장 적합한 것은? (단, 키의 전단응력만으로 계산하고 키의 허용 전단응력은 800kgf/cm² 이다.)

㉮ 30mm　　　㉯ 40mm

㉰ 60mm　　　㉱ 80mm

**해설** $\tau = \dfrac{T \times 2}{b \times l \times d}$ 에서

$l = \dfrac{T \times 2}{b \times \tau \times d}$ 이므로, 그대로 대입한다.

단위를 cm 로 통일한다.

$$l = \frac{9600 \times 2}{1.2 \times 800 \times 5} = 4\,\text{cm} = 40\text{mm}$$

1.㉱　2.㉮　3.㉰　4.㉯

## ▶ 리 벳

**1 Question** 기사95년7월 출제

**판 두께 16mm, 리벳 지름 16mm, 리벳 구멍 지름 17mm, 피치 64mm 인 1줄 리벳 겹치기 이음에서 1피치마다 하중이 1,500kgf 작용할 때 효율은 얼마인가?**

㉮ 66.5%　　㉯ 70.6%
㉰ 73.4%　　㉱ 77.4%

**해 설** $\eta_t = \left(1 - \frac{d}{p}\right) \times 100$ 이므로, 그대로 대입한다.

$$\eta_t = \left(1 - \frac{17}{64}\right) \times 100 = 73.4375\%$$

**2 Question** 산업기사97년3월/04년1회 출제

**강판의 두께 t = 12mm, 리벳의 지름 d = 20mm, P = 50mm의 1줄 겹치기 리벳 이음에서 1피치의 하중을 1,200kg 일 경우 강판의 인장 응력은 몇 kgf/mm² 인가?**

㉮ $3.33\text{kgf/mm}^2$　　㉯ $6.42\text{kgf/mm}^2$
㉰ $7.53\text{kgf/mm}^2$　　㉱ $8.61\text{kgf/mm}^2$

**해 설** 리벳이음을 한 강판의 인장강도를 구하는 식은 $W = t(p-d)\sigma_t$이므로,

$$\sigma_t = \frac{W}{(p-d) \times t}$$

$$\sigma_t = \frac{1200}{(50-20) \times 12} = 3.3333\text{kgf/mm}^2$$

**3 Question** 기사04년1회 출제

**두께 12mm 강판을 리벳이음으로 안지름 1000mm인 보일러 동체를 만들었다. 강판의 허용인장응력을 6kgf/mm², 리벳이음의 효율을 70%라 할 때 몇 kgf/cm²의 내압까지 사용할 수 있는가?**

㉮ 1　　㉯ 2
㉰ 10　　㉱ 20

**해 설** 그림과 같은 보일러라고 가정하면, 리벳의 전단응력과 보일러 내압과 같다고 할 수 있다.

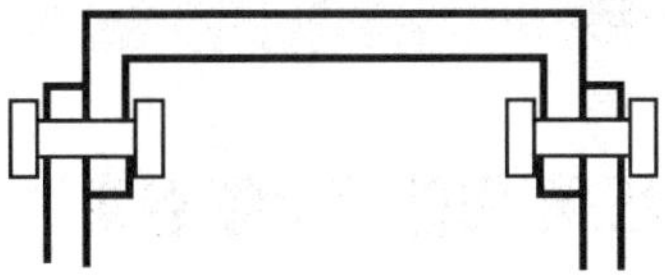

〈보일러의 리벳이음〉

즉, 전체 전단응력 = 보일러 내압이므로 식으로 표시하면,

$\tau = P$ 이므로, 아래 식에 대입한다.

$$\text{리벳효율}(\eta_s) = \frac{n\frac{\pi}{4}d^2\tau}{tp\sigma_t}$$

(여기서 d는 리벳의 직경)

$$\eta_s = \frac{A \times P}{tp\sigma_t} = \frac{\frac{\pi d^2}{4} \times P}{tp\sigma_t}$$

(여기서 d는 보일러의 직경)

또한, 인장응력이 작용하는 면적을 $t \times p \times n$로 하지 말고, 피치가 아주 촘촘히 보일러의 둘레를 싸고 있다고 생각하면 그 면적은 $t \times \pi d$ (d는 보일러 직경)으로 표시가 가능하다.

$$\eta_s = \frac{\frac{\pi d^2}{4} \times P}{tp\sigma_t} = \frac{\frac{\pi d^2}{4} \times P}{\pi d \sigma_t}$$

$$= \frac{d \times P}{4\sigma_t},$$

$$P = \frac{\eta_s \times \sigma_t \times 4}{d} = \frac{0.7 \times 6 \times 4}{1000}$$

$$= 0.0168\text{kgf/mm}^2$$

$$= 1.68\text{kgf/cm}^2$$

1.㉰ 2.㉮ 3.㉯

## 2. 축관계 기계요소

### ▶ 축

### ◆ 강도에 의한 축지름 설계

기사94년6월 출제

**1 Question**

1,000rpm 으로 716.2kgf · cm 의 비틀림 모멘트를 전달하는 회전축에서 전달 마력은?

㉮ 5 PS      ㉯ 10 PS

㉰ 15 PS      ㉱ 20 PS

**해 설** 비틀림 모멘트( $T$ )의 단위가 (kgf-cm)

이고, $H$ 가 마력(PS)일 경우,

1PS=75kgf-m/s, 1m=100cm이므로,

$$H_{ps} = \frac{T \times w}{75 \times 100} = \frac{2\pi NT}{75 \times 60 \times 100}$$

$$H_{ps} = \frac{1000 \times 716.2}{71620} = 10PS$$

기사96년3월/04년1회 출제

**2 Question**

350rpm 으로 70 PS 를 전달하는 축의 전달 토크는 몇 kgf · cm 인가?

㉮ 239kgf · cm

㉯ 15,200kgf · cm

㉰ 15,900kgf · cm

㉱ 14,324kgf · cm

**해 설**

$$H_{ps} = \frac{T \times w}{75 \times 100} = \frac{2\pi NT}{75 \times 60 \times 100} = \frac{NT}{71620}$$

$$T = \frac{71620 H_{ps}}{N} \quad (\text{T : 전달 토크(kgf · cm)})$$

$$T = \frac{71620 \times 70}{350} = 14324 \text{kgf · cm}$$

기사97년9월/산업기사98년5월 출제

**3 Question**

각속도 4 rad/sec 로 5kW 의 동력을 전달하는 전동축에 작용하는 토크는 얼마인가?

㉮ 12.75m · kgf

㉯ 127.5m · kgf

㉰ 81.6m · kgf

㉱ 816m · kgf

**해 설** 비틀림 모멘트( $T$ )의 단위가 (kgf-m)

이고, $H$ 가 마력(kW)일 경우,

1PS=102kgf-m/s, 1m=100cm이므로,

$$H_{kW} = \frac{T \times w}{102}, \quad 5\,kW = \frac{T \times 4}{102},$$

$$T = \frac{5 \times 102}{4} = 127.5 (\text{kgf-m})$$

기사93년3월 출제

**4 Question**

길이 L = 50cm, 지름 d = 1cm 인 동력축이 있다. 허용 전단 응력이 $\tau_w = 64 \times 10^2 \text{kgf/cm}^2$ 일 때 전달되는 토크는 약 몇 kgf · cm 인가?

㉮ 628kgf · cm

㉯ 1,257kgf · cm

㉰ 6,280kgf · cm

㉱ 12,566kgf · cm

**해 설** 위에서 설명된 공식을 적용한다.

$$T = \tau_a \times Z_p = \tau_a \times \frac{\pi d^3}{16}$$

$$T = \frac{\pi}{16} \times 1^3 \times 64 \times 10^2$$

$$= 1256.6 (\text{kgf-cm})$$

1.㉯   2.㉱   3.㉯   4.㉯

500rpm 으로 15kW의 동력을 전달하는 축의 비틀림 응력은 몇 kgf/mm²은 얼마인가 ? (단, 축의 지름은 50mm 이다)

㉮ 9.8　　　　　　㉯ 6.4

㉰ 2.5　　　　　　㉱ 1.2

**해 설** 비틀림 모멘트( $T$ )의 단위가 (kgf-cm) 이고, $H$ 가 마력(kW)일 경우,

1PS=102kgf-m/s, 1m=100cm이므로,

$$H_{kW} = \frac{T \times w}{102 \times 100} = \frac{2\pi NT}{102 \times 60 \times 100},$$

$$T = \frac{97400 H_{kW}}{N} = \frac{97400 \times 15}{500}$$

$$= 2922(\text{kgf-cm})$$

$$T = \tau_a \times Z_p = \tau_a \times \frac{\pi d^3}{16} \text{이므로,}$$

$$\tau_a = \frac{16 \times T}{\pi \times d^3} = \frac{16 \times 2922}{\pi \times 5^3}$$

(단위를 맞춤, 50mm=5cm)

$$= 119.05 \text{kgf/cm}^2 = 1.1905 \text{kgf/mm}^2$$

30kW의 동력을 200rpm 으로 전달하는 연강 축의 지름을 구하시오. (단, 축의 허용 전단 응력은 2kgf/mm²)

㉮ 68mm　　　　　㉯ 72mm

㉰ 75mm　　　　　㉱ 80mm

**해 설** 위에서 배운 공식을 활용한다. (식의 유도 과정을 알고 있으면 공식을 외울 필요는 없다.)

$$d = 170 \sqrt[3]{\frac{H_{kW}}{N \times \tau_a}} \quad (\text{mm}),$$

$$d = 79.2 \sqrt[3]{\frac{H}{N \times \tau_a}} \quad (\text{cm})$$

$$d = 170 \sqrt[3]{\frac{30}{200 \times 2}} = 71.69 \text{mm}$$

$10^6$ (kg f - mm )의 비틀림 모멘트를 받는 중공축의 내경은 몇 mm 인가 ? (단, 비틀림 허용 응력 $\tau_a$ = 5.3kgf/mm², $\lambda$ = $d_1 / d_2$ = 0.7 이다)

㉮ 66mm　　　　　㉯ 76mm

㉰ 86mm　　　　　㉱ 96mm

**해 설** 아래 공식을 이용한다. (공식의 유도과정을 이해하고 있으면 공식을 외울 필요가 없다.)

$x = \dfrac{d_1}{d_2}$ 라고 하고, 아래 공식에 대입한다.

$$d_2 = 1.72 \sqrt[3]{\frac{T}{(1-x^4) \times \tau_a}}$$

( $x$ :지름비, $d_2$ : 중공축의 내경[mm])

$$d_2 = 1.72 \sqrt[3]{\frac{10^6}{(1-0.7^4) \times 5.3}}$$

$$= 108.106 \text{mm}$$

$$d_1 = 108.106 \times 0.7 = 75.6742 \text{mm}$$

축에 굽힘 모멘트는 $1.5 \times 10^6$ kgf-mm와 비틀림 모멘트는 $2 \times 10^6$ kgf-mm를 동시에 받을 때 축의 지름으로 다음 중 가장 적합한 것은? (단, 축 재료의 비틀림 응력은 4 kgf/mm², 허용 굽힘응력은 6 kgf/mm²이다)

㉮ 150　　　　　　㉯ 200

㉰ 225　　　　　　㉱ 250

**해 설** 아래와 같이 구분하여 구해본다.

① 상당 굽힘 모멘트와 지름

$$M_e = \frac{M + \sqrt{M^2 + T^2}}{2}$$

$$= \frac{1.5 \times 10^6 + \sqrt{(1.5 \times 10^6)^2 + (2 \times 10^6)^2}}{2}$$

$$= 2 \times 10^6 \text{ kgf} - \text{mm},$$

아래 식에 대입한다.

$$d = \sqrt[3]{\frac{32 \times M_e}{\sigma_a \times \pi}}$$

$$= \sqrt[3]{\frac{10.2 \times 2 \times 10^6}{6}} = 150.37\text{mm}$$

② 상당 비틀림 모멘트와 지름

$$T_e = \sqrt{M^2 + T^2}$$

$$= \sqrt{(1.5 \times 10^6)^2 + (2 \times 10^6)^2}$$

$$= 2.5 \times 10^6 \text{kgf-m}$$

아래 식에 대입한다.

$$d = \sqrt[3]{\frac{16 \times T_e}{\tau_a \times \pi}}$$

$$= \sqrt[3]{\frac{5.1 \times 2.5 \times 10^6}{4}} = 147.17\text{mm}$$

∴ 위 2개의 식에서 산출된 축 지름의 큰 쪽을 선택하여 표준 규격에 의해 150mm를 선택한다.

---

**9** Question 　　　　　　　　　　기사04년3회 출제

재질이 동일하며 회전수도 같을 경우 축직경을 2배로 하면 동일강도로서 전달시킬 수 있는 마력(ps)은 몇 배가 되는가?

㉮ 8　　　　　　　　　㉯ 4

㉰ 14　　　　　　　　㉱ 18

**해설** 　유도한 공식이 다음과 같다.

$$d = 154 \sqrt[3]{\frac{H_{PS}}{\tau_a N}} \ \ (\text{mm}),$$

여기에서 보듯이 마력은 직경의 세제곱근과 비례한다.

즉 직경을 2배하면 마력은 $2^3 = 8$배로 증가한다.

---

**10** Question 　　　　산업기사98년5월/04년1회 출제

300rpm으로 2.5kW를 전달시키고 있는 축에 작용하는 비틀림 모멘트는 약 몇 kgf-cm 인가?

㉮ 403kgf-cm　　　　㉯ 592kgf-cm

㉰ 703kgf-cm　　　　㉱ 812kgf-cm

**해설** 　비틀림 모멘트( $T$ )의 단위가 (kgf-cm)이고, $H$ 가 마력(kW)일 경우,

1kW=102kgf-m/s, 1m=100cm이므로,

$$H_{kW} = \frac{T \times w}{102 \times 100} = \frac{2\pi NT}{102 \times 60 \times 100},$$

$$T = \frac{97400 H_{kW}}{N} = \frac{97400 \times 2.5}{300}$$

$$= 811.667(\text{kgf-cm})$$

---

**11** Question 　　　　　　　산업기사95년10월 출제

회전수 200rpm으로 10 PS를 전달하는 축에서 비틀림 모멘트 T = 3,600kgf · cm 이고 허용 전단 응력이 210kgf/cm²이라면 축의 지름은 몇 mm로 하여야 하는가?

㉮ 35mm　　　　　　㉯ 40mm

㉰ 45mm　　　　　　㉱ 50mm

**해설** 　비틀림 모멘트( $T$ )의 단위가 (kgf-cm)이고, $H$ 가 마력(ps)일 경우,

1PS=75kgf-m/s, 1m=100cm이므로,

$$H_{ps} = \frac{T \times w}{75 \times 100} = \frac{2\pi NT}{75 \times 60 \times 100} = \frac{NT}{71620}$$

에서,

$$T = \frac{71620 H_{ps}}{N},$$

(T : 전달 토크(kgf · cm))

$$T = \frac{71620 \times 10}{200} = 3581\,\text{kgf} \cdot \text{cm},$$

$$T = \tau_a \times Z_p = \tau_a \times \frac{\pi d^3}{16} \text{이므로},$$

$$d^3 = \frac{16 \times T}{\pi \times \tau_a},$$

$$d = \sqrt[3]{\frac{16 \times T}{\pi \times \tau_a}} = \sqrt[3]{\frac{16 \times 3581}{\pi \times 210}}$$

$$= 4.428\text{cm} = 44.28\text{cm}$$

**12** Question  기사99년4월/01년9월 출제

각속도 4 rad/s 로 4 kW의 동력을 전달하는 전동축에 작용하는 토크는 약 몇 m - kgf 인가?

㉮ 93.75  ㉯ 102

㉰ 81.6  ㉱ 816

**예설** 비틀림 모멘트( $T$ )의 단위가 (kgf-m)이고, $H$ 가 마력(kW)일 경우,

1kW = 102kgf-m/s, 1m = 100cm이므로,

$$H_{kW} = \frac{T \times w}{102}, \quad 4kW = \frac{T \times 4}{102}$$

$$T = \frac{4 \times 102}{4} = 102 (\text{kgf-m})$$

**13** Question  기사01년9월 출제

지름이 40 mm인 연강제 실축에 2000 rpm으로 10 PS을 전달할 때 생기는 전단응력은 약 몇 kgf/cm²인가?

㉮ 90  ㉯ 142

㉰ 180  ㉱ 28.4

**예설** 비틀림 모멘트( $T$ )의 단위가 (kgf-cm)이고, $H$ 가 마력(ps)일 경우,

1PS = 75kgf-m/s, 1m = 100cm이므로,

$$H_{ps} = \frac{T \times w}{75 \times 100} = \frac{2\pi NT}{75 \times 60 \times 100} = \frac{NT}{71620}$$

$$T = \frac{71620 H_{ps}}{N},$$

(T : 전달 토크(kgf · cm))

$$T = \frac{71620 \times 10}{200} = 3581 \, \text{kgf} \cdot \text{cm},$$

$$T = \tau_a \times Z_p = \tau_a \times \frac{\pi d^3}{16} \text{이므로,}$$

$$\tau_a = \frac{16 \times T}{\pi \times d^3} = \frac{16 \times 358.1}{\pi \times 4^3} \, (40\text{mm}=4\text{cm})$$

$$= 28.496 \text{kgf/cm}^2$$

**14** Question  산업기사03년3월 출제

700rpm 으로 80PS를 전달하는 축의 전달 토크 T는 몇 kgf-cm인가?

㉮ 8.18514 kgf-cm

㉯ 81.8514 kgf-cm

㉰ 818.514 kgf-cm

㉱ 8185.14 kgf-cm

**예설** 비틀림 모멘트( $T$ )의 단위가 (kgf-cm)이고, $H$ 가 마력(ps)일 경우,

1PS = 75kgf - m/s, 1m = 100cm이므로,

$$H_{ps} = \frac{T \times w}{75 \times 100} = \frac{2\pi NT}{75 \times 60 \times 100} = \frac{NT}{71620}$$

$$T = \frac{71620 H_{ps}}{N}, (\text{T : 전달 토크(kgf · cm)})$$

$$T = \frac{71620 \times 80}{700} = 8185.14 \text{kgf} \cdot \text{cm},$$

**15** Question  기사03년3월/04년2회 출제

지름이 40mm인 연강제 실축에 200rpm으로 10PS를 전달할 때 생기는 전단응력은 약 몇 kgf/cm² 인가?

㉮ 90  ㉯ 142

㉰ 180  ㉱ 285

**예설** 비틀림 모멘트( $T$ )의 단위가 (kgf-cm)이고, $H$ 가 마력(ps)일 경우,

1PS = 75kgf-m/s, 1m = 100cm이므로,

$$H_{ps} = \frac{T \times w}{75 \times 100} = \frac{2\pi NT}{75 \times 60 \times 100} = \frac{NT}{71620}$$

$$T = \frac{71620 H_{ps}}{N}, (\text{T : 전달 토크(kgf · cm)})$$

$$T = \frac{71620 \times 10}{200} = 3581 \, \text{kgf} \cdot \text{cm},$$

$$T = \tau_a \times Z_p = \tau_a \times \frac{\pi d^3}{16} \text{이므로,}$$

$$\tau_a = \frac{16 \times T}{\pi \times d^3} = \frac{16 \times 358.1}{\pi \times 4^3} \, (40\text{mm}=4\text{cm})$$

$$= 28,496 \text{kgf/cm}^2$$

**16** Question

1000rpm으로 2000 kgf-cm의 비틀림 모멘트를 전달하는 축의 전달 동력은 몇 kW 인가?

㉮ 2.053  ㉯ 20.53

㉰ 205.3  ㉱ 2053

**해설** 비틀림 모멘트( $T$ )의 단위가 (kgf-cm)이고, $H$ 가 마력(kW)일 경우,

1kW $=102$kgf-m/s, 1m $=100$cm이므로,

$$H_{kW} = \frac{T \times w}{102} = \frac{2\pi NT}{102 \times 60 \times 100},$$

$$H_{kw} = \frac{2 \times \pi \times 1000 \times 2000}{102 \times 60 \times 100} = 20.533\text{kW}$$

**17** Question

회전수 2000 rpm에서 최대 토크가 35 kgf-m로 계측된 축의 축마력은 약 몇 PS 인가?

㉮ 97.76  ㉯ 71.87

㉰ 116.0  ㉱ 118.0

**해설** 비틀림 모멘트( $T$ )의 단위가 (kgf-cm)이고, $H$ 가 마력(ps)일 경우,

1PS $=75$kgf-m/s, 1m $=100$cm이므로

$$H_{ps} = \frac{T \times w}{75 \times 100} = \frac{2\pi NT}{75 \times 60},$$

(여기서는 T의 단위가 kgf-m 이므로, 분모에 100을 나누어 주지 않는다.

$$H_{ps} = \frac{2 \times \pi \times 2000 \times 35}{75 \times 60} = 97.76\text{ps}$$

**18** Question

비틀림만 받는 지름이 32 mm 차축에 고정된 타이어 지름이 830mm 일 때, 최대 1.6 ton 의 하중이 차축에 가해진다. 이축에 차륜이 노면에 미끄러지도록 토크를 가할 경우에 생기는 응력은 몇 kgf/mm²인가?(단, 타이어와 노면의 마찰계수 $\mu = 0.5$ 로 한다.)

㉮ 23.7  ㉯ 24.5

㉰ 25.8  ㉱ 26.3

**해설** 최대토크는 최대하중×타이어반경이고, 차축(좌우바퀴)에 1600kgf이 가해지므로, 한바퀴에 가해지는 하중은 800kgf이므로,

$$T_{\max} = 800 \times \frac{830}{2} = 332000\text{kgf-mm}$$

타이어 노면과의 마찰계수가 존재하므로, 실제 축에는 미끄럼이 생긴다. 즉, 축에 저항으로 작용하는 토크는 마찰계수만큼 작용한다.

$$T = \mu \times T_{\max} = 0.5 \times 664000$$
$$= 166000\text{kgf-mm}$$

$$T = \tau_a \times Z_p = \tau_a \times \frac{\pi d^3}{16} \text{이므로,}$$

$$\tau_a = \frac{16 \times T}{\pi \times d^3} = \frac{16 \times 166000}{\pi \times 32^3}$$
$$= 25.8\text{kgf/mm}^2$$

**19** Question

200 rpm으로 10PS를 전달하는 축에 작용하는 토크는 몇 kgf-cm 인가?

㉮ 358.1  ㉯ 487

㉰ 3581  ㉱ 4870

**해설** 비틀림 모멘트( $T$ )의 단위가 (kgf-cm)이고, $H$ 가 마력(ps)일 경우,

1PS $=75$kgf-m/s, 1m $=100$cm이므로

$$H_{ps} = \frac{T \times w}{75 \times 100} = \frac{2\pi NT}{75 \times 60 \times 100}$$

$$= \frac{NT}{71620}$$

$$T = \frac{71620 H_{ps}}{N} \quad (\text{T : 전달 토크(kgf·cm)})$$

$$T = \frac{71620 \times 10}{200} = 3581\text{kgf·cm},$$

로 계산된다.

**⓴** **Question** ·········· 산업기사04년4회 출제 ●

100 rpm으로 5 PS를 전달하는 축에 작용하는 토크는 몇 kgf-cm인가?

㉮ 500  ㉯ 1217

㉰ 3581  ㉱ 5870

**해설** 비틀림 모멘트( $T$ )의 단위가 (kgf-cm)이고, $H$ 가 마력(ps)일 경우,

$1PS = 75kgf\text{-}m/s, \ 1m = 100cm$ 이므로

$$H_{ps} = \frac{T \times w}{75 \times 100} = \frac{2\pi NT}{75 \times 60 \times 100} = \frac{NT}{71620}$$

$$T = \frac{71620 H_{ps}}{N} \quad (T : \text{전달 토크}(kgf \cdot cm))$$

$$T = \frac{71620 \times 5}{100} = 3581 kgf \cdot cm,$$

◆ **축의 비틀림 강도**(torsional rigidity)

**I** **Question** ·········· ●

시험재료인 연강의 횡탄성계수 $G = 8.3 \times 10^3$ kgf/mm²이고, 길이가 1m인 축을 회전력( $T$ : kgf-m)를 주었을 경우 비틀림각이 $\frac{1}{4}$°보다 작게 축의 직경을 설계하고자 한다. 축의 지름을 구하는 식을 유도하시오.

**해설** 위의 공식을 그대로 이용한다.

$$\theta(°) = \frac{180}{\pi} \times \frac{Tl}{GI_p},$$

길이 단위를 mm로 환산한다.

$$\theta(°) = \frac{180}{\pi} \times \frac{T \times 1000 \times 1000}{GI_p},$$

여기서, $T$ kgf-m $= T \times 1000$ kgf-mm,

$l = 1m = 1000$mm이다.

$I_p = \frac{\pi d^4}{32}$ 이므로, 위 식에 대입하자

$$\theta(°) = \frac{180}{\pi} \times \frac{T \times 1000 \times 1000}{G \times \frac{\pi d^4}{32}}$$

여기에, $G$ 와 $\theta$ 를 대입하자.

$$\frac{1}{4} = \frac{180}{\pi} \times \frac{T \times 1000 \times 1000}{8.3 \times 10^3 \times \frac{\pi d^4}{32}}$$

$$d^4 = \frac{4 \times 32 \times 180 \times 1000 \times T}{\pi^2 \times 8.3},$$

$$d = \sqrt[4]{281257.8 T} \ (mm)$$

로 유도된다.

▶ **축 이음** ‖‖‖

◆ **원판클러치**

**I** **Question** ·········· 기사99년4월 출제 ●

원판 클러치에 있어서 접촉면의 바깥지름 $D_1 =$ 300 mm, 안지름 $D_2 = 200$ mm, 마찰면의 평균 압력 q=0.015 kgf/mm² 이고, 마찰계수 $\mu =$ 0.3인 경우 축의 회전수가 400 rpm이면 몇 kW의 동력을 전달시킬 수 있는가?

㉮ 5  ㉯ 7

㉰ 9  ㉱ 11

**해설** 아래 두 공식을 이용한다.

$$T = \mu \times p \times \frac{\pi(d_2^2 - d_1^2)}{4} \times Z \times \frac{1}{2} \times \frac{d_2 + d_1}{2}$$

$$H_p(kW) = \frac{T \times \omega}{102},$$

$$H_p(kW) = \frac{2\pi N}{102 \times 60} \cdot \mu \cdot \frac{\pi}{4}(d_1^2 - d_2^2)$$

$$\cdot p \cdot \frac{d_1 + d_2}{4}$$

$$= \frac{2 \times \pi \times 300 \times 0.3 \times \pi(0.3^2 - 0.2^2) \times 0.015 \times 10^6 \times 0.5}{102 \times 60 \times 4 \times 4}$$

$$= 6.8 kW$$

**2** Question

단판 마찰클러치의 접촉면 평균 지름이 80mm, 전달 토크 494kgf· mm, 마찰계수 0.2 인 경우에 토크를 전달시키려면 몇 kgf의 힘이 필요한가?

㉮ 44.8  ㉯ 51.8
㉰ 61.8  ㉱ 73.8

**해설** 다음공식을 이용한다.

$$T = \mu \times p_m \times \pi d_m b \times Z \times \frac{d_m}{2},$$

$$W = p_m \times A_m = p_m \times \pi d_m b$$ 이므로,

$$T = \mu \times W \times \frac{d_m}{2} (단판이므로 \quad Z=1)$$

$$W = \frac{2T}{\mu d_m} = \frac{2 \times 494}{0.2 \times 80} = 61.75\text{mm}$$

**3** Question

접촉면의 안지름 60mm, 바깥지름 100mm 의 단판 클러치를 1 PS, 1450rpm 으로 전동할 때 클러치를 미는 힘은 몇 kgf 인가?(단, 클러치 접촉면은 주철과 청동으로서 마찰계수는 0.2 이다)

㉮ 61.8kgf  ㉯ 43.2kgf
㉰ 72.5kgf  ㉱ 56.2kgf

**해설** 먼저 회전력을 구하고, 클러치 미는 힘을 다음에 구한다.

$$H_p(ps) = \frac{T \times \omega}{75},$$

$$H_p(ps) = \frac{T \times 2\pi N}{75 \times 60},$$

$$1 = \frac{T \times 2\pi \times 1450}{75 \times 60}$$

$$T = \frac{75 \times 60}{2\pi \times 1450}$$

$$= 0.49391(\text{kgf-m}) = 493.9\text{kgf-mm}$$

$$T = \mu \times W \times \frac{d_m}{2}$$

(단판이므로 $Z=1$, $d_m = \frac{(d_2 + d_1)}{2}$ )

$$W = \frac{2T}{\mu d_m} = \frac{2 \times 2 \times 493.9}{0.2 \times (60 + 100)} = 61.75\text{kg}$$

**4** Question

마찰면의 수가 4 인 디스크 클러치에서 접촉면 안지름 50mm, 바깥지름 90mm 이고 스러스트에 70kgf 을 작용시킬 때 전달시킬 수 있는 토크는 몇 kgf · mm 인가?(단, 클러치판의 마찰계수 μ = 0.3 이다)

㉮ 2,560kgf · mm
㉯ 2,940kgf · mm
㉰ 3,240kgf · mm
㉱ 5,880kgf · mm

**해설** 스러스트의 힘이 미는 힘을 말한다.

$$T = \mu \times W \times Z \times \frac{d_m}{2}$$ (단판이므로 $Z=4$,

$$d_m = \frac{(d_2 + d_1)}{2} )$$

$$T = \mu \times W \times Z \times \frac{d_2 + d_1}{4}$$

$$= 0.3 \times 70 \times 4 \times \frac{90 + 50}{4}$$

$$= 2940\text{kgf-mm}$$

**5** Question

접촉면의 안지름 40mm, 바깥지름 80mm 인 단판 클러치로 45cm · kgf의 토크를 전달하는데 필요한 스러스트는 얼마인가 ?(단, 마찰 계수는 0.15 이다)

㉮ 100kgf  ㉯ 125kgf
㉰ 150kgf  ㉱ 200kgf

해설 다음 공식을 활용한다.

$$T = \mu \times W \times \frac{d_m}{2} \quad (\text{단딴이므로 } Z=1,$$

$$d_m = \frac{(d_2 + d_1)}{2} = \frac{8+4}{2} = 6cm \ ),$$

거리 단위를 모두 cm로 통일하자.

$$W = \frac{2T}{\mu d_m} = \frac{2 \times 45}{0.15 \times 6} = 100 \text{kg}$$

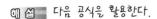

**6 Question** 산업기사04년4회 출제

바깥지름 300mm, 안지름 250mm, 클러치를 미는 힘 500kgf, 마찰계수가 0.2라고 할 경우 클러치 전달토크(torque)는 몇 kgf · mm인가?

㉮ 11390 ㉯ 13750
㉰ 17530 ㉱ 18275

해설 다음 공식을 활용한다.

$$T = \mu \times W \times \frac{d_m}{2} \quad (\text{단딴이므로 } Z=1,$$

$$d_m = \frac{(d_2 + d_1)}{2} = \frac{300 + 250}{2} \ )$$

$$= 275 \text{mm}$$

거리 단위를 모두 mm로 통일하자.

$$T = 0.2 \times 500 \times \frac{275}{2} = 13750 \text{kgf-mm}$$

## ◆ 원추클러치

**1 Question** 기사93년9월 출제

단식 원추 클러치의 전달 마력은?(단, 원추 접촉면의 평균 지름 D : 500mm, 마찰면의 폭 b : 40mm, 원추 접촉면의 단위 직압력 P : 0.8kgf/cm², 회전속도 N : 1,000rpm, 허용 마찰계수 μ : 0.3)

㉮ 25.7 PS ㉯ 35.1 PS
㉰ 52.6 PS ㉱ 64.4 PS

해설 아래 두 공식을 이용한다.

$$T = \mu \times p_m \times \pi d_m b \times \frac{d_m}{2},$$

$$H_p(ps) = \frac{T \times 2\pi N}{75 \times 60},$$

접촉면압($p_m$)의 단위가 cm로 되었으므로 길이 단위를 cm로 통일한다.

$$T = 0.3 \times 0.8 \times \pi \times 50 \times 4 \times \frac{50}{2}$$

$$= 3769.9 \text{kgf-cm}$$

$$H_p(ps) = \frac{3769.9 \times 2\pi \times 1000}{75 \times 60 \times 100}$$

$$= 52.63789 \text{ps}$$

(여기서 분모의 100은 $T$의 단위를 kgf-m로 환산)

## ▶ 베어링

**1 Question** 기사94년5월 출제

축의 직경 d = 80mm, 베어링의 길이 $\ell$ = 150mm, 하중 P = 1,200kgf 인 슬라이딩 베어링의 압력 p 의 값은 얼마인가?

㉮ 0.05kgf/mm² ㉯ 0.1kgf/mm²
㉰ 0.2kgf/mm² ㉱ 0.4kgf/mm²

해설 아래 공식을 활용한다.

$$p_a = \frac{P}{d \times \ell},$$

여기서 $P$는 하중으로 단위가 kgf이다.(다른 장에서는 $W$로 표시)

$$p_a = \frac{1200}{80 \times 150} = 0.1 \text{kgf/mm}^2$$

**2 Question** 기사94년3월 출제

베어링 하중 2.52 톤, 회전수 n = 800rpm, 저널의 직경은 얼마인가?(단, 베어링의 압력은 0.2kgf/mm²이고 길이와 직경의 비 $\ell$ / d = 2

이다)

㉮ 6.90cm  ㉯ 8.32cm
㉰ 7.94cm  ㉱ 8.62cm

**해설** $P$는 하중으로 단위가 kgf이다

$$p_a = \frac{P}{d\ell}$$

$$\frac{\ell}{d} = 2 \text{ 이므로 } \ell = 2d$$

$$p_a = \frac{P}{d\ell} = \frac{P}{2d^2}$$

$$d = \sqrt{\frac{P}{2 \times p_a}}$$

$$d = \sqrt{\frac{2520}{2 \times 0.2}} = 79.37mm = 7.94cm$$

---

**3** **Question** ··········· 산업기사95년10월 출제 ●

기본 부하 용량이 1,800kgf인 볼 베어링이 레이디얼 하중 200kgf을 받고 150rpm으로 회전할 때 이 베어링의 수명은 몇 시간인가?

㉮ 60,000 시간  ㉯ 71,000 시간
㉰ 78,000 시간  ㉱ 81,000 시간

**해설** 다음의 베어링 수명 공식을 이용한다.

$$L_h = \left(\frac{C}{P}\right)^3 \times 500 \times \frac{33.3}{N},$$

$$L_h = \left(\frac{1800}{200}\right)^3 \times 500 \times \frac{33.3}{150}$$

$$= 80919 \text{ (hour)}$$

---

**4** **Question** ··········· 산업기사96년10월 출제 ●

안지름 60mm, 길이 60mm의 청동 저널 베어링을 250rpm의 전동축 용으로 사용하였을 경우 몇 kgf의 베어링 하중을 안전하게 받을 수 있는가?(단, $p_a v = 0.1$kgf/mm² · m/s 이다)

㉮ 430kgf  ㉯ 459kgf
㉰ 610kgf  ㉱ 660kgf

**해설** 아래의 공식을 활용한다.

$$p_a v = \frac{\pi \times P \times N}{1000 \times 60 \times \ell}$$

$$P = \frac{1000 \times 60 \times 60 \times 0.1}{3.14 \times 250}$$

$$= 458.59kg$$

---

**5** **Question** ··········· 기사99년8월 출제 ●

저널의 직경이 53 mm, 회전수가 600 rpm, 작용하중이 500 kgf인 베어링의 마찰계수μ= 0.005 일 때 베어링의 마찰손실 마력은 약 몇 PS인가?

㉮ 0.0555  ㉯ 0.0666
㉰ 0.0777  ㉱ 0.0888

**해설** 아래 공식을 이용한다.

$$H_p(PS) = \frac{W_f}{75} = \frac{\mu P v}{75} \text{ 이므로,}$$

$$v = \frac{\pi D N}{60 \times 1000} = \frac{\pi \times 53 \times 600}{60 \times 1000} = 1.665$$
$$\text{(m/s)},$$

$$H_P = \frac{0.005 \times 500 \times 1.665}{75} = 0.0555PS$$

---

**6** **Question** ··········· 기사00년3월 출제 ●

베어링 하중 1260 kgf, 회전수 600 rpm의 저널 베어링의 폭과 지름의 비가 2이고, 허용 베어링 압력 0.1 kgf/mm²일 때 지름은 약 얼마인가?

㉮ 112 mm  ㉯ 72 mm
㉰ 76 mm  ㉱ 80 mm

**해설** $P$는 하중으로 단위가 kgf이다

$$p_a = \frac{P}{d\ell}, \quad \frac{\ell}{d} = 2 \text{ 이므로, } \ell = 2d$$

$$p_a = \frac{P}{d\ell} = \frac{P}{2d^2}$$

$$d = \sqrt{\frac{P}{2 \times p_a}} \quad d = \sqrt{\frac{1260}{2 \times 0.1}} = 80\text{mm}$$

---

**7** Question ·········· 기사00년10월 출제

축 지름이 60 mm, 저널의 길이가 120mm, 하중이 1300 kgf인 슬라이딩 베어링의 압력은 약 몇 kgf/mm² 인가?

㉮ 0.018　　　　㉯ 0.18

㉰ 0.28　　　　㉱ 0.028

**해설** $P$는 하중으로 단위가 kgf이다

$$p_a = \frac{P}{d\ell},$$

$$p_a = \frac{1300}{60 \times 120} = 0.18\text{kgf/mm}^2$$

---

**8** Question ·········· 기사03년3월 출제

볼베어링 번호 6008 에서 이 베어링의 안지름은?

㉮ 30mm　　　　㉯ 16mm

㉰ 24mm　　　　㉱ 40mm

**해설** 볼베어링 번호의 마지막 두 자리가 직경을 뜻하는데, 직경은 5로 나눈 값으로 표시된다. 그러므로 마지막 두 자리가 08이므로, 8×5=40mm를 뜻한다.

---

**9** Question ·········· 기사03년8월 출제

지름 50mm인 축에 베어링 길이가 150mm인 미끄럼 베어링을 설치하려고 한다. 베어링에 하중이 1200kgf 작용하면 베어링 압력은 몇 kgf/mm² 인가?

㉮ 0.16　　　　㉯ 0.2

---

㉰ 0.32　　　　㉱ 0.4

**해설** $P$는 하중으로 단위가 kgf이다

$$p_a = \frac{P}{d\ell},$$

$$p_a = \frac{1200}{50 \times 150} = 0.16\,\text{kgf/mm}^2$$

---

**10** Question ·········· 산업기사04년2회 출제

기본 부하용량이 2400 kgf인 볼베어링이 베어링 하중 200kgf을 받고, 500 rpm으로 회전할 때, 이 베어링의 수명은 약 몇 시간이 되는가?

㉮ 57540 시간　　　㉯ 78830 시간

㉰ 87420 시간　　　㉱ 98230 시간

**해설** 다음의 베어링 수명 공식을 이용한다.

$$L_h = \left(\frac{C}{P}\right)^3 \times 500 \times \frac{33.3}{N},$$

$$L_h = \left(\frac{2400}{200}\right)^3 \times 500 \times \frac{33.3}{500}$$

$$= 57542.4\,(\text{hour})$$

---

**11** Question ·········· 산업기사04년4회 출제

500rpm으로 회전하고 있는 볼베어링에 500 kgf의 레이디얼 하중이 작용하고 있다. 이 베어링의 기본동적 부하용량(basic dynamic load capacity)이 3000 kgf일 때, 베어링의 정격수명은? (단, 하중계수는 1로 한다.)

㉮ 6400시간　　　㉯ 7200시간

㉰ 8400시간　　　㉱ 9600시간

**해설** 다음의 베어링 수명 공식을 이용한다.

$$L_h = \left(\frac{C}{P}\right)^3 \times 500 \times \frac{33.3}{N}$$

$$L_h = \left(\frac{3000}{500}\right)^3 \times 500 \times \frac{33.3}{500}$$

$$= 7192.8(\text{hour})$$

---

7.㉯　8.㉱　9.㉮　10.㉮　11.㉯

## 3. 전동용 기계요소

### ▶ 기 어

#### ◆ 기어의 이의 크기 표시방법

**I Question** 기사00년7월 출제

피치원의 지름이 100 mm이고 잇수가 20인 표준 평기어의 모듈(module)은 얼마인가?

㉮ 2          ㉯ 5
㉰ 10         ㉱ 20

**해 설** $m = \dfrac{D}{Z}$ 공식을 이용한다.

$$m = \frac{100}{20} = 5$$

**2 Question** 기사03년8월 출제

표준스퍼 기어에서 모듈이 3일 때, 기어의 원주 피치는 약 몇 mm 인가?

㉮ 3          ㉯ 3.14
㉰ 6.28       ㉱ 9.42

**해 설** $p = \pi \times m$ 공식을 이용한다.

$$p = \pi \times 3 = 9.42mm$$

**3 Question** 산업기사05년3회 출제

잇수 z=24, 모듈 m=2인 표준기어가 있다. 피치원의 반지름 R은 얼마인가?

㉮ 52         ㉯ 12
㉰ 48         ㉱ 24

**해 설** 아래 공식을 이용한다.

$$m = \frac{D}{Z}, \qquad D = m \times Z,$$

$$D = 2 \times 24 = 48mm,$$

$$r = \frac{D}{2} = \frac{48}{2} = 24mm$$

**4 Question** 산업기사04년2회 출제

어떤 평기어의 잇수가 100개이고 피치원의 직경이 400mm인 경우 이 기어의 모듈은 얼마인가?

㉮ 2          ㉯ 3
㉰ 4          ㉱ 5

**해 설** 아래 공식을 이용한다.

$$m = \frac{D}{Z},$$

$$m = \frac{400}{100} = 4로 계산된다.$$

**5 Question** 산업기사04년3회 출제

기어 잇수 25개, 피치원의 지름 75 mm 인 표준 스퍼기어의 모듈은 얼마인가?

㉮ 3          ㉯ 9.42
㉰ 8.5        ㉱ 6

**해 설** 아래 공식을 이용한다.

$$m = \frac{D}{Z},$$

$$m = \frac{75}{25} = 3로 계산된다.$$

#### ◆ 표준 스퍼 기어 설계

**I Question** 기사93년8월/04년3회 출제

모듈(module)이 4, 잇수가 각각 25 개 및 50 개인 한 쌍의 스퍼 기어(spur gear)의 기어 중

1.㉯  2.㉱  3.㉱  4.㉰  5.㉮  / 1.㉰

심 거리는?

㉮ 300mm      ㉯ 200mm

㉰ 150mm      ㉱ 100mm

**해 설** $L$은 중심 거리(mm), $m$은 모듈, $Z$를 기어의 잇수이다.

$$L = \frac{m(Z_1 + Z_2)}{2}$$

$$L = \frac{4(25 + 50)}{2} = 150\text{mm}$$

---

**2** Question      산업기사94년3월 출제

중심 거리가 120, 한쪽 기어의 피치원 지름이 80 일 때 상대 기어의 피치원 지름은 얼마인가?

㉮ 40      ㉯ 80

㉰ 120      ㉱ 160

**해 설** $L$은 중심 거리(mm), $D$는 내(외)경이다.

$$L = \frac{D_1 + D_2}{2}$$

$$D_1 = 120 \times 2 - 80 = 160\text{mm}$$

---

**3** Question      산업기사96년3월 출제

모듈 6, 잇수 50 인 스퍼 기어의 바깥지름은?

㉮ 300mm      ㉯ 312mm

㉰ 316mm      ㉱ 318mm

**해 설** $D_0$를 바깥지름이라고 하면,

$$D_0 = m(Z + 2)$$

$$D_0 = 6(50 + 2) = 312\text{mm}$$

---

**4** Question      산업기사03년3월 출제

스퍼기어의 피니언이 3,000 rpm으로 잇수가 20개일 때 1,000rpm으로 감속하려면 기어의

잇수는 몇 개가 적당한가?

㉮ 30개      ㉯ 60개

㉰ 90개      ㉱ 120개

**해 설** $N_1 = 3000\text{rpm}$, $N_2 = 1000\text{rpm}$, $Z_1 = 20$, $Z_2 = x$ 라고 하면

$$\frac{N_2}{N_1} = \frac{Z_1}{Z_2}, \quad \frac{1000}{3000} = \frac{20}{x}$$

$$x = \frac{3000 \times 20}{1000} = 60\text{개}$$

---

**5** Question      산업기사03년5월 출제

피치원 지름이 40mm, 잇수가 20 인 표준 스퍼 기어의 이끝 높이는 약 몇 mm 인가?

㉮ 0.64      ㉯ 2

㉰ 3.14      ㉱ 6.28

**해 설** 보통 이끝의 높이는 모듈과 같으므로

이끝높이 $= \dfrac{40}{20} = 2\text{mm}$으로 계산된다.

---

**6** Question      기사03년8월 출제

기초원 지름이 150〔mm〕, 잇수 30, 압력각 20° 인 인벌류트 스퍼 기어에서 물림길이가 7π〔mm〕라면 이 기어의 물림율은?

㉮ 1.0      ㉯ 2.0

㉰ 1.4      ㉱ 2.5

**해 설** 물림율$(S_\eta) = \dfrac{S}{p_n}$이므로, 먼저 법선 피치를 구한다.

$$p_n = p_g = \frac{\pi D_g}{Z} = \frac{\pi \times 150}{30}$$

$$물림율(S_\eta) = \frac{S}{p_n} = \frac{7\pi}{\frac{\pi 150}{30}}$$

$$= \frac{30 \times 7}{150} = 1.4$$

---

## 7 Question
산업기사03년8월 출제

중심거리가 900mm 인 한 쌍의 표준 스퍼 기어의 회전비가 3 : 1 일 때 피니언의 피치원 지름은 몇 mm 인가?

㉮ 450  ㉯ 750
㉰ 1050  ㉱ 1350

**해설** 피니언의 회전수와 피치원의 지름을 각각 $N_1, D_1$, 피동기어의 회전수와 피치원의 지름을 각각 $N_2, D_2$라고 하면, 회전수는 지름에 반비례한다.

$$\frac{N_1}{N_2} = \frac{D_2}{D_1}$$ 에 대입한다.

$$\frac{3}{1} = \frac{D_2}{D_1}, \quad D_2 = 3D_1 \cdots\cdots [1식]$$

중심거리는 아래와 같이 구하므로, [1식]을 대입한다.

$$L = \frac{D_1 + D_2}{2} = \frac{D_1 + 3D_1}{2} = \frac{4D_1}{2} = 2D_1$$

$$900 = 2D_1, \quad D_1 = \frac{900}{2} = 450mm$$

$D_2$는 1식에 의하여 3×450 = 1350mm로 계산된다.

## 8 Question
기사99년8월 출제

외접하는 표준 평기어에서 감속비 1 : 2, 모듈 m=4, 피니언의 잇수 25인 한 쌍의 기어의 중심거리는 얼마인가?

㉮ 75 mm  ㉯ 150 mm
㉰ 200 mm  ㉱ 300 mm

**해설** 아래 공식을 이용하여 피동기어의 잇수 $(Z_1)$를 구한다.

$$\frac{N_2}{N_1} = \frac{Z_1}{Z_2}$$ 에서 $$\frac{N_2}{N_1} = \frac{1}{2} = \frac{25}{Z_2}$$ 이므로,

$Z_2 = 50$개이다.

$$L = \frac{m(Z_1 + Z_2)}{2}$$ 을 이용한다.

$$L = \frac{4(25 + 50)}{2} = 150mm$$

## 9 Question
기사94년6월/97년9월/99년4월 출제

Za = 19, Zb = 56, M = 4, $\alpha$ = 20°인 한 쌍의 표준 평기어가 있다. 이 기어장치의 중심 거리는 얼마인가?

㉮ 300mm  ㉯ 150mm
㉰ 450mm  ㉱ 200mm

**해설** $L$은 중심 거리(mm), $m$은 모듈, $Z$를 기어의 잇수이다.

$$L = \frac{m(Z_1 + Z_2)}{2}$$

$$L = \frac{4 \times (19 + 56)}{2} = 150mm$$

## 10 Question
기사96년3월 출제

두개의 평치차가 서로 물고 있을 때 모듈이 5이고 잇수 $Z_1$ = 20, $Z_2$ = 34 이면 축간 거리는 몇 mm 인가?

㉮ 135mm  ㉯ 145mm
㉰ 155mm  ㉱ 165mm

**해설** $L$은 중심 거리(mm), $m$은 모듈, $Z$를 기어의 잇수이다.

$$L = \frac{m(Z_1 + Z_2)}{2}$$

$$L = \frac{5 \times (20 + 34)}{2} = 135mm$$

**11** Question ............................ 산업기사96년3월 출제

바깥지름 152mm, 잇수 36 인 스퍼 기어(spur gear)의 모듈은 얼마인가?(자동차정비산업기사 96-3월)

㉮ 4          ㉯ 3

㉰ 6          ㉱ 4.22

**해설**   $D_0$를 바깥지름이라고 하면,

$$D_0 = m(Z+2) \quad m = \frac{152}{36+2} = 4$$

**12** Question ............................ 산업기사98년5월 출제

모듈 4, 잇수가 $Z_A = 36$, $Z_B = 79$ 의 한 쌍인 표준 스퍼 기어의 축간 거리는 몇 mm 인가?

㉮ 130mm      ㉯ 170mm

㉰ 210mm      ㉱ 230mm

**해설**   $L$은 중심 거리(mm), $m$은 모듈, $Z$를 기어의 잇수 이다.

$$L = \frac{m(Z_A + Z_B)}{2}$$

$$L = \frac{4(36+79)}{2} = 230 \, mm$$

**13** Question ............................ 산업기사98년5월 출제

모듈 M = 3, 압력각 $\alpha = 20°$, 잇수 $Z_1 = 18$, $Z_2 = 56$ 인 표준 평치차의 중심 거리는 몇 mm 인가?

㉮ 111mm      ㉯ 124mm

㉰ 130mm      ㉱ 222mm

**해설**   $L$은 중심 거리(mm), $m$은 모듈, $Z$를 기어의 잇수 이다.

$$L = \frac{m(Z_1 + Z_2)}{2}$$

$$L = \frac{3(18+56)}{2} = 111 \, mm$$

**14** Question ............................ 기사00년3월 출제

모듈 5, 잇수 60인 표준 스퍼기어의 외경은 몇 mm인가?

㉮ 12          ㉯ 300

㉰ 310         ㉱ 320

**해설**   $D_0$를 바깥지름이라고 하면,

$$D_0 = m(Z+2)$$

$$D_0 = 5(60+2) = 310 \, mm$$

**15** Question ............................ 기사00년10월 출제

모듈이 4, 잇수가 각각 25 개 및 50 개인 한쌍의 스퍼 기어장치의 중심거리는?

㉮ 300 mm      ㉯ 200 mm

㉰ 150 mm      ㉱ 100 mm

**해설**   $L$은 중심 거리(mm), $m$은 모듈, $Z$를 기어의 잇수 이다.

$$L = \frac{m(Z_1 + Z_2)}{2}$$

$$L = \frac{4 \times (25+50)}{2} = 150 \, mm$$

**16** Question ............................ 기사01년3월 출제

모듈 4, 잇수 $Z_1 = 20$, $Z_2 = 40$일 때, 표준 스퍼 기어 의 중심거리는 몇 mm인가?

㉮ 80          ㉯ 120

㉰ 160         ㉱ 240

**해설**   $L$은 중심 거리(mm), $m$은 모듈, $Z$를 기어의 잇수 이다.

$$L = \frac{m(Z_1 + Z_2)}{2}$$

$$L = \frac{4 \times (20+40)}{2} = 120 \, mm$$

**17** Question

한 쌍의 평치차가 모듈이 5 이고 잇수가 $Z_1 = 20$, $Z_2 = 34$ 이면 축간거리는 몇 mm인가?

㉮ 135      ㉯ 140

㉰ 270      ㉱ 280

**해설** $L$ 은 중심 거리(mm), $m$ 은 모듈, $Z$ 를 기어의 잇수 이다.

$$L = \frac{m(Z_1 + Z_2)}{2}$$

$$L = \frac{5 \times (20 + 34)}{2} = 135mm$$

---

**18** Question     기사01년9월 출제

모듈이 4, 잇수가 $Z_1 = 25$, $Z_2 = 60$인 표준 평치차가 서로 맞물고 회전할 때 두 기어의 중심거리는 몇 mm인가?

㉮ 85      ㉯ 170

㉰ 340      ㉱ 680

**해설** $L$ 은 중심 거리(mm), $m$ 은 모듈, $Z$ 를 기어의 잇수 이다.

$$L = \frac{m(Z_1 + Z_2)}{2}$$

$$L = \frac{4 \times (25 + 60)}{2} = 170mm$$

---

**19** Question     기사03년8월 출제

외접한 한쌍의 표준평치차의 중심거리가 100mm이고, 한쪽 기어의 피치원 지름이 80mm일 때 상대기어의 피치원 지름은?

㉮ 40mm      ㉯ 90mm

㉰ 120mm      ㉱ 160mm

**해설** $L$ 은 중심 거리(mm), $D$ 는 내(외)경

$$L = \frac{D_1 + D_2}{2}$$
$$D_2 = 100 \times 2 - 80 = 120mm$$

---

**20** Question     기사03년8월 출제

모듈이 5, 압력각은 15° 잇수가 19개인 표준 평기어의 바깥지름은 약 mm 인가?

㉮ 52.5      ㉯ 54.35

㉰ 105      ㉱ 108.70

**해설** $D_0$ 를 바깥지름이라고 하면,

$$D_0 = m(Z + 2)$$

$$OD = 5 \times (2 + 19) = 105mm$$

---

**21** Question     산업기사04년3회 출제

스퍼기어의 원동축 피니언이 300rpm 으로 잇수가 20개일 때, 100 rpm으로 감속하려면 종동축 기어의 잇수는?

㉮ 30 개      ㉯ 40 개

㉰ 60 개      ㉱ 80 개

**해설** 피니언의 회전수와 잇수를 각각 $N_1$, $Z_1$, 피동기어의 회전수와 잇수를 각각 $N_2, Z_2$ 라고 하면, 회전수는 지름에 반비례한다.

$$\frac{N_1}{N_2} = \frac{D_2}{D_1} = \frac{Z_2}{Z_1} \text{ 에 대입한다.}$$

$$\frac{300}{100} = \frac{Z_2}{20} \quad \therefore Z_2 = 3 \times 20 = 60 \text{개}$$

---

**22** Question     산업기사04년4회 출제

모듈이 8인 외접한 한쌍의 표준 평기어의 잇수가 각각 70, 98 일 때 중심거리는 몇 mm 인가?

㉮ 560      ㉯ 672

㉰ 782      ㉱ 1344

**해설** $L$ 은 중심 거리(mm), $m$ 은 모듈, $Z$ 를 기어의 잇수 이다.

$$L = \frac{m(Z_1 + Z_2)}{2},$$

$$L = \frac{8 \times (70 + 98)}{2} = 672mm$$

**23** Question ······················ 기사05년2회 출제

모듈이 4인 두 외접 스퍼기어의 잇수를 각각 30, 50이라 할 때 중심거리는 몇(mm)인가?

㉮ 100 ㉯ 120

㉰ 140 ㉱ 160

해설 $L$은 중심 거리(mm), $m$은 모듈, $Z$를 기어의 잇수 이다.

$$L = \frac{m(Z_1 + Z_2)}{2},$$

$$L = \frac{4 \times (30 + 50)}{2} = 160\,mm$$

**24** Question ······················ 기사05년3회 출제

모듈이 5이고, 잇수가 12와 36인 한 쌍의 표준 스퍼기어를 두 축에 설치하는 경우에 두 축간거리는?

㉮ 80mm ㉯ 90mm

㉰ 100mm ㉱ 120mm

해설 $L$은 중심 거리(mm), $m$은 모듈, $Z$를 기어의 잇수 이다.

$$L = \frac{m(Z_1 + Z_2)}{2},$$

$$L = \frac{5 \times (12 + 36)}{2} = 120\,mm$$

◆ 헬리컬 기어 설계

**1** Question ······················ 기사94년3월 출제

비틀림 각이 30°인 헬리컬 기어에서 피치원의 지름(P. C. D) = 101.61mm 이고, 치 직각 모듈이 4일 때 이 기어의 바깥지름(mm)은 얼마인가?

㉮ 105.61mm ㉯ 106.22mm

㉰ 109.61mm ㉱ 110.85mm

해설 아래의 공식을 이용한다.

$$D_0 = m(Z + 2) = mZ + 2m$$
$$= 101.61 + 2 \times 4 = 109.61mm$$

**2** Question ······················ 기사93년3월/05년1회 출제

비틀림 각이 20°인 한 쌍의 헬리컬 기어에서 잇수가 각각 40, 80 이고 직각 모듈이 5일 때 중심 거리는 얼마인가?

㉮ 281.91mm ㉯ 300.00mm

㉰ 319.25mm ㉱ 339.74mm

해설 아래의 공식을 이용한다.

$$L_H = \frac{(D_1 + D_2)}{2} = \frac{(Z_1 + Z_2)}{2 \times \cos\beta}\,m$$

$$L_H = \frac{5(40 + 80)}{2 \times \cos 20°} = 319.253mm$$

**3** Question ······················ 산업기사97년3월 출제

원주 속도가 7m/sec 로 25kW 를 전달하는 헬리컬 기어에서 비틀림 각이 30°일 때 축방향으로 작용하는 힘은 몇 kgf 인가?

㉮ 210 kgf ㉯ 225 kgf

㉰ 230 kgf ㉱ 235 kgf

해설 아래의 공식을 이용한다.

$$H_p(\text{kW}) = \frac{P \times V}{102}, (여기서 \ P는 \ 힘을$$

나타내며, 다른 장에서는 $W$, $F$로 표기)

여기서 1kW=102kgf-m 이기 때문이다. P 는 원주에 작용하는 접선 힘(kgf)을 말한다.

$$P = \frac{102 \times 25}{7} = 364.285 \ \text{kgf}$$

축방향 힘 $= P \times \tan 30° = 364.28 \times 0.577$
$$= 210.18kgf$$

**4** Question ........................ 기사03년3월 출제

비틀림 각이 30° 인 헬리컬 기어에서 잇수가 50, 치직각 모듈이 4일 때 바깥지름은 약 몇 mm 인가?

㉮ 204      ㉯ 239

㉰ 208      ㉱ 243

**[해설]** 아래의 공식을 이용한다.

$$피치원지름(D) = \frac{Z \times m}{\cos \beta} = \frac{50 \times 4}{\cos 30^\circ}$$

$$= 230.94mm$$

$$바같지름(D_0) = D + 2 \times m$$

$$= 230.94 + 2 \times 4$$

$$= 238.94mm$$

## ◆ 기어 트레인(치차열)

**1** Question ........................ 산업기사94년3월 출제

그림과 같은 치차열(gear train)을 하고 있는 표준 평치차에서 모듈 M = 5, 치수류를 각각 $Z_1$ = 42, $Z_2$ = 50, $Z_3$ = 16, $Z_4$ = 20 이라고 할 때, 중심 거리 A 는 몇 mm 인가?

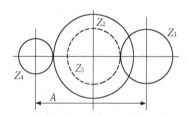

㉮ 255mm      ㉯ 320mm

㉰ 420mm      ㉱ 580mm

**[해설]** 중심거리는 아래와 같이 구한다.

$$L = \frac{m \times (Z_1 + Z_2 + Z_3 + Z_4)}{2} \text{ 에 대입한다.}$$

$$L = \frac{5 \times (42 + 50 + 16 + 20)}{2} = 320mm$$

**2** Question ........................ 산업기사96년10월 출제

그림과 같이 4 개의 기어로 1,200rpm 을 100rpm 으로 감속하려 한다. 이때 각각의 잇수는 $Z_1$ = 20, $Z_2$ = 80, $Z_3$ = 20 이다. $Z_4$ 는 몇 개인가?

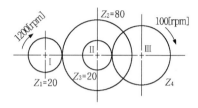

㉮ 20 개      ㉯ 40 개

㉰ 60 개      ㉱ 80 개

**[해설]** 속도비는 아래와 같이 구한다.

$$i = \frac{N_Z}{N_A} = \frac{Z_A \times Z_C}{Z_B \times Z_Z},$$

$$i = \frac{100}{1200} = \frac{20 \times 20}{80 \times Z_Z}$$

$$Z_Z = \frac{1200 \times 20 \times 20}{100 \times 80} = 60개$$

**3** Question ........................ 산업기사03년3월 출제

그림과 같은 기어전동장치에서 기어수가 $Z_1$=30, $Z_2$=40, $Z_3$=20, $Z_4$=30 인 경우 I 축이 300 rpm 으로 우회전하면 III 축은 어느 방향으로 몇 회전 하는가?(단, $Z_2$는 I 축의 기어와 맞물린 기어이고, $Z_3$는 III 축 기어와 맞물린 기어 잇수임)

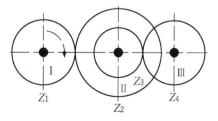

㉮ 300 우회전      ㉯ 300 좌회전

㉰ 150 우회전      ㉱ 150 좌회전

**예설** 회전의 방향은 I축이 우회전, II축은 I축과 외접하므로 회전방향이 반대되므로 좌회전, II과 III축도 외접하므로 회전방향이 반대되므로 우회전이 된다.

$$i = \frac{N_Z}{N_A} = \frac{Z_A \times Z_C}{Z_B \times Z_Z}$$

$$i = \frac{N_Z}{300} = \frac{30 \times 20}{40 \times 30}$$

$$N_Z = \frac{300 \times 30 \times 20}{40 \times 30} = 150 \text{rpm}$$

**4** Question ·········· 기사03년5월 출제

그림과 같은 기어장치에서 각 기어의 잇수를 $Z_1$ = 20, $Z_2$ = 85, $Z_3$ = 25, $Z_4$ = 100 이면 회전 속도비(回轉速度比) $N_1$ : $N_4$ 는?

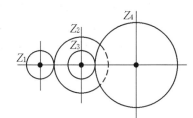

㉮ 17 : 1　　　㉯ 15 : 1
㉰ 13 : 1　　　㉱ 10 : 1

**예설** 회전의 방향은 I축이 우회전, II축은 I축과 외접하므로 회전방향이 반대되므로 좌회전, II과 III축도 외접하므로 회전방향이 반대되므로 우회전이 된다.

$$i = \frac{N_4}{N_1} = \frac{Z_1 \times Z_3}{Z_2 \times Z_4}, \quad i = \frac{20 \times 25}{85 \times 100}$$

$$\frac{N_1}{N_4} = \frac{85 \times 100}{20 \times 25} = 17 \text{로 계산된다.}$$

## ▶ 벨트와 체인

### ◆ 평벨트

**1** Question ·········· 산업기사98년5월 출제

4m/sec 의 속도로 전동하고 있는 벨트의 긴장측 장력이 125kgf, 이완측의 장력이 50kgf 이라고 하면 전동하고 있는 동력은 몇 마력(PS)인가?

㉮ 1 PS　　　㉯ 2.67 PS
㉰ 4 PS　　　㉱ 6.67 PS

**예설** 아래 식에 대입한다.

$$H_p(ps) = \frac{T_e \times v}{75} = \frac{(T_t - T_s)v}{75},$$

$$T_e = T_t - T_s = 125 - 50 (\text{kgf}),$$

$$v = 4 (\text{m/s}) 이므로,$$

$$H_p = \frac{(125 - 50) \times 4}{75} = 4 \text{PS}$$

**2** Question ·········· 산업기사94년3월 출제

평벨트 전동에서 인장측의 장력이 115kgf 이고, 장력비 $e^{\mu\theta}$ = 2.875 인 경우 이완측의 장력은 몇 kgf 인가?(단, $\theta$ rad 은 벨트의 접촉각, $\mu$ 는 벨트 풀리 사이의 마찰계수이며, 벨트 속도의 원심력 영향은 무시한다)

㉮ 35kgf　　　㉯ 40kgf
㉰ 315kgf　　　㉱ 331kgf

**예설** 원심력을 무시하므로, $\frac{T_t}{T_s} = e^{\mu\theta}$ 에 대입한다.

$$T_s = \frac{115}{2.875} = 40 \text{kgf으로 계산된다.}$$

## 3 Question

벨트의 속도가 5m/sec 이다. 20kW 를 전달하려면 인장측의 장력은 몇 kgf 인가?(단, 인장측 장력은 이완측의 장력의 2 배이다)

㉮ 408 kgf  ㉯ 816 kgf

㉰ 1,124 kgf  ㉱ 1,632 kgf

**해설** $H_b(\text{kW}) = \dfrac{T_e \times v}{102}$ 에 대입한다.

$$T_e = \frac{102 \times 20}{5} = 408\text{kgf}$$

$T_e = T_t - T_s$ 에서

인장측의 장력은 이완측 장력의 2 배이므로

$$T_e = 2T_s - T_s = T_s$$

∴ 이완측의 장력은 유효 장력과 같으므로

$$T_t = 408\text{kgf} \times 2 = 816\text{kgf}$$

## 4 Question

평벨트의 두께×나비가 5 mm×80 mm이고 허용 인장응력이 0.2 kgf/mm²일 때 7.5 m/s의 속도로 운전하면 전달할 수 있는 최대 동력은 몇 PS 인가?(단, 장력비는 $e^{\mu\theta} = 2.0$이다.)

㉮ 3  ㉯ 4

㉰ 6  ㉱ 8

**해설** $\sigma = \dfrac{T_t}{A}$, $T_t = \sigma \times A$

( $T_t$ : 인장측 장력) 이므로,

$$H_b(ps) = \frac{T_e \times v}{75} = \frac{T_t v}{75}\left(\frac{e^{\mu\theta} - 1}{e^{\mu\theta}}\right)$$

$$= \frac{\sigma A v}{75}\left(\frac{e^{\mu\theta} - 1}{e^{\mu\theta}}\right)$$

로 변환된다.

$$H_{ps} = \frac{0.2 \times 5 \times 80 \times (2-1) \times 7.5}{75 \times 2} = 4(\text{PS})$$

## 5 Question

평벨트 바로걸기의 경우 축의 중심거리가 1000 mm, 원동차의 지름 $D_1$ = 250mm, 종동차의 지름 $D_2$ = 500mm 일 때 평벨트의 길이는?

㉮ 2193.7(mm)  ㉯ 2318.7(mm)

㉰ 3193.7(mm)  ㉱ 3318.7(mm)

**해설** 아래 식에 대입한다.

$$L = 2C + \frac{\pi}{2}(D_1 + D_2) + \frac{(D_2 - D_1)^2}{4C}$$

$$L = 2 \times 1000 + \frac{\pi}{2}(250 + 500) + \frac{(500 - 250)^2}{4 \times 1000}$$

$$= 3193.7\text{mm}$$

## 6 Question

원동차 지름이 24 cm, 회전수가 200 rpm이고 종동차 지름이 36 cm일 때 벨트와 풀리의 미끄럼을 3 %로 하면 종동차의 회전수는 약 몇 rpm 으로 되는가?

㉮ 127  ㉯ 131

㉰ 129  ㉱ 136

**해설** 미끄럼율이 3%이므로,

$$N_1 = 200(1 - 0.03) = 194\text{rpm}\text{이다.}$$

$$i = \frac{N_2}{N_1} = \frac{D_1}{D_2}$$

$$N_2 = \frac{D_1}{D_2} \times N_1 = \frac{24}{36} \times 200$$

$$= 129.33\text{rpm}$$

## 7 Question

8m/sec 의 속도로서 16 PS 을 전달하는 벨트 전동장치에서 긴장측의 장력은 몇 kgf 인가? (단, 긴장측의 장력은 이완측 장력의 2 배이고 원심력은 무시한다)

㉮ 150 ㉯ 200
㉰ 250 ㉭ 300

**[해설]** $H_p(kW) = \dfrac{T_e \times v}{102}$ 에 대입한다.

$$T_e = \frac{75 \times 16}{8} = 150\text{kgf},$$

$T_e = T_t - T_s$ 에서

인장측의 장력은 이완측 장력의 2배이므로

$$T_e = 2T_s - T_s = T_s$$

∴ 이완측의 장력은 유효 장력과 같으므로

$T_t = 150\text{kgf} \times 2 = 300\text{kgf}$ 로 계산된다.

---

**8 Question**  산업기사04년1회 출제

4m/sec의 속도로 회전하는 평벨트의 긴장측의 장력을 114 kgf, 이완측 장력을 45kgf이라 하면 전달 동력은 약 몇 마력(PS) 인가?

㉮ 2.7 ㉯ 3.7
㉰ 4.5 ㉭ 6.1

**[해설]** 아래 식에 대입한다.

$$H_p(ps) = \frac{T_e \times v}{75} = \frac{(T_t - T_s)v}{75},$$

$$T_e = T_t - T_s = 114 - 45 \,(\text{kgf}),$$

$v = 4\,(m/s)$ 이므로,

$$H_p = \frac{(114 - 45) \times 4}{75} = 3.68\text{PS}$$

---

**9 Question**  기사05년1회 출제

2m/s로 4ps를 전달하는 벨트 전동장치에서 필요한 벨트의 유효장력은 몇 kgf 인가?(단, 원심력은 고려하지 않는다.)

㉮ 50 ㉯ 100
㉰ 150 ㉭ 200

**[해설]** 아래 식에 대입한다.

---

$$H_p(ps) = \frac{T_e \times v}{75},$$

$$T_e = \frac{H_p \times 75}{v} = \frac{4 \times 75}{2} = 150\text{kgf}$$

## ◆ V 벨트의 전달마력

**1 Question**  산업기사96년3월/05년1회 출제

3kW, 1800rpm 인 전동기로 300rpm 인 펌프를 회전시킬 경우 두 축간 거리가 600mm 인 V 벨트에서 원동축의 풀리 지름이 $D_1$ = 120mm 일 때 종동축 풀리 지름은?

㉮ 20mm ㉯ 480mm
㉰ 720mm ㉭ 1080mm

**[해설]** 속도비의 공식을 이용한다.

$$\frac{N_2}{N_1} = \frac{D_1}{D_2}$$

$$D_2 = \frac{1800 \times 120}{300} = 720\text{mm}$$

---

**2 Question**  기사99년4월 출제

7.5 m/s 속도로 동력을 전달하고 있는 V 벨트의 긴장측의 장력이 172 kgf, 이완측의 장력이 70 kgf 이라면, 전달하고 있는 동력은 몇 kW인가?

㉮ 7.5 ㉯ 10.2
㉰ 15 ㉭ 20.4

**[해설]**

$$H_p(kW) = \frac{T_e \times v}{102} = \frac{(T_t - T_s)v}{102}$$

$$T_e = T_t - T_s = 172 - 70 = 102\,(\text{kgf})$$

$v = 7.5\,(m/s)$ 이므로,

$$H_p = \frac{T_e \cdot v}{102} = \frac{102 \times 7.5}{102} = 7.5\text{kW}$$

---

8.㉯ 9.㉰ / 1.㉰ 2.㉮

**3** Question

V벨트의 속도가 20m/sec인 경우, V벨트 1m 당의 무게가 w = 0.1kgf/m, 긴장측의 장력이 16kgf일 때, 회전력은 약 몇 kgf 인가?( 단, 장력비는 $e^{\mu\theta}$ = 4 이다.)

㉮ 12  ㉯ 9.05

㉰ 9  ㉱ 8.95

**해 설** 원심력을 고려해야 하므로, 긴장측의 장력은 아래와 같이 구해진다.

$$T_t = T_e \left( \frac{e^{\mu\theta}}{e^{\mu\theta}-1} \right) + \frac{\omega v^2}{g} ,$$

$$T_e = \left( T_t - \frac{\omega v^2}{g} \right) \left( \frac{e^{\mu\theta}-1}{e^{\mu\theta}} \right)$$

$$T_e = \left( 16 - \frac{0.1 \times 20^2}{9.8} \right) \left( \frac{4-1}{4} \right)$$

$$= 8.94 \text{kgf} \text{ 으로 계산된다.}$$

◈ **체 인**

**1** Question

호칭 번호 100 번의 로울러 체인용 스프로킷 휠에서 잇수 40일 때 피치원 지름(mm)은 ?(단, 호칭번호 100 번 체인의 피치는 31.75 mm이다.)

㉮ 404.67  ㉯ 304.67

㉰ 454.54  ㉱ 354.54

**해 설** 체인의 피치와 피치원의 지름과의 관계는 $p \times Z = \pi D$ 이므로,

$$D = \frac{p \times Z}{\pi} = \frac{31.75 \times 40}{\pi}$$

$$= 404.46 \text{mm}$$

**2** Question

체인의 원동차 잇수($Z_1$)가 30개, 회전수($N_1$) 300rpm이고, 종동차 잇수($Z_2$)가 20개일 때 종

동차의 회전수($N_2$)와 종동차의 속도($V_2$)는 각각 얼마인가?(단, 종동차의 피치는 15mm 이다.)

㉮ $N_2$=450 rpm, $V_2$=2.25 m/s

㉯ $N_2$=400 rpm, $V_2$=2 m/s

㉰ $N_2$=450 rpm, $V_2$=2.75 m/s

㉱ $N_2$=400 rpm, $V_2$=2.5 m/s

**해 설** $i = \dfrac{N_2}{N_1} = \dfrac{D_1}{D_2} = \dfrac{Z_1}{Z_2}$ 이므로

$$\frac{N_2}{300} = \frac{30}{20}$$

$$N_2 = \frac{30}{20} \times 300 = 450 \,\text{rpm}$$

$$v_m = \frac{N_2 p Z_2}{1000 \times 60} \ (\text{m/s}) \text{이므로},$$

$$v_m = \frac{450 \times 15 \times 20}{1000 \times 60} = 2.25 \text{m/s}$$

▶ **마찰차** ‖‖‖

◈ **원통 마찰차**

**1** Question

원통 마찰차를 이용하여 원주 속도 9m/sec 로 5PS 를 전달하려면 마찰차를 누르는 힘은 몇 kgf이 필요한가?(단, 마찰 계수는 0.3 이다)

㉮ 138.8kgf  ㉯ 234.4kgf

㉰ 287.1kgf  ㉱ 306.8kgf

**해 설** $H_p(ps) = \dfrac{F \times v}{75} = \dfrac{\mu W \times v}{75}$ 에 대입한다.

$$W = \frac{75 \times H_p}{\mu \times v} ,$$

$$W = \frac{5 \times 75}{0.3 \times 9} = 138.88 \text{kgf}$$

3.㉱ / 1.㉮ 2.㉮ / 1.㉮

**2** Question ·········· 산업기사96년10월/03년3월 출제

원동차의 지름 200mm, 종동차의 지름 350mm의 원통 마찰차가 있다. 12 분간 630 회전할 때 종동차는 20 분간에 몇 회전하는가?

㉮ 300 회전      ㉯ 400 회전

㉰ 500 회전      ㉱ 600 회전

**해설** 원동차의 분당회전수($N_1$) = $\dfrac{630}{12}$ (rpm)

$$\dfrac{N_2}{N_1} = \dfrac{D_1}{D_2} , \quad \dfrac{N_2}{\frac{630}{12}} = \dfrac{200}{350}$$

$$N_2 = \dfrac{200}{350} \times \dfrac{630}{12} = 30\text{rpm}$$

20분 동안의 종동차 회전수

$30 \times 20 = 600\text{rpm}$로 계산된다.

---

**3** Question ·········· 산업기사98년3월 출제

원통 마찰차 직경이 125mm 이고 종동차의 직경이 350mm 인 마찰차의 마찰 계수가 0.2 일 때 200kgf 의 힘으로 서로 밀어 붙이면 최대 토크는 몇 kgf-mm 인가?

㉮ 3,500kgf-mm    ㉯ 6,000kgf-mm

㉰ 14,000kgf-mm    ㉱ 7,000kgf-mm

**해설** $T = \mu W \dfrac{D_2}{2}$ 에 대입한다.

$$T = 200 \times 0.2 \times \dfrac{350}{2} = 7000\text{kgf-mm}$$

---

**4** Question ·········· 기사00년10월 출제

원동차의 지름이 300mm, 종동차의 지름이 450mm, 폭 75mm인 원통 마찰차가 있다. 원동차가 300rpm으로 회전할 때 전달 동력은 몇 kW인가?(단, 마찰차의 단위 길이 당 허용 압력은 2 kgf/mm이고 마찰계수 $\mu = 0.20$이다.)

㉮ 1.4      ㉯ 6.9

---

㉰ 7.1      ㉱ 4.7

**해설** 작용력($W$) = $f \times b = 2 \times 75$ (kgf)

원동차의 속도를 구한다.

$$v = \dfrac{\pi D_1 N_1}{1000 \times 60} = \dfrac{\pi \times 300 \times 300}{1000 \times 60} \text{ (m/s)}$$

전달동력은 다음에서 구한다.

$$H_p(kW) = \dfrac{F \times v}{102} = \dfrac{\mu W \times v}{102}$$

$$= \dfrac{\mu W}{102} \times \dfrac{\pi D_1 N_1}{1000 \times 60}$$

$$= \dfrac{0.2 \times 2 \times 75}{102} \times \dfrac{\pi \times 300 \times 300}{1000 \times 60}$$

$$= 1.836\text{kW} \text{ 로 계산된다.}$$

## 4. 제어용 기계요소

▶ **스프링** |||||

**1** Question ·········· 기사94년3월/00년7월/04년2회 출제

그림과 같은 스프링 장치에서 P = 10kgf 일 때의 이 식의 수직 처짐량은 몇 cm 인가?(단, 각 스프링 상수 $K_1$ = 2kgf/cm, $K_2$ = 3kgf/cm 이다)

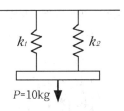

㉮ 2cm      ㉯ 5cm

ⓗ 7cm        ⓡ 10cm

해설 병렬로 연결된 스프링의 상수는 각각을 합한 것이므로, 아래와 같이 계산한다.

$$k = k_1 + k_2 = 2 + 3 = 5\text{kgf/cm}$$

$$처짐량(\delta) = \frac{W}{k} = \frac{10}{5} = 2\text{cm}$$

**2** Question 산업기사03년5월 출제

그림에서 스프링상수가 $k_1 = 0.4$ kgf/mm, $k_2 = 0.2$ kgf/mm일 때 전체 스프링상수는 몇 kgf/mm 인가 ?

ⓖ 0.16
ⓝ 0.4
ⓗ 0.6
ⓡ 0.13

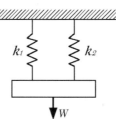

해설 병렬로 연결된 스프링의 상수는 각각을 합한 것이므로, 아래와 같이 계산한다.

$$k = k_1 + k_2 = 0.2 + 0.4$$
$$= 0.6\,\text{kgf/cm}$$

## ▶ 브레이크

**1** Question 기사93년3월 출제

그림과 같은 브레이크의 드럼 축에 10,000kgf-mm 의 토크가 작용하고 있는 블록 브레이크의 레버 끝에 가하는 힘 F 는 얼마인가?(단, 마찰계수 $\mu = 0.2$ 이다)

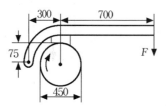

ⓖ 58kgf       ⓝ 60kgf
ⓗ 64kgf       ⓡ 72kgf

해설 먼저 드럼의 토크( $T$ )에서 제동력( $f$ )를 구한다.

$$f = \frac{2T}{D} = \frac{2 \times 10000}{450}$$
$$= 44.4444\text{kgf}$$

힌지의 지점이 브레이크 작용선의 오른쪽에 있고, 우회전을 하므로, 아래 식에서 $F$ 를 구하면 된다.

$$F = \frac{f(b - \mu c)}{\mu a}$$

$$F = \frac{44.4444 \times (300 - 0.2 \times 75)}{0.2 \times 1050}$$

$$= 60.317\text{kgf}$$

**2** Question 기사03년8월 출제

중량 3ton의 자동차가 시속 30km로 달리다가 브레이크를 걸기 시작하여 8.8m후에 정지하였다. 베어링 등 다른 마찰을 무시한다면 브레이크에 발생하는 열량(kcal)은?(단, 바퀴와 도로와의 마찰계수는 0.4이다.)

ⓖ 105.6       ⓝ 78.2
ⓗ 42.8        ⓡ 24.7

해설 중량( $W$ )이 3ton이므로, 도로와의 마찰력(제동력 : $f$ )는 아래와 같이 구한다.

$$f = \mu \times W = 0.4 \times 3000$$
$$= 1200\text{kgf} = 1200\text{kgf}$$

그러므로 제동일 = 제동력 × 제동거리이므로,

제동일 = 1200×8.8 = 10760kgf-m

1kcal = 427kgf-m의 관계가 있으므로,

제동열량 $= \dfrac{10760}{427} = 24.7\,\text{kcal}$로 구해진다.

2.ⓗ / 1.ⓝ 2.ⓡ

......................................●

그림과 같은 블록 브레이크에서 드럼 축의 레버를 누르는 힘 F를 우회전할 때는 $F_1$, 좌회전 할 때의 F를 $F_2$라고 하면 $F_1/F_2$의 값은 얼마인가?

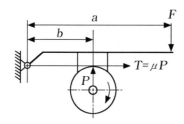

㉮ 1       ㉯ 1.5

㉰ 2       ㉱ 2.5

해설  위 브레이크는 브레이크 블록의 제동 작용선이 힌지의 지점과 일치하므로 힌지지점과 작용선 사이의 거리( $c$ )가 "0"이다. 즉, 브레이크 조작력(F)은 우회전일 경우와 좌회전일 경우와 같은 힘이 필요하다.

즉 $F_1 = F_2 = W\dfrac{b}{a} = \dfrac{fb}{\mu a}$ 으로 구해진다.

그러므로 $\dfrac{F_1}{F_2} = 1$ 로 계산된다.

# 기계공작법

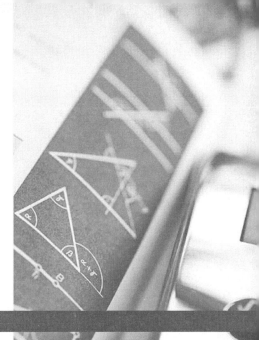

5.24789

$R_A+R_B-500$
$=0$

0.0557kgf

400-257cm

$T_r+T_a$

## 01 주조

### 1 주물 금속의 중량($W_m$)

주물의 중량을 $W_m$, 주물의 비중량을 $S_m$, 목형의 중량을 $W_p$, 목형의 비중량을 $S_p$라 하면, 목형에 부을 주물의 체적과 목형의 체적은 같다. 식을 세워보자.

주물의 체적($V_m$) = 목형의 체적($V_p$)

$$체적 = \frac{중량}{비중량}$$

$$V_m = \frac{W_m}{S_m}, \qquad V_p = \frac{W_p}{S_p}, \qquad \frac{W_m}{S_m} = \frac{W_p}{S_p},$$

$$W_m = W_p \times \frac{S_m}{S_p} \quad \cdots\cdots\cdots\cdots\cdots\cdots\cdots\cdots\cdots\cdots\cdots\cdots\cdots \text{〔1식〕}$$

으로 유도된다.

비중량 = 비중 $\times 10^3 \, \text{kgf/m}^3$이므로 비중을 각각 $s_m, s_p$라고 하면, 위 〔1식〕은 아래와 같이 표시할 수 있다.

$$W_m = W_p \times \frac{s_m \times 10^3}{s_p \times 10^3} = W_p \times \frac{s_m}{s_p}$$

으로 유도된다.

**예제 1** 목형과 주물이 똑같은 형상 체적일 때 목형의 중량이 2.5kgf 이라고 하면 주물의 중량은 몇 kgf 인가?(단, 사용 금속(주물)의 비중은 7.2, 목재의 비중은 0.4 이다)

> 목형에 부을 주물의 체적과 목형의 체적은 같다. 식을 세우면,

$$W_m = \frac{s_m}{s_p} \times W_p,$$

여기서, $W_m$은 주물의 중량(kgf), $S_m$은 주물의 비중, $s_p$는 목형의 비중, $W_p$는 목형의 중량(kgf)이다.

$W_m = \dfrac{7.2}{0.4} \times 2.5 = 45$kgf으로 계산된다.

---

## 02 측정

### ① 사인바게이지

삼각함수인 사인(sine)을 이용하여 각도를 만들기 위한 측정공구이다.

$$\sin \theta = \frac{H-h}{L}$$

여기서, $L$은 롤러 중심사이의 거리 $H$, $h$은 각 블록 게이지의 높이를 뜻한다.

주의점은 측정각이 45°이상 되면 사인바 게이지는 측정오차가 커지므로, 이보다 큰 각도

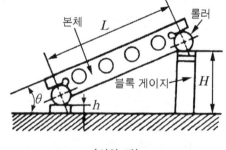

〈사인 바〉

를 필요로 할 때에는 정반에 직각인 면에 대하여 설정하여 각도를 측정하도록 한다.

---

**예제 1** 200mm 의 sin bar 를 사용하여 피 측정물의 지면과 sin bar 의 측정면이 일치하였다. 블록 게이지의 높이가 45mm 일 때 각도 $\alpha$ 는?

> 다음 공식에서 h=0이므로, $\sin \theta = \dfrac{H-h}{L}$, $\sin \theta = \dfrac{H}{L}$

$\theta = \sin^{-1} \dfrac{45}{200} = 13°$으로 계산된다.

**예제 2** L = 50 mm의 사인바(sine bar)에 의하여 경사각 θ =20°를 만드는 데 필요한 게이지블록의 높이차(H)는 약 몇 mm로 조합하여야 하는가?

산업기사 04-2회

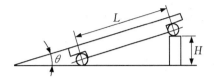

다음 공식에서 h=0이므로, $\sin\theta = \dfrac{H-h}{L}$, $\sin\theta = \dfrac{H}{L}$,

$H = \sin\theta \times L = \sin 20 \times 50 = 17.1$mm로 계산된다.

# 2 다이얼게이지

지침이 1회전하면 스핀들이 1 mm 움직이며 원둘레가 100등분되어 있으므로, 1눈금은 0.01 mm(=1/100)까지 읽을 수 있다. 그리고 지침의 회전수를 알려주는 지시판이 있어서 5 mm, 10 mm까지 측정할 수 있다. 용도로는 다듬면의 평면도 검사, 축의 휨 및 진동, 기어의 백래시, 원통의 진원도, 축의 스러스트(thrust) 등을 측정할 수 있다.

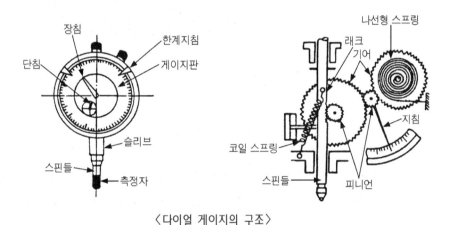

〈다이얼 게이지의 구조〉

**예제 1** V 블록 위에 측정물을 올려놓은 뒤 회전하였더니 다이얼 게이지의 눈금 차이가 0.5mm 이었다면, 그 진원도는?

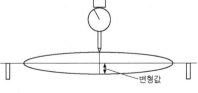

축을 회전시키면 그림과 같이 변형값이 중심선을 중심으로 위아래로 생긴다. 그래서 진원도(변형값)은 측정된 값에 2로 나누어야 한다.

진원도 $= \dfrac{0.5\,mm}{2} = 0.25$mm이 된다.

**예제 2** +5μm 오차가 있는 호칭치수 50 mm의 블록 게이지와 다이얼 게이지를 사용하여 비교 측정하였더니 50.275 mm이었다면 실제 치수는?

> 🔘 오차가 +5μm이라는 것은 측정치수보다 0.000005m=0.005mm 더 크다는 말이다. 그래서 실제치수 = 측정치수 − 오차 이므로,
>
> 50.275−0.005=50.270 mm

## ③ 마이크로미터

외측 마이크로미터의 경우 스핀들과 같은 축에 있는 1줄 나사인 수나사와 암나사가 맞물려져 있으며, 스핀들이 1회전하면 0.5 mm 이동한다. 즉, 마이크로미터는 나사의 원리를 이용한 측정기구이다.

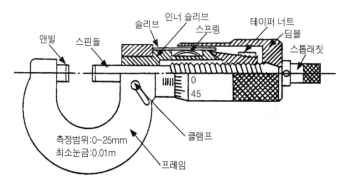

〈외경 마이크로미터의 구조〉

슬리브의 최소눈금 크기는 0.5 mm이고, 딤블을 1회전시키면 스핀들은 축방향으로 0.5 mm가 이동한다. 따라서 딤블의 원둘레가 50등분되어 있으므로 1눈금은 $0.5 \times \dfrac{1}{50} = \dfrac{1}{100}$ mm가 된다. 눈금을 읽는 방법은 슬리브에 표시된 눈금을 먼저 읽고, 다음에 딤블의 눈금이 슬리브의 기준선과 만나는 부분을 읽어 두 눈금을 합치면 된다.

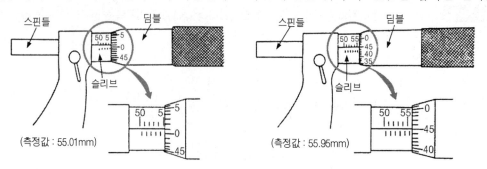

**예제 1** 마이크로미터 스핀들 나사의 피치가 0.5mm 이고, 딤블을 100 등분 하였다면 몇 mm 까지 측정할 수 있는가?

피치란 나사산과 나사산과의 거리이므로, 한바퀴 회전(1피치)에 100등분의 눈금이 있으므로, 1피치=0.5mm이고 여기를 100등분하면,

$$\frac{0.5mm}{100} = 0.005mm$$이다.

## ④ 버니어캘리퍼스

버니어 캘리퍼스는 본척의 한 눈금 미만의 작은 치수는 부척을 이용하여 읽을 수 있는 기구이다. 즉, 부척은 본척의 $n$ 눈금을 $(n+1)$눈금으로 등분한 눈금을 새긴 것이며, 본척의 눈금을 벗어난 치수를 읽는 데에는 부척과 본척의 눈금이 겹치는 곳을 읽어, 부척의 눈금에 $\frac{1}{n+1}$ 을 곱한 것이 그 치수가 된다.

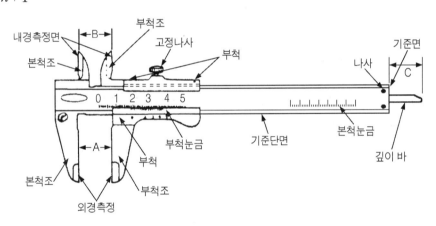

〈버니어 캘리퍼스의 구조〉

이것을 이 부척 한 눈금의 길이가 $\frac{n}{n+1}$ 이므로 본척과 부척의 한 눈금 길이의 차는 1-$\frac{n}{n+1} = \frac{1}{n+1}$ 이 된다. 부척의 $x$번째가 본척의 눈금과 겹쳐지면(일직선상) 그 읽는 치수는 $\frac{x}{n+1}$ 가 되는 것이다.

① $\frac{1}{20}$ (=0.05) mm까지 읽을 수 있는 버니어 캘리퍼스는 본척의 19눈금을 부척에서 20등분하고 있다. 본척의 1눈금이 1 mm, 부척의 1눈금이 $\frac{19}{20}$ mm이므로, 양눈금 치수의 차이는 $1 - \frac{19}{20} = \frac{1}{20}$ mm로 계산된다.

② $\frac{1}{50}$ (=0.02) mm까지 읽을 수 있는 버니어캘리퍼스는 본척은 0.5 mm이고, 부척은 본척의 12 mm 사이 즉, 24눈금을 25등분하였다. 즉, 양 눈금의 1눈금 치수차이는 $0.5 - \frac{12}{25} = \frac{1}{50}$ mm로 계산된다.

**예제 1** 어미자의 눈금이 1mm이고, 어미자 49mm를 50등분 하였다면 버니어 하이트게이지의 최소 측 정값은?

🔘 어미자의 눈금은 1mm, 아들자의 눈금은 $\frac{49}{50}$ mm이므로,

양 눈금의 차는 $1 - \frac{49}{50} = \frac{1}{50}$

즉, 아들자의 최소눈금은 $\frac{1}{50}$ mm=0.02mm가 된다.

**예제 2** 어미자 1눈금이 0.5mm일 때, 12mm를 25등분하여 아들자의 눈금으로 사용하는 버니어 캘리 퍼스는 몇 mm까지 읽을 수 있는가?

🔘 어미자의 눈금은 0.5mm, 아들자의 눈금은 $\frac{12}{25}$ mm이므로,

양 눈금의 차는 $0.5 - \frac{12}{25} = \frac{1}{50}$

즉 아들자의 최소눈금은 $\frac{1}{50}$ mm=0.02mm가 된다.

**예제 3** 버니어캘리퍼스의 어미자에 새겨진 1 mm의 19눈금(19mm)을 아들자에서 20등분할 때 어미 자와 아들자의 1눈금크기의 차이는?

🔘 어미자의 눈금은 1mm, 아들자의 눈금은 $\frac{19}{20}$ mm이므로,

양 눈금의 차는 $1 - \frac{19}{20} = \frac{1}{20}$

즉 아들자의 최소눈금은 $\frac{1}{20}$ mm=0.05mm가 된다.

# 03 소성가공법

## 1 압연가공

압연가공(rolling)은 상온이나 고온에서 회전하는 롤(roll)사이에 재료를 연속적으로 통과시켜 그 소성을 이용하여 판재 등으로 성형하는 가공이다. 오른쪽 그림은 직사각형 단면의 재료를 동일 직경의 한 쌍의 원주형 롤로 압연하여 그 두께를 감소하게 하는 아주 단순한 압연과정의 설명그림이다.

압연 전의 소재 두께를 $H_0$ , 압연 후의 소재 두께를 $H_1$이라고 하면, 다음과 같은 식을 정의할 수 있다.

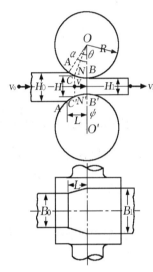

〈단순한 압연과정〉

① 압하량 $= H_0 - H_1 (\text{mm})$,

② 압하율 $= \dfrac{H_0 - H_1}{H_0} \times 100 (\%)$,

또한, 압연 전에 $B_0$의 너비를 가진 재료를 압연하면 그 너비는 커져서 $B_1$이 되는데 $B_0 - B_1$을 폭증가(width spread)라 하고, 시벨(siebel)은 다음과 같은 비교적 잘 맞는 실험식을 만들었다.

$$B_1 - B_0 = C\left(\frac{H_0 - H_1}{H_0}\right)\sqrt{R(H_0 - H_1)},$$

여기서 $C$ 는 정수이며, 강은 보통 그 값이 $C = 0.36$이다.

---

**예제 1** 압연가공에서 압연 전의 두께를 $H_0$, 압연 후의 두께를 $H_1$ 이라고 할 때 압하율을 구하는 식은?

🔵 압하율은 압연전의 소재 두께( $H_0$ )에 대한 압하량( $H_0 - H_1$ )의 비를 말한다. 식으로 표현하면, 압하율 $= \dfrac{H_0 - H_1}{H_0} \times 100 (\%)$을 말한다.

## 2 인발가공

인발가공(drawing)이란 아래 그림과 같이 테이퍼 구멍을 가진 다이를 통과시켜 재료를 잡아당겨서, 재료에 다이구멍 최소단면의 형상을 주는 가공법이다.

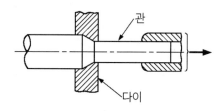

관

다이

〈 봉 또는 선의 인발 〉

선이나 봉의 재료에서 인발전의 직경을 $D_0$, 인발후의 직경을 $D_1$이라고 하면, 다음과 같은 정의를 둘 수 있다.

① 인발률 $= \dfrac{D_1}{D_0}$,

② 단면감소율 $= \dfrac{A_0 - A_1}{A_0}$,

여기에 $A_0 = \dfrac{\pi D_0^2}{4}$, $A_1 = \dfrac{\pi D_1^2}{4}$ 을 대입하면,

$$\text{단면감소율} = \frac{A_0 - A_1}{A_0} = 1 - \frac{A_1}{A_0} = 1 - \frac{\dfrac{\pi D_1^2}{4}}{\dfrac{\pi D_0^2}{4}} = 1 - \left(\frac{D_1}{D_0}\right)^2$$

으로 유도된다.

예제 1 인발작업에서 지름 5.5 mm의 와이어를 4 mm로 만들었을 때 단면 수축율을 얼마나 되는가?

🌐 아래 공식을 적용한다.

$$\text{단면감소율} = \frac{A_0 - A_1}{A_0} = 1 - \left(\frac{D_1}{D_0}\right)^2 = 1 - \left(\frac{4}{5.5}\right)^2 = 0.471,$$

그러므로 47.1%가 된다.

## ③ 전단가공

아래 그림은 전단공구의 형상 3가지 종을 나타내었다.

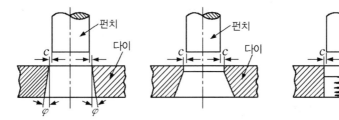

〈전단공구의 형상〉

펀칭이나 블랭킹하기 전의 절단길이(윤곽의 절단길이)를 $l$ (mm), 판 두께를 $t$ (mm), 전단저항력(최대 전단하중을 전단총면적으로 나눈 값)을 $\tau_s$ 라 하면, 소요전단하중의 최대치($P$)는 아래와 같이 구할 수 있다.

$$P = \tau_s t l$$

만일, 직경 $d$ 의 원판의 블랭킹이라면, $l = \pi d$ 이므로,

$$P = \tau_s \pi d t$$

로 변형된다.

전단에 소요되는 동력을 $N_c$ 라 하면,

$$N_c = \frac{P v_m}{75 \times 60 \times \eta} \qquad \text{[1식]}$$

으로 구할 수 있다.

여기서, $v_m$ 은 평균절단속도로 단위가 m/min, $\eta$ 는 기계효율로 보통 $0.5 \sim 0.7$ 정도로 한다. $v_m$ 은 개략치로 프레스 슬라이드의 평균속도를 사용할 수 있으며, 식으로 표현하면 다음과 같다.

$$v_m = 2 \times h \times n \qquad \text{[2식]}$$

위 식의 $h$ 는 슬라이드 행정(m), n는 크랭크축의 rpm이다. [2식]을 [1식]에 대입하자.

$$N_c = \frac{P v_m}{75 \times 60 \times \eta} = \frac{P \times 2 h n}{75 \times 60 \times \eta} \qquad \text{로 유도된다.}$$

예제 1 판 두께가 3 mm인 연강판에 지름이 25 mm인 구멍을 펀칭하려고 할 때 프레스의 슬라이더 평균속도를 2 m/min, 기계 효율을 80 %라 할 때 소요 동력은 몇 PS인가?(단, 전단 저항은 30 kgf/mm²이다)

먼저 전단하중( $P$ )를 구하고, 절단속도 ( $v_m$ )를 곱하여 동력을 구한다.

$$P = \tau_s \pi dt = 30 \times \pi \times 25 \times 3 = 7068.58 \, \text{kgf}, \quad v_m = 2\text{m/min},$$

$$N_c = \frac{Pv_m}{75 \times 60 \times \eta} = \frac{\tau_s \pi dt \times v_m}{75 \times 60 \times \eta},$$

$$N_c = \frac{3.14 \times 25 \times 3 \times 30 \times 2}{75 \times 60 \times 0.8} = 3.93\text{PS}으로 구해진다.$$

# 04 공작기계의 종류 및 특성

## 1 절삭속도와 연삭속도

### ● 선반의 절삭속도

선반이란 공작물이 회전을 하고 바이트의 이송에 의해 절삭이 이루어지므로, 절삭속도는 공작물의 지름과 회전수에 의해 결정된다. 절삭시 절삭속도를 $V$(m/min), 공작물의 지름을 $d$(mm), 매분 회전수를 $N$(rpm)이라면 절삭속도와 회전수의 관계는 다음과 같이 계산한다.

$$V = \frac{\pi dN}{1000}, \quad N = \frac{1000\,V}{\pi d}$$

여기서, 속도의 단위를 m로 만들기 위해서 공작물의 지름을 1mm= $\frac{1}{1000}$ m로 환산한 것이다. 또한, 속도의 단위가 분모에 (분)min이기 때문에, 위 계산식에 60으로 나누어 주지 않았다. 만일, 속도의 단위가 m/s 이었으면, 1 second = $\frac{1}{60}$ minite에 의해 60으로 나누어 주어야 한다.

### ● 세이퍼 절삭속도

세이퍼는 바이트가 절삭행정을 왕복하면서 공작물을 조금씩 가공하는 기계이다. 그래서 세이퍼의 절삭속도는 공작물의 재질, 바이트의 재질, 절삭깊이와 이송량, 기계강도 등

과 관계가 되지만, 일반적으로 바이트의 절삭행정과 왕복횟수에 의해 결정이 된다. 식을 세우면 다음과 같다.

$$V = N \times \frac{a\ell}{1000}, \quad \text{또는} \quad N = \frac{1000\,V}{a\ell}$$

여기서, $V$는 절삭속도로 단위가 (m/min)이고, $a$는 바이트의 1왕복 시간에 대한 절삭행정시간의 비로 식으로 표현하면,

$$a = \frac{1회절삭행정시간}{1회왕복행정시간} = \frac{1회절삭행정시간}{1회절삭행정시간 + 1회비절삭행정시간} \quad \text{이다.}$$

$\ell$은 왕복행정의 전체 길이(mm), $N$은 1분간 바이트의 왕복 횟수를 말한다. 그래서 $a \times l$는 1회 왕복행정시 절삭행정에 걸리는 거리를 나타낸다.

## ● 연삭속도($V$)

연삭속도는 연삭부분에서 숫돌차의 속도($V_1$)와 공작물의 속도($V_2$)를 뺀 값(속도차)을 말한다. 식으로 표현하면 다음과 같다.

$$V = V_1 - V_2$$

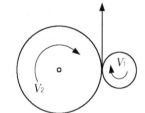

$$V = V_1 - (-V_2)$$
$$= V_1 + V_2$$

숫돌차와 공작물이 같은 방향으로 회전을 하면, 두 회전방향은 같지만 만나는 지점(연삭점)에서 회전방향을 생각하면 반대방향이 된다.

그래서 위식을 다시 표현하면, $V_2$값이 $(-)$이므로,

$$V = V_1 - (-V_2) = V_1 + V_2$$

로 표현된다.

그리고 숫돌차의 속도는 위의 절삭속도를 구하는 방법과 같다.

$$V_1 = \frac{\pi \times D \times N}{1000}$$

**예제 1** 선반에서 축을 가공할 때 절삭 속도(V)가 30m/min 이라면, 가공물의 지름이 200mm 일 때 회전 속도는 얼마로 하여야 하는가?(단, 소수점 아래 한자리에서 반올림한다)

● 속도는 $\pi DN$이라고 기억하고 단위를 맞추면 된다.

$$V = \frac{\pi \times D \times N}{1000}$$

여기서(V)는 절삭 속도(m/min)로 단위를 맞추기 위해 D가 (mm)이므로, 분모에 1000을 넣어 분자단위를 m로 하고, 분당으로 나타내기 위해 N은 rpm을 넣으면 된다.

N : 회전속도(rpm) $\qquad N = \dfrac{1000 \times 30}{\pi \times 200} = 47.7\text{rpm}$

**예제 2** 지름 20mm의 드릴로 연강 판에 구멍을 뚫을 때 회전수가 200rpm이면 절삭 속도는 약 몇 m/min인가?

속도는 $\pi DN$이라고 기억하고 단위를 맞추면 된다.

$$V = \frac{\pi \times D \times N}{1000},$$

여기서(V)는 절삭 속도(m/min)로 단위를 맞추기 위해 D가 (mm)이므로, 분모에 1000을 넣어 분자단위를 m로 하고, 분당으로 나타내기 위해 N은 rpm을 넣으면 된다.

$$V = \frac{\pi \times 20 \times 200}{1000} = 12.566\text{m/min}$$

**예제 3** 숫돌차의 바깥지름이 250 mm, 회전속도가 1200 rpm, 공작물의 원주속도가 20 m/min일 때, 연삭속도는 약 몇 m/min 정도 되겠는가? (단, 공작물은 연삭숫돌과 같은 방향으로 돌고 있다)

연삭속도는 연삭부분에서 공작물의 속도와 숫돌차의 속도를 뺀 값이므로, 먼저 숫돌차의 속도를 구한다.

$$V = \frac{\pi \times D \times N}{1000},$$

여기서(V)는 숫돌차의 속도(m/min)로 단위를 맞추기 위해 숫돌차의 바깥지름(D)가 (mm)이므로, 분모에 1000을 넣어 분자단위를 m로 하고, 분당으로 나타내기 위해 N은 rpm을 넣으면 된다.

$$V_1 = \frac{\pi DN}{1000} = \frac{3.14 \times 250 \times 1200}{1000} = 942\,\text{m/min}$$

따라서 같은 방향으로 회전하지만, 연삭되는 부분에서는 외접(방향이 반대)하므로 속도차는 $V = V_1 - V_2 = 940 - (-20) = 962\text{m/min}$으로 계산된다.

**예제 4** 지름 75 mm의 커터가 매분 60회전하며 절삭할 때 절삭 속도는 약 몇 m/min인가?

속도는 $\pi DN$이라고 기억하고 단위를 맞추면 된다.

$$V = \frac{\pi \times D \times N}{1000}$$

여기서(V)는 절삭 속도(m/min)로 단위를 맞추기 위해 D가 (mm)이므로, 분모에 1000을 넣어 분자단위를 m로 하고, 분당으로 나타내기 위해 N은 rpm을 넣으면 된다.

$$V = \frac{\pi \times 75 \times 60}{1000} = 14.137\text{m/min}$$

## ② 이송(feed)과 이송속도, 절삭계산

### ● 이송과 이송속도

이송의 크기는 매회전당의 피드와 회전수의 곱으로 표현된다.

$$f = N \times f_r$$

여기서, $f$는 이송속도로 분(min)당 이송량(mm)이므로, 단위가 (mm/min)이고, $f_r$는 매회전당의 피드(mm), $N$은 공작물(선반가공시)이나 공구(밀링커터 등)의 회전수 (rpm)이다. 만일, 공작기계가 밀링커터라면, $Z$를 커터날의 수, $f_z$를 1개의 날당의 피드(mm)라 할 때, 다음관계식이 성립한다.

매회전당 피드($f_r$) $= f_z \times Z$,

$$f = N f_r = N f_z Z$$

으로 유도된다.

### ● 절삭면적

절삭면적은 절삭깊이와 이송의 곱으로 표현된다.

절삭면적($A$) =절삭깊이($t$)×이송(feed : $f_r$)

### ● 단위 시간당 절삭량

단위시간당 절삭량은 절삭면적과 절삭속도의 곱으로 표현된다.

단위시간당 절삭량 $=$ 절삭면적($A$) $\times$ 절삭속도 ($V$)

---

**예제 1** 지름 60mm 의 커터로 30m/min 의 절삭 속도로 절삭하는 경우 주축의 회전수 및 날수가 12개 일 때 날 1개당의 이송을 0.2mm 라 하면 매분 이송은 얼마인가 ?

먼저, 주축의 회전수를 구한다.

$$V = \frac{\pi \times D \times N}{1000} \qquad N = \frac{1000 \times 30}{\pi \times 60} = 159.15 \text{ rpm}$$

우리가 구하고자 하는 것은 이송속도(m/min)이므로,

$f = N f_r = N f_z Z$ 을 이용한다.

$$f = 159.15 \times 0.2 \times 12 = 381.96 \text{mm}$$

**예제 2** 센터리스 연삭작업에서 공작물의 1 회전마다의 이송량이 2 mm 일 때 이송속도는 약 몇 m/min 인가?(단, 공작물의 회전속도는 3000 rpm 이다.)

> $f_r = 2$이고, 구하고자하는 것이 이송속도(m/min)이므로,
>
> $f = Nf_r$을 이용한다.
>
> $f = 3000 \times 2 = 6000 \, \text{mm/min} = 6\text{m/min}$

## ③ 절삭 동력

### ● 절삭동력(마력)

절삭저항의 주분력과 절삭동력은 다음과 같이 계산한다.

$$N_c = \frac{P_1 V}{75 \times 60} \, (\text{PS}), \qquad \frac{P_1 V}{102 \times 60} \, (\text{kW})$$

여기서, $N_c$는 정미 절삭동력, $P_1$은 절삭저항의 주분력(kgf), $V$는 절삭속도 (m/min)를 나타낸다.

만일, 피삭제의 비절삭 저항( $R$ : kgf/mm²)이 나와 있다면,

절삭저항은 비절삭저항과 절삭면적의 곱으로 표시할 수 있다.

$P_1 = R \times A$ ( $A$ 는 절삭면적으로 단위는 mm²)

따라서 식은 다음과 같이 표현할 수 있다.

$$N_c = \frac{R \times A \times V}{75 \times 60} \, (\text{PS}), \qquad \frac{R \times A \times V}{102 \times 60} \, (\text{kW})$$

### ● 이송동력(마력)

이송을 주기 위한 소요동력 $N_f$(PS)는 이송속도를 $f$(m/min)이라 하면

$$N_f = \frac{P_2 f}{75 \times 60} \, (\text{PS}), \qquad \frac{P_2 f}{102 \times 60} \, (\text{kW})$$

여기서, $P_2$는 이송분력(kgf)을 말한다. $V$는 절삭속도(m/min)를 나타낸다.

### ● 절삭효율은 동력당 단위시간 절삭량을 말한다.

$$절삭효율 = \frac{절삭동력}{기계의 \ 동력 \, (\text{PS 또는 kW})}$$

**예제 1** 선반 작업에서 절삭 속도가 50(m/min) 이고 절삭 저항력이 200kgf 일 때 절삭 동력은 약 몇 PS 정도인가 ?

아래의 공식을 적용한다. 여기서 $P_1$는 절삭저항의 주분력(kgf)을 뜻한다.

$N_c = \dfrac{P_1 V}{75 \times 60}$ (PS )이므로,

$N_c = \dfrac{200 \times 50}{75 \times 60} = 2.222$PS으로 계산된다.

**예제 2** 허용 동력이 3.6kw 인 선반의 출력을 최대한으로 이용하기 위하여 취할 수 있는 허용 최대 절삭 단면적을 구하시오?(단, 지름 경제 절삭 속도 V = 120m/min 을 사용하며, 피삭제의 비절삭 저항이 45kgf/mm², 선반의 기계 효율이 0.80 이다)

기계의 동력이 3.6kW 이므로, 아래 공식을 이용하여 절삭동력을 구한다.

$절삭효율 = \dfrac{절삭동력}{기계의\ 동력\ (PS\ 또는\ kW)}$ ,

절삭동력 = 기계의 동력 × 절삭효율(기계효율) = 3.6 × 0.8 = 2.88kW,

$N_c = \dfrac{R \times A \times V}{102 \times 60}$ (kW)에 대입하여 절삭면적( $A$ )를 구한다.

$2.88 = \dfrac{45 \times A \times 120}{102 \times 60}$ ,

$A = \dfrac{2.88 \times 102 \times 60}{45 \times 120} = 3.264$mm²으로 계산된다.

**예제 3** 평면 연삭기에서 숫돌의 원주 속도 V = 2,400m/min, 절삭력 P = 15kgf, 이때에 연삭기에 공급된 동력이 10 PS 이라면 이 연삭기의 효율은 ?

아래의 공식을 적용한다. 여기서 $P_1$ 는 절삭저항의 주분력(kgf)을 뜻한다.

$N_c = \dfrac{P_1 V}{75 \times 60}$ (PS ), 이므로,  $N_c = \dfrac{15 \times 2400}{75 \times 60} = 8\ PS$,

$효율 = \dfrac{출력}{입력}$ 이므로, 공급(입력)이 10PS, 출력이 8PS 이므로,

$\eta = \dfrac{8}{10} \times 100 = 80\ \%$

## 4 선반 테이퍼절삭

### ● 복식 공구대를 회전시키는 방법

테이퍼 부분이 비교적 짧을 때 사용하며, 복식공구대의 회전각도는 다음 식으로 구한다.

$$\tan \theta = \frac{x}{l}, \qquad x = \frac{D-d}{2}$$

$$\therefore\ \tan \theta = \frac{D-d}{2l}$$

여기서, $D$는 큰쪽 지름, $d$는 작은쪽 지름, $l$은 테이퍼부의 길이를 뜻한다.

### ● 심압대를 편위시키는 방법

테이퍼 부분이 비교적 길고, 테이퍼량이 작을 때 사용하며 양 센터로 지지하고 가공한다. 이때 심압대의 편위량은 다음과 같이 구한다.

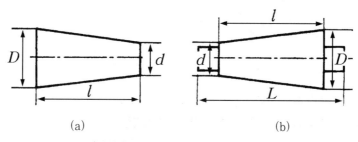

(a)                    (b)

〈심압대 편위시의 테이퍼 절삭〉

$$x = \frac{D-d}{2}\ \text{((a)의 경우)} \qquad\qquad x = \frac{(D-d)L}{2l}\ \text{((b)의 경우)}$$

여기서, $L$은 공작물 전체의 길이를 말한다.

예제 1

그림과 같은 복식 공구대를 사용하여 테이퍼를 가공하려 할 때 공구대의 선회 각도는 몇 도인가?

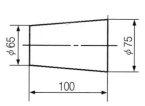

● $\tan \theta = \dfrac{D-d}{2\ell}$ 공식으로 구한다.

$$\tan \theta = \frac{75-65}{2 \times 100} = 0.05,$$

$$\theta = \tan^{-1} 0.05 = 2.682° ≒ 3°로 계산된다.$$

## 05 용접

### 1 산소용접

용기의 산소량은 경험식으로 구한다.

$$L = V \times P$$

여기서, $L$은 용기내의 산소용량($l$), $V$는 용기내의 체적($l$), $P$는 압력계에 지시되는 용기내의 압력($kgf/cm^2$)을 뜻한다.

### 2 맞대기 용접 이음

그림과 같이 가해진 하중을 $W$ [kgf], 판의 두께를 $t$ [mm], 용접길이를 $l$ [mm], 용접부의 인장응력을 $\sigma$ [kgf/mm²]라 하면 강도는 다음 식으로 나타낸다.

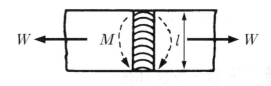

$$\sigma = \frac{W}{A}$$

여기서, 인장되는 면적($A$)는 두께($t$)와 용접길이($l$)의 곱이므로,

$$W = tl\sigma \, (kgf)$$

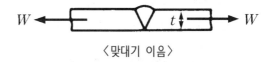

〈맞대기 이음〉

으로 유도된다.

### 3 전면 필렛 용접 이음

목 두께 $a$, 단면에 최대 수직응력이 생기므로 간략 계산을 한다. 보통 다리 길이(脚長 : $f$) =두께($t$)로 하므로,

$$a = t \cos 45° = f \cos 45 \qquad \cdots\cdots\cdots\cdots\cdots\cdots\cdots\cdots\cdots\cdots\cdots\cdots\cdots\cdots [1식]$$

또, 저항 단면은 두 개소가 되므로, 강도는 다음과 같다.

$$\sigma = \frac{W}{A} = \frac{W}{2al} \quad \cdots\cdots\cdots\cdots\cdots\cdots\cdots\cdots\cdots\cdots\cdots\cdots\cdots\cdots\cdots\cdots\cdots\cdots \text{[2식]}$$

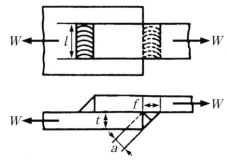

〈전면 필렛 용접 이음〉

[1식]에 [2식]을 대입하자.

$$\sigma = \frac{W}{2al} = \frac{W}{2 \times f \times \cos 45 \times l} = \frac{0.707\,W}{fl}$$

로 유도된다.

## ④ 측면 필렛 용접 이음

측면에 필렛용접이 되었으므로, 작용힘 ( $W$ )는 전단력으로 작용한다.
목두께( $a$ )는 다음과 같이 구해진다.

$$a = t\,\cos 45° = f\,\cos 45 \quad \cdots\cdots\cdots\cdots\cdots\cdots\cdots\cdots\cdots\cdots \text{[1식]}$$

전단저항이 두 개소에서 작용하므로,

$$\tau = \frac{W}{A} = \frac{W}{2al} = \frac{0.707\,W}{fl}$$

으로 유도된다.

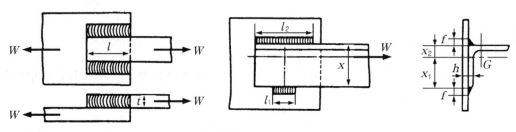

〈측면 필렛 용접 이음의 강도〉

**예제 1** 60ℓ의 산소 용기에 150기압이 되게 산소를 충전한다면 이를 대기 중에서 환산하면 약 몇 ℓ의 산소가 되겠는가?

🔘 공식을 활용한다.

$L = V \times P$

$L = 60 \times 150 = 9000 ℓ$

**예제 2** 겹치기 이음의 전면 필렛 용접에서 허용 응력 $\sigma_a$ = 6kgf/mm²이라고 할 때 유효 길이(mm)는?(단, 판의 두께 t =10mm, 작용 하중 W = 5,000kgf 이다)

🔘 공식을 활용한다.

$$\sigma = \frac{W}{2al} = \frac{W}{2 \times f \times \cos 45 \times l} = \frac{0.707W}{fl}$$

$$\ell = \frac{0.707 \times 5000}{10 \times 6} = 58.916 \text{mm}$$

로 계산된다.

# 자기진단

## 1. 주 조

기사94년3월/99년8월 출제

**① Question**

목형과 주물이 똑같은 형상 체적일 때 목형의 중량이 2.5kgf 이라고 하면 주물의 중량은 몇 kgf 인가?(단, 사용 금속(주물)의 비중은 7.2, 목재의 비중은 0.4 이다)

㉮ 35kgf      ㉯ 45kgf
㉰ 55kgf      ㉱ 65kgf

**해설** 목형에 부을 주물의 체적과 목형의 체적은 같다. 식을 세우면,

$$W_m = \frac{s_m}{s_p} \times W_p,$$

여기서, $W_m$은 주물의 중량(kgf),

$s_m$은 주물의 비중, $s_p$는 목형의 비중,

$W_p$는 목형의 중량(kgf)이다.

$$W_m = \frac{7.2}{0.4} \times 2.5 = 45\text{kgf}$$

기사97년9월/00년3월/03년8월 출제

**② Question**

목형과 주물이 똑같은 형상 체적일 때 목형의 중량이 2.5kg 이라면 주물의 중량은 몇 kgf 인가?(단, 사용 금속의 비중은 7.2, 목재의 비중

은 0.3 이다)

㉮ 15kgf      ㉯ 30kgf
㉰ 45kgf      ㉱ 60kgf

**해설** 목형에 부을 주물의 체적과 목형의 체적은 같다. 식을 세우면,

$$W_m = \frac{s_m}{s_p} \times W_p$$

여기서, $W_m$은 주물의 중량(kgf),

$s_m$은 주물의 비중, $s_p$는 목형의 비중,

$W_p$는 목형의 중량(kgf)이다.

$$W_m = \frac{7.2}{0.3} \times 2.5 = 60\text{kg}$$

산업기사03년5월 출제

**③ Question**

목형의 중량이 15kgf일 때 주물의 중량은 몇 kgf 인가?(단, 주물의 비중은 7.20이고, 목형의 비중은 0.50이다.)

㉮ 7.5      ㉯ 108
㉰ 180      ㉱ 216

**해설** 목형에 부을 주물의 체적과 목형의 체적은 같다. 식을 세우면,

$$W_m = \frac{s_m}{s_p} \times W_p,$$

여기서, $W_m$은 주물의 중량(kgf),

$s_m$은 주물의 비중, $s_p$는 목형의 비중,

$W_p$는 목형의 중량(kgf)이다.

$$W = \frac{7.2}{0.5} \times 15 = 216\text{kg}_f$$

1.㉯   2.㉱   3.㉱

## 2. 측 정

### ▶ 사인바 게이지

기사94년3월 출제

**❶ Question**

200mm의 sin bar를 사용하여 피 측정물의 지면과 sin bar의 측정면이 일치하였다. 블록 게이지의 높이가 45mm일 때 각도 $\alpha$는?

㉮ 5°　　　　　㉯ 8°

㉰ 11°　　　　　㉱ 13°

**해 설** 다음 공식에서 h=0이므로,

$$\sin\theta=\frac{H-h}{L}, \ \sin\theta=\frac{H}{L}$$

$$\theta=\sin^{-1}\frac{45}{200}=13°으로 \ 계산된다.$$

산업기사04년2회 출제

**❷ Question**

L = 50 mm의 사인바(sine bar)에 의하여 경사각 $\theta$ =20°를 만드는 데 필요한 게이지블록의 높이차(H)는 약 몇 mm로 조합하여야 하는가?

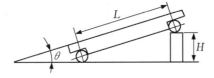

㉮ 16.40　　　　㉯ 17.10

㉰ 18.20　　　　㉱ 19.30

**해 설** 다음 공식에서 h=0이므로,

$$\sin\theta=\frac{H-h}{L}, \ \sin\theta=\frac{H}{L},$$

$$H=\ \sin\theta\times L=\sin 20\times 50=17.1\text{mm}$$

### ▶ 다이얼게이지

산업기사96년10월 출제

**❶ Question**

V 블록 위에 측정물을 올려놓은 뒤 회전하였더니 다이얼 게이지의 눈금 차이가 0.5mm 이었다면, 그 진원도는?

㉮ 0.25mm　　　　㉯ 0.5mm

㉰ 1.0mm　　　　㉱ 5mm

**해 설** 축을 회전시키면 아래의 그림과 같이 변형값이 중심선을 중심으로 위아래로 생긴다. 그래서 진원도(변형값)은 측정된 값에 2로 나누어야 한다.

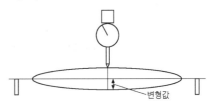

변형값

$$진원도=\frac{0.5\ mm}{2}=0.25\ mm$$

기사00년3월 출제

**❷ Question**

+5$\mu$m 오차가 있는 호칭치수 50 mm의 블록게이지와 다이얼 게이지를 사용하여 비교 측정하였더니 50.275 mm이었다면 실제 치수는?

㉮ 50.285 mm　　　　㉯ 50.270 mm

㉰ 50.275 mm　　　　㉱ 50.265 mm

**해 설** 오차가 +5$\mu$m이라는 것은 측정치수보다 0.000005m=0.005mm 더 크다는 말이다. 그래서 실제치수 = 측정치수 - 오차 이므로, 50.275－0.005=50.270 mm

**3** Question ······ 기사01년9월 출제

측정하고자 하는 축을 V블록 위에 올려놓은 뒤 다이얼 게이지를 설치하고 회전하였더니 눈금 차이가 1 mm이었다면 이 축의 진원도는?

㉮ 0.25 mm  ㉯ 0.5 mm

㉰ 1 mm  ㉣ 2 mm

**예 설** 축을 회전시키면 변형값이 중심선을 중심으로 위아래로 생긴다. 그래서 진원도(변형값)은 측정된 값에 2로 나누어야 한다.

진원도 $= \dfrac{1\,mm}{2} = 0.5\,mm$로 나온다.

## ▶ 마이크로미터 |||||

**1** Question ······ 산업기사98년5월 출제

마이크로미터 스핀들 나사의 피치가 0.5mm이고, 딤블을 100 등분 하였다면 몇 mm 까지 측정할 수 있는가?

㉮ 0.01mm  ㉯ 0.05mm

㉰ 0.001mm  ㉣ 0.005mm

**예 설** 피치란 나사산와 나사산와의 거리이므로, 한바퀴 회전(1피치)에 100등분의 눈금이 있으므로, 1피치=0.5mm이고 여기를 100등분하면,

$$\dfrac{0.5\,mm}{100} = 0.005\,mm$$이다.

## ▶ 버니어캘리퍼스 |||||

**1** Question ······ 산업기사04년3회 출제

어미자의 눈금이 1mm이고, 어미자 49mm를 50등분 하였다면 버니어 하이트게이지의 최소 측정값은?

㉮ 0.01 mm  ㉯ 0.02 mm

㉰ 0.025 mm  ㉣ 0.05 mm

**예 설** 어미자의 눈금은 1mm, 아들자의 눈금은 $\dfrac{49}{50}$ mm이므로,

양 눈금의 차는 $1 - \dfrac{49}{50} = \dfrac{1}{50}$,

즉 아들자의 최소눈금은 $\dfrac{1}{50}$ mm=0.02mm

**2** Question ······ 산업기사03년8월 출제

어미자 1눈금이 0.5mm일 때, 12mm를 25등분 하여 아들자의 눈금으로 사용하는 버어니어 캘리퍼스는 몇 mm 까지 읽을 수 있는가?

㉮ 12.5mm  ㉯ 6mm

㉰ 0.2mm  ㉣ 0.02mm

**예 설** 어미자의 눈금은 0.5mm, 아들자의 눈금은 $\dfrac{12}{25}$ mm이므로,

양눈금의 차는 $0.5 - \dfrac{12}{25} = \dfrac{1}{50}$,

즉 아들자의 최소눈금은 $\dfrac{1}{50}$ mm=0.02mm

**3** Question ······ 산업기사04년2회 출제

버니어캘리퍼스의 어미자에 새겨진 1 mm의 19 눈금(19mm)을 아들자에서 20등분할 때 어미자와 아들자의 1눈금크기의 차이는?

㉮ $\dfrac{1}{50}$  ㉯ $\dfrac{1}{20}$

㉰ $\dfrac{1}{24}$  ㉣ $\dfrac{1}{25}$

**예 설** 어미자의 눈금은 1mm, 아들자의 눈금은 $\dfrac{19}{20}$ mm이므로,

양눈금의 차는 $1 - \dfrac{19}{20} = \dfrac{1}{20}$,

즉 아들자의 최소눈금은 $\dfrac{1}{20}$ mm=0.05mm

3.㉯ / 1.㉣ / 1.㉯ 2.㉣ 3.㉯

# 3. 소성가공법

## ▶ 압연가공

기사04년2회 출제

**Question**

압연가공에서 압연전의 두께를 $H_0$, 압연후의 두께를 $H_1$ 이라고 할 때 압하율을 구하는 식은?

㉮ $\dfrac{H_1 - H_0}{H_1} \times 100(\%)$

㉯ $\dfrac{H_0 - H_1}{H_1} \times 100(\%)$

㉰ $\dfrac{H_1 - H_2}{H_0} \times 100(\%)$

㉱ $\dfrac{H_0 - H_1}{H_0} \times 100(\%)$

**해 설** 압하율은 압연전의 소재 두께($H_0$)에 대한 압하량($H_0 - H_1$)의 비를 말한다. 식으로 표현하면, 압하율 $= \dfrac{H_0 - H_1}{H_0} \times 100(\%)$을 말한다.

## ▶ 인발가공

기사99년8월 출제

**Question**

인발작업에서 지름 5.5mm의 와이어를 4mm로 만들었을 때 단면 수축율을 얼마나 되는가?

㉮ 약 73 %  ㉯ 약 47 %

㉰ 약 43 %  ㉱ 약 53 %

**해 설** 아래 공식을 적용한다.

단면감소율 $=$

$$\dfrac{A_0 - A_1}{A_0} = 1 - \left(\dfrac{D_1}{D_0}\right)^2$$

$$= 1 - \left(\dfrac{4}{5.5}\right)^2 = 0.471$$

그러므로 $47.1\%$가 된다.

## ▶ 전단가공

기사00년7월 출제

**Question**

판 두께가 3 mm인 연강판에 지름이 25 mm인 구멍을 펀칭하려고 할 때 프레스의 슬라이더 평균속도를 2 m/min, 기계 효율을 80 %라 할 때 소요 동력은 몇 PS인가?(단, 전단 저항은 30 kgf/mm²이다)

㉮ 6.2  ㉯ 3.36

㉰ 3.93  ㉱ 4.49

**해 설** 먼저 전단하중($P$)를 구하고, 절단속도($v_m$)를 곱하여 동력을 구한다.

$$P = \tau_s \, \pi \, dt = 30 \times \pi \times 25 \times 3$$

$$= 7068.58 \, kgf$$

$$v_m = 2m/min,$$

$$N_c = \dfrac{Pv_m}{75 \times 60 \times \eta} = \dfrac{\tau_s \pi dt \times v_m}{75 \times 60 \times \eta},$$

$$N_c = \dfrac{3.14 \times 25 \times 3 \times 30 \times 2}{75 \times 60 \times 0.8}$$

$$= 3.93PS$$로 구해진다.

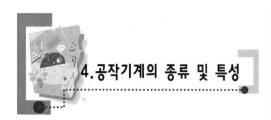

# 4. 공작기계의 종류 및 특성

## ▶ 절삭속도와 연삭속도

**1** Question 기사93년9월 출제

선반에서 축을 가공할 때 절삭 속도(V)가 30m/min 이라면, 가공물의 지름이 200mm 일 때 회전 속도는 얼마로 하여야 하는가?(단, 소수 점 아래 한자리에서 반올림한다)

㉮ 30rpm  ㉯ 48rpm

㉰ 54rpm  ㉱ 75rpm

**해 설** 속도는 $\pi DN$ 이라고 기억하고 단위를 맞추면 된다.

$$V = \frac{\pi \times D \times N}{1000},$$

여기서(V)는 절삭 속도(m/min)로 단위를 맞추기 위해 D가 (mm)이므로, 분모에 1000을 넣어 분자단위를 m로 하고, 분당으로 나타내기 위해 N은 rpm을 넣으면 된다.

N : 회전속도(rpm)

$$N = \frac{1000 \times 30}{\pi \times 200} = 47.7 \text{rpm}$$

**2** Question 산업기사98년3월/04년1회 출제

지름 20mm 의 드릴로 연강 판에 구멍을 뚫을 때 회전수가 200rpm 이면 절삭 속도는 약 몇 m/min 인가 ?

㉮ 12.6m/min  ㉯ 15.5m/min

㉰ 17.6m/mim  ㉱ 40.0m/min

**해 설** 속도는 $\pi DN$ 이라고 기억하고 단위를 맞추면 된다.

$$V = \frac{\pi \times D \times N}{1000}$$

여기서(V)는 절삭 속도(m/min)로 단위를 맞추기 위해 D가 (mm)이므로, 분모에 1000을 넣어 분자단위를 m로 하고, 분당으로 나타내기 위해 N은 rpm을 넣으면 된다.

$$V = \frac{\pi \times 20 \times 200}{1000} = 12.566 \, m/\min$$

**3** Question 기사00년3월/05년3회 출제

숫돌차의 바깥지름이 250 mm, 회전속도가 1200 rpm, 공작물의 원주속도가 20 m/min일 때, 연삭속도는 약 몇 m/min 정도 되겠는가? (단, 공작물은 연삭숫돌과 같은 방향으로 돌고 있다)

㉮ 922  ㉯ 962

㉰ 1016  ㉱ 1183

**해 설** 연삭속도는 연삭부분에서 공작물의 속도와 숫돌차의 속도를 뺀 값이므로, 먼저 숫돌차의 속도를 구한다.

$$V_1 = \frac{\pi \times D \times N}{1000},$$

여기서(V)는 숫돌차의 속도(m/min)로 단위를 맞추기 위해 숫돌차의 바깥지름(D)가 (mm)이므로, 분모에 1000을 넣어 분자단위를 m로 하고, 분당으로 나타내기 위해 N은 rpm을 넣으면 된다.

$$V_1 = \frac{\pi D N}{1000} = \frac{3.14 \times 250 \times 1200}{1000}$$

$$= 942 \text{m}/\min$$

따라서, 같은 방향으로 회전하지만, 연삭되는 부분에서는 외접(방향이 반대)하므로 속도차는

$$V = V_1 - V_2 = 940 - (-20) = 962 \text{m}/\min$$

**4** Question

지름 75 mm의 커터가 매분 60회전하며 절삭할 때 절삭 속도는 약 몇 m/min 인가?

㉮ 14  ㉯ 20
㉰ 26  ㉲ 32

해설 속도는 $\pi DN$ 이라고 기억하고 단위를 맞추면 된다.

$$V = \frac{\pi \times D \times N}{1000}$$

여기서(V)는 절삭 속도(m/min)로 단위를 맞추기 위해 D가 (mm)이므로, 분모에 1000을 넣어 분자단위를 m로 하고, 분당으로 나타내기 위해 N은 rpm을 넣으면 된다.

$$V = \frac{\pi \times 75 \times 60}{1000} = 14.137 \, \text{m/min}$$

**5** Question

숫돌차의 바깥지름이 300mm, 회전수 1500rpm, 공작물의 원주속도 20 m/min 일 때 연삭속도는 약 m/min 인가?(단, 공작물의 회전방향은 연삭숫돌과 같은 방향이다.)

㉮ 1394  ㉯ 1414
㉰ 1434  ㉲ 1533

해설 연삭속도는 연삭부분에서 공작물의 속도와 숫돌차의 속도를 뺀 값이므로, 먼저 숫돌차의 속도를 구한다.

$$V_1 = \frac{\pi \times D \times N}{1000},$$

여기서(V)는 숫돌차의 속도(m/min)로 단위를 맞추기 위해 숫돌차의 바깥지름(D)가 (mm)이므로, 분모에 1000을 넣어 분자단위를 m로 하고, 분당으로 나타내기 위해 N은 rpm을 넣으면 된다.

$$V_1 = \frac{\pi DN}{1000} = \frac{3.14 \times 300 \times 1500}{1000}$$
$$= 1413.7 \, \text{m/min}$$

따라서 같은 방향으로 회전하지만, 연삭되는 부분에서는 외접(방향이 반대)하므로 속도차는

$$V = V_1 - V_2 = 1413.7 - (-20)$$
$$= 1433.7 \, \text{m/min}$$

**6** Question

고속도강으로 만든 지름 16mm인 드릴로 연강인 일감에 절삭 속도는 28m/min 로 구멍을 뚫을 때 드릴링 머신의 스핀들의 회전수(rpm)는?

㉮ 140  ㉯ 280
㉰ 557  ㉲ 1114

해설 속도는 $\pi DN$ 이라고 기억하고 단위를 맞추면 된다.

$$V = \frac{\pi \times D \times N}{1000}$$

여기서(V)는 절삭 속도(m/min)로 단위를 맞추기 위해 D가 (mm)이므로, 분모에 1000을 넣어 분자단위를 m로 하고, 분당으로 나타내기 위해 N은 rpm을 넣으면 된다.

$$28 = \frac{\pi \times 16 \times N}{1000},$$

$$N = \frac{28 \times 1000}{\pi \times 16} = 557 \text{rpm으로 계산된다.}$$

4.㉮  5.㉰  6.㉰

## ▶ 이송과 이송속도, 절삭계산

기사97년9월/03년8월/04년3회 출제

**1 Question**

지름 60mm 의 커터로 30m/min 의 절삭 속도로 절삭하는 경우 주축의 회전수 및 날수가 12개 일 때 날 1개당의 이송을 0.2mm 라 하면 매분 이송은 얼마인가?

㉮ 회전수 : 159rpm, 이송량 : 382mm

㉯ 회전수 : 120rpm, 이송량 : 296mm

㉰ 회전수 : 159rpm, 이송량 : 302mm

㉱ 회전수 : 124rpm, 이송량 : 294mm

**해설** 먼저, 주축의 회전수를 구한다.

$$V = \frac{\pi \times D \times N}{1000}$$

$$N = \frac{1000 \times 30}{\pi \times 60} = 159.15 \, \text{rpm}$$

우리가 구하고자 하는 것은 이송속도(m/min)이므로,

$f = N f_r = N f_z Z$을 이용한다.

$f = 159.15 \times 0.2 \times 12 = 381.96 mm$

기사04년3회 출제

**2 Question**

센터리스 연삭작업에서 공작물의 1회전마다의 이송량이 2mm 일 때 이송속도는 약 몇 m/min 인가?(단, 공작물의 회전속도는 3000 rpm 이다.)

㉮ 5          ㉯ 6

㉰ 8          ㉱ 10

**해설** $f_r = 2$이고, 구하고자하는 것이 이송속도 (m/min)이므로,

$f = N f_r$을 이용한다.

$f = 3000 \times 2 = 6000 mm / min$

$= 6 m / min$

## ▶ 절삭 동력

산업기사94년3월 출제

**1 Question**

선반 작업에서 절삭 속도가 50(m/min) 이고 절삭 저항력이 200kgf 일 때 절삭 동력은 약 몇 PS 정도인가?

㉮ 1.1 PS          ㉯ 2.2 PS

㉰ 3.3 PS          ㉱ 4.4 PS

**해설** 아래의 공식을 적용한다. 여기서 $P_1$는 절삭저항의 주분력(kgf)을 뜻한다.

$$N_c = \frac{P_1 V}{75 \times 60} \, (\text{PS})$$이므로,

$$N_c = \frac{200 \times 50}{75 \times 60} = 2.222 PS$$

기사95년7월 출제

**2 Question**

허용 동력이 3.6kw 인 선반의 출력을 최대한으로 이용하기 위하여 취할 수 있는 허용 최대 절삭 단면적을 구하시오?(단, 지름 경제 절삭 속도 V = 120m/min 을 사용하며, 피삭제의 비절삭 저항이 45kgf/mm², 선반의 기계 효율이 0.80 이다)

㉮ 2.06mm²          ㉯ 3.26mm²

㉰ 4.05mm²          ㉱ 4.26mm²

**해설** 기계의 동력이 3.6kW 이므로, 아래 공식을 이용하여 절삭동력을 구한다.

$$절삭효율 = \frac{절삭동력}{기계의 \ 동력 \ (\text{PS 또는 kW})},$$

절삭동력 = 기계의 동력 × 절삭효율(기계효율)

$= 3.6 \times 0.8 = 2.88 kW,$

$$N_c = \frac{R \times A \times V}{102 \times 60} \, (\text{kW})$$에 대입하여 절삭면적 ( A )를 구한다.

1.㉮  2.㉯  /  1.㉯  2.㉯

$$2.88 = \frac{45 \times A \times 120}{102 \times 60},$$

$$A = \frac{2.88 \times 102 \times 60}{45 \times 120} = 3.264\,mm^2$$

**3** Question ·········· 산업기사96년10월 출제 ●

평면 연삭기에서 숫돌의 원주 속도 V = 2,400m/min, 절삭력 P = 15kgf, 이때에 연삭기에 공급된 동력이 10 PS 이라면 이 연삭기의 효율은?

㉮ 70%         ㉯ 75%

㉰ 80%         ㉱ 85%

**예설** 아래의 공식을 적용한다. 여기서 $P_1$는 절삭저항의 주분력(kgf)을 뜻한다.

$$N_c = \frac{P_1 V}{75 \times 60}\ (PS)\ 이므로,$$

$$N_c = \frac{15 \times 2400}{75 \times 60} = 8\ PS$$

효율= $\frac{출력}{입력}$ 이므로,

공급(입력)이 10PS, 출력이 8PS 이므로,

$$\eta = \frac{8}{10} \times 100 = 80\ \%$$

### ▶ 선반 테이퍼절삭 ▐▐▐▐

**1** Question ·········· 기사93년3월/04년2회 출제 ●

그림과 같은 복식 공구대를 사용하여 테이퍼를 가공하려 할 때 공구대의 선회 각도는 몇 도인가?

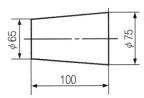

㉮ 11.16°         ㉯ 5.58°

㉰ 2.86°          ㉱ 1.43°

**예설** $\tan\theta = \dfrac{D - d}{2\,\ell}$ 공식으로 구한다.

$$\tan\theta = \frac{75 - 65}{2 \times 100} = 0.05,$$

$$\theta = \tan^{-1} 0.05 = 2.682° \fallingdotseq 3°$$

## 5. 용 접

**1** Question ·········· 기사94년6월/03년5월 출제 ●

60ℓ 의 산소 용기에 150 기압이 되게 산소를 충전한다면 이를 대기 중에서 환산하면 약 몇 ℓ 의 산소가 되겠는가?

㉮ 2,500ℓ         ㉯ 5,000ℓ

㉰ 7,500ℓ         ㉱ 9,000ℓ

**예설** $L = V \times P$ 공식을 활용한다.

$$L = 60 \times 150 = 9000\ \ell$$

**2** Question ·········· 산업기사95년10월 출제 ●

겹치기 이음의 전면 필렛 용접에서 허용 응력 $\sigma_a$ = 6kgf/mm²이라고 할 때 유효 길이(mm)는? (단, 판의 두께 t = 10mm, 작용 하중 W = 5,000kgf 이다)

㉮ 50mm          ㉯ 59mm

㉰ 62mm          ㉱ 70.7mm

**예설** 공식을 활용한다.

$$\sigma = \frac{W}{2al} = \frac{W}{2 \times f \times \cos 45° \times l} = \frac{0.707\,W}{f\,l}$$

$$\ell = \frac{0.707 \times 5000}{10 \times 6} = 58.916\,mm$$

# 4

# 유체기계

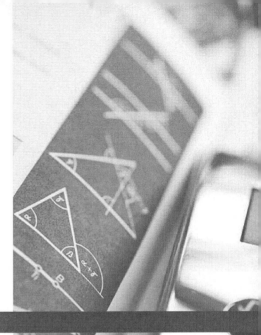

5.24789

$R_A + R_B - 500$
$= 0$

0.0557kgf

400-257cm

$T_\gamma + T_a$

## 01 유체기계 기초이론

### 1 파스칼의 정리(유체정역학1)

　　프랑스인 파스칼은 "정지상태의 유체 내부에 작용하는 압력은 작용하는 방향에 관계없이 일정하다"는 정의를 하였는데, 이를 파스칼의 정리라 한다. 이를 증명하기 위해서, 그는 아래 그림과 같은 미소입방체의 x, y, z 방향에 대한 각 변의 크기를 dx, dy, dz, 그 경사면의 모서리 크기를 ds, x 방향으로 작용하는 압력을 $p_1$, y 방향으로 작용하는 압력을 $p_2$, 경사면에 수직방향으로 작용하는 압력을 $p_3$라고 하자.

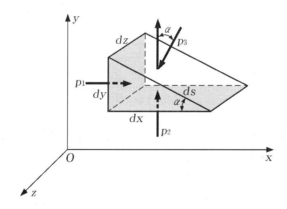

〈 파스칼의 원리 〉

　　평형조건에 의해 평형방정식을 세워보자.
　　먼저, x방향의 모든 힘의 합은 "0"이어야 하므로,

$\boxed{\varSigma F_x = 0}$

$p_1 dy\,dz - (p_3\,ds\,dz)\sin\alpha = 0$ ,

여기서 $dy\,dz = ds\,dz\sin\alpha$이므로, 위 식에 대입하면

$\boxed{p_1 = p_3}$ ·················································· 〔1식〕

로 유도된다.

이번에는 $y$ 방향의 모든 힘의 합은 "0"이어야 하므로,

$\varSigma F_y = 0$ ,

$p_2 dx\,dz - p_3\,ds\,dz\cos\alpha - \gamma\dfrac{dx\,dy\,dz}{2} = 0$ ,

여기서 $dx\,dz = ds\,dz\cos\alpha$이므로, 위 식에 대입하면

$p_2 - p_3 - \dfrac{\gamma dy}{2} = 0$ ,

위 입방체는 미소 입방체이므로, $\dfrac{dy}{2}$ 는 너무나 미세하므로 무시하자.

$\boxed{p_2 = p_3}$ ·················································· 〔2식〕

로 유도된다.

〔1식〕과 〔2식〕에서 다음과 같이 유도된다.

$p_1 = p_2 = p_3$

위와 같은 파스칼의 정리를 응용하여 브라함은 수압기를 창안하였다.

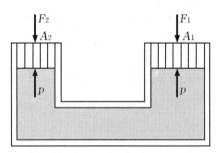

〈수압기〉

 그림에서 피스톤 ①의 단면적이 $A_1 = 5\,cm^2$, ②의 단면적이 $A_2 = 50\,cm^2$일 때 $F_1$으로서 $5\,kgf$의 힘을 가할 때 $F_2$는 몇 kgf의 힘으로 균형이 되는가?

🔵 파스칼의 원리를 사용한다.

$p_1 = p_2$ , $\dfrac{F_1}{A_1} = \dfrac{F_2}{A_2}$

$F_2 = F_1 \times \dfrac{A_2}{A_1} = 5 \times \dfrac{50}{5} = 50\,kgf$

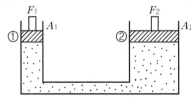

## ② 유체정역학의 기본방정식(유체정역학2)

비압축성 유체에서 정지상태의 유체평형은 각 방향에 따라 모든 힘의 합이 "0"일 때 이루어진다. 아래 그림과 같이 $x$, $z$의 방향을 정하고, 지면에 수직한 방향을 $y$ 방향이라고 하자. 또한, $y$ 방향의 크기는 그림을 간략화하기 위해 단위 길이로 간주하고, 각 방향에 대한 평형방정식을 세워보자.

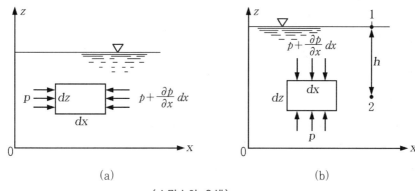

(a)  (b)

〈수면속의 유체〉

먼저, $x$ 방향의 모든 힘의 합은 "0"이어야 하므로,

$$\Sigma F_x = 0$$

$$p\,dz - \left(p + \frac{\partial p}{\partial x}\,dx\right)dz = 0 \ ,$$

$$\frac{\partial p}{\partial x} = 0 \ ,$$

이번에는 $y$ 방향(수평방향)의 모든 힘의 합은 "0"이어야 하므로,

$$\Sigma F_y = 0 \qquad \frac{\partial p}{\partial y} = 0$$

$z$ 방향의 모든 힘의 합은 "0"이어야 하므로,

$$\Sigma F_z = 0$$

$$p\,dx - \left(p + \frac{\partial p}{\partial z}\,dz\right)dx - \rho g\,dx\,dz = 0$$

$$\frac{\partial p}{\partial z} = -\rho g \ , \ 혹은 \quad \frac{\partial p}{\partial z} = -\gamma \ \cdots\cdots\cdots\cdots\cdots\cdots\cdots \text{[3식]}$$

로 유도된다. 여기서 $\rho$ 는 밀도, $g$ 는 중력가속도, $\gamma$ 는 비중량을 뜻한다.

위 [3식]을 유체정역학의 기본방정식이라고 한다.

위의 결과를 잘 분석하여 보면 정지상태의 유체 내에서의 압력은 오직 중력방향으로만 그 값이 변함을 알 수 있다. 위 〔3식〕을 좌우에 적분(적분구간은 점1에서 점2로)하여 보자.

$$\int_1^2 dp = -\rho g \int_1^2 dz,$$

$$p_2 - p_1 = -\rho g(z_2 - z_1),$$

여기서 $z_1 - z_2 = h$라 하고, 위 식에 대입하면

$$p_2 - p_1 = \rho g h = \gamma h, (혹은 \ \Delta p = \rho g h = \gamma h)$$ 로 유도된다.

**예제 1** 옥상 물탱크의 자유 표면에서 수면 아래의 깊이가 20 m인 지점에 있는 작업장 급수밸브의 수압은 몇 kgf/cm²인가?(단, 물의 비중량 $\gamma = 1000$ kgf/m³ 이다.)

위의 공식 $\Delta p = \rho g h = \gamma h$를 사용한다.

$\Delta p = \gamma h = 1000 \times 20 = 20000 \ \text{kgf/m}^2$

단위를 환산하면, 1m=100cm를 대입하자.

$20000 \text{kgf/m}^2 = 20000 \text{kgf} / (100 \text{cm})^2 = \dfrac{20000}{100^2} \text{kgf/cm}^2 = 2 \text{kgf/cm}^2$

**예제 2** 70m의 물속의 수압은 수은주의 높이로 약 몇 m인가?

위의 공식 $\Delta p = \rho g h = \gamma h$ 에서

$\gamma_1 h_1 = \gamma_2 h_2$이므로, 여기서 $\gamma_1$은 물의 비중량(비중 : 1), $h_1$은 물기둥 높이, $\gamma_2$은 수은의 비중량(비중 : 13.6), $h_2$은 수은주를 나타낸다.

$\gamma_1 h_1 = \gamma_2 h_2, \quad h_2 = h_1 \times \dfrac{\gamma_1}{\gamma_2} = 70 \times \dfrac{1}{13.6} = 5.147 \text{m}$

## 3 일차원 유동에서 연속방정식(비점성 유체운동1)

비점성유체의 유동에서 균일한 관이나 불균일한 관내의 유량은 동일한 시간에 어느 단면에서나 질량보존의 법칙에 의해 같다. 즉, 어느 위치에서나 유입질량과 유출질량이 같으므로, 일정한 관내의 축적된 질량은 유속에 관계없이 일정하다. 이것이 연속의 원리이다.

그림과 같이 단면이 일정하지 않는 관 내의 점1과 점2사이의 유체유동에서 유체의 축적량을 보면, 유입질량과 유출질량은 같으므로, 식으로 표현하여 보자.

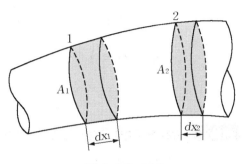

〈관내 유체 유동〉

단면 $A_1$, $A_2$에서 $dt$시간 동안의 유동질량을 $m_1$, $m_2$라고 할 때,

$$m_1 = \rho_1 A_1 dx_1,$$
$$m_2 = \rho_2 A_2 dx_2,$$

질량보존의 법칙에 의해, $m_1 = m_2$이고, 단위시간당 흐르는 질량은

$$\frac{\rho_1 A_1 dx_1}{dt} = \frac{\rho_2 A_2 dx_2}{dt},$$

여기서, $\dfrac{dx_1}{dt} = v_1$, $\dfrac{dx_2}{dt} = v_2$라고 하면,

$$\rho_1 A_1 v_1 = \rho_2 A_2 v_2 \quad \text{.................................} \text{[4식]}$$

즉, $\rho A v = C$라고 할 수 있다.

여기서, 정상유동이고 비압축성유체라고 가정하면 밀도 $\rho$는 일정하므로, 상수로 취급하면

$$Av = C,$$

혹은, $A_1 v_1 = Q_1$, $A_2 v_2 = Q_2$라고 하면

$$Q_1 = Q_2$$

으로 나타내어진다. 여기서 $Q$는 유량이라 한다.(은밀히 말하면 단위시간당 흐르는 체적이다.) 위 [4식]을 1차원 유동에서 연속방정식이라고 한다.

**예제 1** 매초 중량 유량 G = 120kgf의 물이 A에서 B로 흐를 때 관로 B의 유속은 얼마인가?

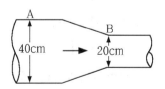

　　$Q_1 = Q_2$을 적용하기 위해서, 먼저 $Q_1$을 구한다.

비중량 $= \dfrac{무게}{체적}$에서, $\gamma = \dfrac{G}{Q_1}$으로 유도된다.

여기서, $G$의 단위는 (kgf/s)이고, $Q_1$의 단위도 ($m^3$/s)이다.

물의 비중은 1이므로, $\gamma = 1000\,\mathrm{kgf/m}^3$, $Q_1 = \dfrac{G}{\gamma} = \dfrac{120}{1000}\,(m^3/s) = 0.12\,m^3/s$

$$Q_1 = Q_2 = A_2 v_2, \qquad 0.12 = \frac{\pi \times 0.2^2}{4} \times v_2,$$

$$v_2 = 0.12 \times \frac{4}{\pi \times 0.2^2} = 3.819\,(\mathrm{m/s})$$

**예제 2** 일정 유량으로 유체가 흐를 때, 관의 지름을 두 배로 하면 유속은 몇 배인가 ?

🌀 $Q_1 = Q_2$이므로, $A_1 v_1 = A_2 v_2$을 변형하면

$$\frac{\pi d_1^2}{4} \times v_1 = \frac{\pi d_2^2}{4} \times v_2 \quad \text{양변을 정리하면,}$$

$$\frac{v_2}{v_1} = \frac{d_1^2}{d_2^2} = \left(\frac{d_1}{d_2}\right)^2, \quad d_2 = 2d_1 \text{을 대입하면}$$

$$\frac{v_2}{v_1} = \left(\frac{1}{2}\right)^2 = \frac{1}{4}$$

**예제 3** 직경이 20cm와 30cm의 파이프가 수직으로 직결되어 있다. 직경 30cm파이프 내의 유속이 3.6m/sec 이면 직경 20cm파이프 내의 유속은 약 몇 m/sec 인가?

🌀 $Q_1 = Q_2$이므로, $A_1 v_1 = A_2 v_2$을 변형하면

$$\frac{\pi d_1^2}{4} \times v_1 = \frac{\pi d_2^2}{4} \times v_2 \quad \text{양변을 정리하면,}$$

$$v_1 = v_2 \times \frac{d_2^2}{d_1^2} = 3.6 \times \frac{30^2}{20^2} = 8.1\,(\mathrm{m/s})$$

## 4 베르누이 방정식(비점성 유체운동2)

비점성 유체에서 임의의 관내를 유동하는 유체의 에너지 총 합을 고려한다. 아래 그림과 같이 기준면에서 유동중심까지의 높이를 단면 $A_1$에서는 $z_1$, 단면 $A_2$에서 $z_2$라고 하자.

단면 $A_1$과 $A_2$사이에 유동하는 유체의 전체에너지가 손실이 없다고 가정하면, 단면 $A_1$의 전에너지와 단면 $A_2$의 전에너지

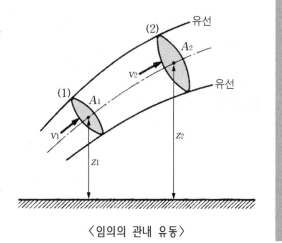

〈임의의 관내 유동〉

는 동일하다. 단면 $A_1$, $A_2$에 작용하는 전에너지는 운동에너지, 위치에너지, 압력에너지의 합이므로,

$$\text{전에너지}(E) = \text{운동에너지}\left(\frac{1}{2}mv^2\right) + \text{위치에너지}(mgh) + \text{압력에너지}$$

$$E = \frac{1}{2}mv^2 + mgh + pAl$$

여기서, $l$은 거리를 나타낸다.

위 식을 단위시간당 전에너지를 $E_1$, $E_2$라고 하면,

$$E_1 = \frac{1}{2}\rho A_1 v_1 v_1^2 + \rho A_1 v_1 g z_1 + p_1 A_1 v_1,$$

$$E_2 = \frac{1}{2}\rho A_2 v_2 v_2^2 + \rho A_2 v_2 g z_2 + p_2 A_2 v_2,$$

$E_1 = E_2$이므로,

$$\frac{1}{2}\rho A_1 v_1 v_1^2 + \rho A_1 v_1 g z_1 + p_1 A_1 v_1 = \frac{1}{2}\rho A_2 v_2 v_2^2 + \rho A_2 v_2 g z_2 + p_2 A_2 v_2$$

양변을 밀도 $\rho$ 로 나누어주고,

$$\frac{1}{2}A_1 v_1 v_1^2 + A_1 v_1 g z_1 + \frac{p_1}{\rho}A_1 v_1 = \frac{1}{2}A_2 v_2 v_2^2 + A_2 v_2 g z_2 + \frac{p_2}{\rho}A_2 v_2,$$

연속이론에 의해 $A_1 v_1 = A_2 v_2$이므로,

$$\frac{1}{2}v_1^2 + g z_1 + \frac{p_1}{\rho} = \frac{1}{2}v_2^2 + g z_2 + \frac{p_2}{\rho}$$

혹은 양변에 $g$ 로 나누어 주면.

$$\frac{v^2}{2g} + \frac{p}{\gamma} + z = C \quad\text{〔5식〕}$$

로 유도된다. 위 〔5식〕을 베르누이 방정식이라고 한다.

위 〔5식〕의 의미를 생각해보자.

상수 $C$ 는 속도수두$\left(= \frac{v^2}{2g}\right)$, 압력수두$\left(= \frac{p}{\gamma}\right)$, 위치수두($z$)에 의한 총수두($H$) 라 할 수 있다. 즉, 아래와 같이 표현할 수 있다.

$$\frac{v^2}{2g} + \frac{p}{\gamma} + z = H \quad\text{〔6식〕}$$

[6식]에서 피토관의 경우, 압력( $p$ )와 위치( $z$ )의 변화가 없고, 속도( $v$ )만의 함수이므로, 식은 아래와 같이 표현된다.

$$H = \frac{v^2}{2g}$$ ......................................................................... [7식]

**예제 1** 유속 6m/sec 인 물의 흐름 속에 피토관을 흐름의 방향으로 세웠을 때 그 수주의 높이는?

🔘 피토관의 경우, 압력( $p$ )와 위치( $z$ )의 변화가 없고, 속도( $v$ )만의 함수이므로,

$$H = \frac{v^2}{2g}$$

$$H = \frac{6^2}{2 \times 9.8} = 1.8367\text{m로 계산된다.}$$

## ❺ 레이놀즈 수(점성유체운동)

레이놀즈는 유동현상의 변화에 영향을 크게 미치는 요인들로 유량에 관계되는 유속과 단면적으로 보았다. 이들의 곱을 무차원으로 나타내었는데, 이를 레이놀즈 수라고 하고 다음과 같은 식으로 표시된다.

$$\text{Reynolds 수} = \frac{\text{밀도} \times \text{유속} \times \text{지름}}{\text{점도}}$$

여기서, 동점성계수( $\nu$ ) $= \dfrac{\text{점도}(\mu)}{\text{밀도}(\rho)}$ 이므로, 위 식을 다시표현하면

$$Re = \frac{vD}{\nu}$$

로 유도된다. 만일 단면이 3각형, 4각형이면 원으로 환산한 상당지름을 사용하면 된다. 특히 가로가 $a$, 세로가 $b$인 직사각형의 단면일 경우 상당지름( $D_r$ )은 다음과 같이 구한다.

$$D_r = \frac{4ab}{2(a+b)}$$

또한, 관내의 유동이 아닌 평판상의 유동일 경우에는 상당지름 대신에 어느 기준점부터의 거리( $l$ )를 사용한다. 식으로 표현하면,

$$Re = \frac{vl}{\nu}$$

## 6 고정 및 이동 베인 역학 (운동량이론)

### ● 고정베인

그림과 같이 원활하게 굽은 고정 베인에 자유분사를 시키면 분사(jet)는 휘어져서 베인을 따라 유동하게 되고, 운동량의 변화가 발생하여 베인에 힘으로 작용하게 된다.

대기 중에서 이 베인의 입구와 출구에서 균일유동을 하며, 분류의 방향은 베인에 접선방향이고, 마찰 및 충돌에 의한 손실을 무시하면 입구와 출구의 압력이

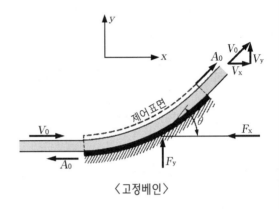

〈고정베인〉

동일하므로, $x$ 방향에 의한 베르누이정리를 이용하면, $p_1 = p_2$, $z_1 = z_2$이므로, 속도항만 남으므로, $(F = \rho Q v)$ $\quad -F_x = \rho_2 A_2 V_2 V_{x2} - \rho_1 A_1 V_1 V_{x1}$ 로 유도된다.

### ● 이동베인

아래 그림과 같이 이동베인의 접선방향으로 유체가 흘러들어가고, 베인이 유체방향으로 속도($u$)로 움직일 때, $x$, $y$방향의 힘들을 $F_x$, $F_y$라고 하면, 점(1)과 점(2)에서의 상대속도는 유속($V_0$)와 베인속도($u$)의 차이다.

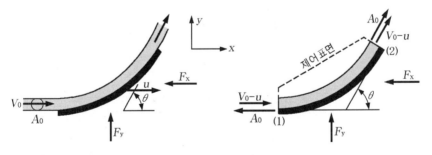

〈이동 베인〉

제어체적에 대한 운동량으로 $x$ 방향을 고려하자.

$$-F_x = \rho(V_0 - u) \cos\theta \, (V_0 - u)A_0 - \rho(V_0 - u)(V_0 - u)A_0$$

$$F_x = \rho(V_0 - u)^2 A_0 (1 - \cos\theta) \quad \cdots\cdots\cdots\cdots\cdots\cdots\cdots\cdots\cdots \text{[5식]}$$

$y$ 방향을 고려하면,

$$-F_y = \rho(V_0 - u) \sin \theta \, (V_0 - u)A_0,$$

$$F_y = \rho(V_0 - u)^2 A_0 \sin \theta \quad \cdots\cdots\cdots\cdots\cdots\cdots\cdots\cdots\cdots\cdots \text{[6식]}$$

위 [5식]과 [6식]은 하나의 베인만을 고려한 것이므로, 연속베인을 고려하면,

$$F_x = \rho Q_0 (V_0 - u)(1 - \cos \theta),$$

$$F_y = \rho Q_0 (V_0 - u) \sin \theta$$

으로 표시가 가능하다.

## 7 관마찰손실(난류유동)

베르누이가 유도한 에너지 방정식은 유동하는 유체의 에너지 손실이 전혀 없음을 가정하고 유도한 식이므로, 실제 적용과는 다르다. 실제로 유동하는 모든 유체는 특별한 경우를 제외하고는 모두 난류 유동에 의한 상호충돌과 점성에 의한 마찰의 영향으로 에너지 손실을 동반하게 된다. 이 손실수두의 합을 $H_L$라고 하면, 베르누이 방정식은

$$\frac{v^2}{2g} + \frac{p}{\gamma} + z = H + H_L$$

으로 표현된다.

아래 그림을 보고 실제 발생하는 관내의 마찰손실을 생각하자.

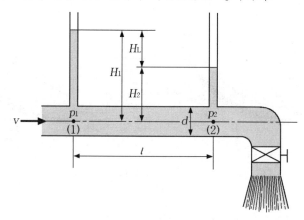

〈마찰손실〉

단면(1)과 (2)사이에서 발생하는 전압력손실은 유동의 역방향으로 작용하는 마찰저항

( $R$ )과 같으므로,

$$R = (p_1 - p_2)\frac{\pi d^2}{4} = \gamma h A$$

또한, 프로우드는 평판상을 유동하는 마찰저항은 아래와 같이 가정했다.

$$R = f S v^2$$

여기서 $f$ 는 마찰계수, $S$ 는 평판의 면적으로 접수면적을 나타낸다.

$S$ 는 원형관일 경우, 유체와 접하고 있는 내벽의 넓이를 말하므로,

$S = $ 접수길이( $l_w$ ) $\times$ 유동거리( $l$ ) 로 나타낼 수 있고,

접수길이( $l_w$ )는 원형의 경우 $\pi d$ 가 된다.

$R = f l_w l v^2$, 그러므로

$\gamma h A = f l_w l v^2$,

$$h = \frac{f}{\gamma} \frac{l_w}{A} l v^2 \quad \cdots\cdots \text{[7식]}$$

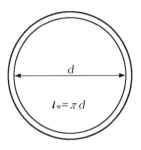
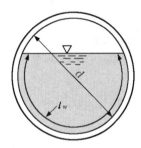

〈접수면적( $S$ )〉

원형관의 경우 $\dfrac{A}{l_w}$ 를 수력반지름( $m$ )이라고 하는데, 식으로 표시하면

$$m = \frac{A}{l_w} = \frac{\frac{\pi d^2}{4}}{\pi d} = \frac{d}{4}$$

위 식을 [7식]에 대입하면,

$$h = \frac{4f}{\gamma} \frac{l}{d} v^2$$

여기서, $\dfrac{4f}{\gamma}$ 는 상수이므로, $\dfrac{4f}{\gamma} = \dfrac{\lambda}{2g}$ 로 둘 수 있으므로,( $\lambda$ 는 상수)

$$h = \lambda \frac{l}{d} \frac{v^2}{2g}$$

로 유도된다. 이 식은 관로유동에서 압력손실수두 혹은 마찰손실수두를 계산하는 식으로, $\lambda$ 는 관마찰 계수가 된다. 관내 층류유동에서는 상수( $\lambda$ )를 다음과 같이 사용한다.

$$\lambda = \frac{64}{Re},$$

즉, 관마찰계수를 유속과 지름이 주어졌을 때 직접 계산으로 구할 수 있다.

**예제 1** 안지름 16cm 의 파이프로 매분 2.4m의 물을 흘러가게 할 때 파이프의 길이 100m 마다의 마찰 손실수두는?(단, 관 마찰계수 $\lambda$ = 0.03 이다.)

위의 공식을 이용한다.

$$h = \lambda \frac{l}{d} \frac{v^2}{2g},$$

$v = 2.4(\text{m/min})$, 1분=60초를 대입하면, $v = \frac{2.4}{60}$ (m/s),

위의 식에 단위를 m로 환산하여 대입한다.

$$h = 0.03 \times \frac{100}{0.16} \times \frac{\left(\frac{2.4}{60}\right)^2}{2 \times 9.8} = \frac{0.03 \times 100 \times 2.4^2}{0.16 \times 2 \times 9.8 \times 60^2} = 0.00153m = 1.53\text{mm}$$

**예제 2** 직경 500 mm 인 파이프 속을 평균속도가 1.8 m/sec로 흐를 때 관의 길이가 60m 이면 손실수 두는 약 몇 m 인가?(단, 관 마찰계수는 f = 0.02 이다.)

위의 공식을 이용한다.

$$h = \lambda \frac{l}{d} \frac{v^2}{2g}$$

$v = 1.8(\text{m/s})$

위의 식에 단위를 m로 환산하여 대입한다.

$$h = 0.02 \times \frac{60}{0.5} \times \frac{(1.8)^2}{2 \times 9.8} = 0.396734\text{m}$$

## ⑧ 압축율( $\beta$ )과 체적탄성계수( $K$ )

그림은 압력이 $P_0$ 인 상태에서 체적 $V_0$ 작동유에 대하여 압력이 $\Delta p$ 만큼 상승하였을 때 작동유의 체적이 $\Delta V$ 만큼 감소했음을 나타내었다.

압축율( $\beta$ )은 체적변형율( $\frac{\Delta V}{V_0}$ )을 차압( $\Delta p$ )으로 나눈값

을 말한다. 식으로 표시하면 다음과 같다.

$$\beta = -\frac{\Delta V}{V_0} \times \frac{1}{\Delta p} \text{ (cm}^2/\text{kgf)}$$

여기서, 부호(−)는 감소하므로 양수(+)를 만들기 위해서 붙였다.

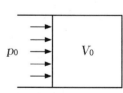

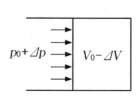

〈압축율의 정의〉

체적탄성계수( $K$ )는 압축율의 역수를 말한다. 식으로 표현하면 다음과 같다.

$$K = \frac{1}{\beta} = - \Delta p \times \frac{V_0}{\Delta V} \text{ (kgf/cm}^2\text{)}$$

**예제 1** 어떤 작동유의 압력을 0에서 30kgf/cm²까지 증가시켰을 때 체적이 0.222% 감소했다고 한다. 이때 압축률은 몇 cm²/kgf인가?

🔵 아래의 공식을 활용한다.

$$\beta = - \frac{\Delta V}{V_0} \times \frac{1}{\Delta p} \text{ (cm}^2\text{/kgf)}$$

$\eta_v = \frac{\Delta V}{V_0} = 0.00222$, $\Delta p = 30 - 0 = 30 \, \text{kgf/cm}^2$을 위 식에 대입한다.

$$\beta = - \frac{\eta_v}{\Delta p} = - \frac{0.00222}{30} = 0.00074 \text{ (cm}^2\text{/kgf)}$$

즉, $7.4 \times 10^{-4} \, \text{cm}^2\text{/kgf}$이다.

---

## 02 유체기계 및 유압기기

### 1 원심펌프

#### (1) 펌프의 크기

🔵 **흡입 혹은 배출구의 속도**

베르누이 방정식에서 속도수두는

$$H = \frac{v^2}{2g}$$

펌프의 흡입구나 배출구에 속도만으로 수두가 변한다면, 위 식은 아래와 같이 비례상수 $K$를 곱해서 속도의 크기를 구할 수 있다.

$$v = K\sqrt{2gH}$$

여기서, $K$는 흡입 혹은 배출구의 유속계수, $g$는 중력가속도, $H$는 전양정을 뜻한다.

## ● 흡입 혹은 배출구의 지름

연속방정식에서 $Q = Av$ 이므로,

$$Q = \frac{\pi D^2}{4} \cdot v,$$

$$D = \sqrt{\frac{4Q}{\pi v}}$$

로 유도된다. 여기서, $Q$ 는 유량으로 펌프에서는 양수량이라 하고 단위로는 $(m^3/s)$ 이다.

---

**예제 1** 어떤 펌프가 970rpm 으로 회전하여 전양정 9.2m 에 0.6m³/min 의 유량을 유출한다. 펌프가 1,450rpm 으로 운전할 때 유량은 약 몇 m³/min 가 되나?

● 공식 $Q = Au$ 에서 유량 $Q$ 는 유속 $v$ 에 비례한다. 또한, 유속 $v$ 는 펌프의 회전수와 비례한다. 즉, 펌프의 이상현상(공동현상 등)과 누설손실이 없다고 가정하면 펌프의 회전수(rpm: $N$)에 의해 유속 $v$ 를 구할 수 있다. 식으로 표현하면,

$$Q_1 : Q_2 = N_1 : N_2 \qquad Q_2 = Q_1 \times \frac{N_2}{N_1}$$

$$Q_2 = 0.6 \times \frac{1450}{970} = 0.897 m^3/min 로 계산된다.$$

---

## (2) 펌프의 전양정

펌프의 입구와 출구에 있어서 액체의 단위무게가 갖는 에너지와의 차이를 양정(head) 이라고 한다. 다른 표현으로 펌프에 의하여 얻어지는 전수두의 증가량을 전양정이라 한다.

● 실양정(actual head) : $H_a = H_s + H_d$

$H_a$ : 실양정(흡입수면과 송출수면 사이의 수직 높이)

$H_s$ : 흡입 실양정(펌프의 중심선으로부터 흡입수면까지 수직거리)

$H_d$ : 송출 실양정(펌프의 중심선으로부터 송출수면까지 수직거리)

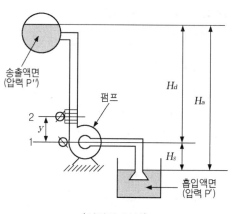

〈실양정 낙차〉

## 전양정(total head)

베르누이 방정식을 사용하자. 전양정(1과 2의 에너지차)을 $H$ 라면 베르누이 방정식은

$$\frac{v_1^2}{2g} + \frac{p_1}{\gamma} + z_1 + H = \frac{v_2^2}{2g} + \frac{p_2}{\gamma} + z_2$$

으로 표현된다.

$$H = \frac{v_2^2 - v_1^2}{2g} + \frac{p_2 - p_1}{\gamma} + (z_2 - z_1) \qquad H = \frac{v_2^2 - v_1^2}{2g} + \frac{p_2 - p_1}{\gamma} + y$$

여기서, $p_1$, $p_2$ 는 각각 흡입측 진공계와 송출측 압력계에서의 계기 압력, $v_1$, $v_2$는 각각 흡입측의 유속과 송출측의 유속, $y$ 는 송출측 압력 계기와 흡입측 압력 계기(통상 흡입측은 펌프의 중심선과 일치)와의 수직 거리로 ($z_2 - z_1$)를 뜻한다. 또한, 전양정 $H$ 는 기계(펌프)로부터 유체에 실제로 가하여진 에너지 수두라고 할 수 있다.

한편, 펌프를 포함한 양수장치 전체의 계에서 살펴보자.

먼저, 흡입액면과 송출액면에 작용하는 압력을 $p'$, $p''$ 라고 하고, 흡입노즐 과 송출노즐 에서의 평균유속을 $v'$, $v''$ 라고 하며, 펌프를 제외한 관로의 전체 손실 수두를 ($h_l$)라고 하면,

$$H = \frac{v''^2 - v'^2}{2g} + \frac{p'' - p'}{\gamma} + z + h_l$$

로 표현된다. 여기서, $z$ 는 흡입면과 송출면의 높이차를 말한다.

---

**예제 1** 그림과 같은 양수장치의 관의 손실이 3m 일 때 전양정 (total head)은 몇 m 인가 ?(단, 송출액면의 압력게이 지는 2kgf/cm², 주위는 대기압이 작용하며, 입구와 출 구의 속도차는 없다)

🔵 베르누이 방정식의 아래를 이용한다.

$$H = \frac{v''^2 - v'^2}{2g} + \frac{p'' - p'}{\gamma} + z + h_l$$

속도차가 없으므로, 2kgf/cm² = 20000kgf/m² ,
물의 비중량 $\gamma = 1000$kgf/m³ 를 아래에 대입한다.

$$H = \frac{p'' - p'}{\gamma} + z + h_l = \frac{20000}{1000} + 30 + 3 = 53\text{m}$$

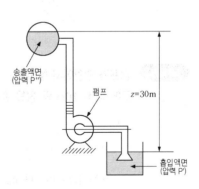

송출액면
(압력 P″)

펌프

z=30m

흡입액면
(압력 P′)

### (3) 펌프의 수동력

펌프의 수동력은 유체의 유동압력($P$)와 유동유량($Q$)의 곱으로 구할 수 있다. 또한, 유체정역학에서 $\Delta p = \gamma h$이므로, 수동력($L_w$)을 구해보자.

$$L_w = PQ = \gamma QH$$

이제 수동력을 마력(ps)로 표시하자.

만일, $\gamma$가 유체의 비중량으로 단위가 (kgf/m³), $Q$가 송출량으로 단위가 (m³/s), $H$가 전양정으로 단위가 (m)이면 아래와 같이 공식이 변한다.

$$L_w(ps) = \frac{\gamma QH}{75}$$

여기서, $1\text{kgf} - \text{m/s} = \frac{1}{75}$ ps를 대입하였다.

또한 송출량 $Q$의 단위가 (m³/min)이면 아래와 같이 공식이 변한다.

$$L_w(ps) = \frac{\gamma QH}{75 \times 60}$$

여기서, 1분=60초를 대입하였다.

이제 수동력을 (kW)로 표시하여 보자.

$1\text{kgf} - \text{m/s} = \frac{1}{102}$ kW로 위식에 대입하면,

$$L_w(\text{kW}) = \frac{\gamma QH}{102} \quad (\gamma : (\text{kgf/m}^3),\ Q : (\text{m}^3/\text{s}),\ H : (\text{m})일\ 경우),$$

$$L_w(\text{kW}) = \frac{\gamma QH}{102 \times 60} \quad (\gamma : (\text{kgf/m}^3),\ Q : (\text{m}^3/\text{min}),\ H : (\text{m})일\ 경우)$$

 펌프가 수면에서 높이 $H_s = 5\text{m}$ 인 곳에 설치되어 있다. 이 펌프에 의하여 높이 $H_d = 30\text{m}$ 의 곳에 매초 10m³의 물을 흘려보내려면 이론상 몇 마력이 필요한가?

전양정($H$) = $H_s + H_d$ = 5+30 =35m 이므로,

$$L_w(ps) = \frac{\gamma QH}{75},$$

$\gamma$는 물의 비중량(kgf/m³), $Q$는 유량(m³/sec)이므로, 대입하자.

$$L_w = \frac{1000 \times 10 \times 35}{75} = 4666.66 \text{ PS로 계산된다.}$$

여기서, 펌프의 효율이 나와 있지 않으므로, $L_w = L_{th}$ 이다.

**예제 2** 펌프의 토출압이 60 kgf/cm², 토출량이 30 ℓ/min 인 유압펌프의 펌프동력은 몇 마력(PS)인가?

유압펌프의 동력은 $L_w = PQ = \gamma QH$ 에 대입한다.

$1l = 10^3 cc = 10^3 cm^3$, $Q = 30l/\min = 30 \times 10^3 cm^3/\min$

$L_w = PQ$ (kgf-cm/min)     $L_w = \dfrac{PQ}{100}$ (kgf-m/min),

$L_w = \dfrac{PQ}{100 \times 60}$ (kgf-m/s)

$L_w(ps) = \dfrac{PQ}{75 \times 60 \times 100} = \dfrac{60 \times 30 \times 10^3}{75 \times 60 \times 100} = 4\text{PS}$ 로 계산된다.

**예제 3** 흡입양정이 10m이고, 송출양정이 30m인 펌프의 전양정은 몇 m인가?

전양정($H$) = $H_s + H_d$ = 10 + 30 = 40m 이다.

## (4) 펌프 효율

### ● 전 효율(total efficiency : $\eta$)

펌프의 전효율은 펌프를 구동하는 축마력(제동마력 : $L$ )에 대한 수동력($L_w$)의 비를 말한다. 식으로 표현하면 다음과 같다.

$$\eta = \frac{L_w}{L}$$

### ● 체적 효율(volumetric efficiency : $\eta_v$ )

펌프의 체적효율은 전체체적에 대한 펌프의 송출유량( $Q$ )의 비를 말한다. 또한, 누설유량을 $Q_1$ 라고 하면, 전체체적은 $Q + Q_1$로 구할 수 있으므로, 체적효율을 식으로 표현하면 다음과 같다.

$$\eta_v = \frac{Q}{Q + Q_l}$$

보통 $\eta_v$의 범위는 0.90~0.95이다.

### ● 기계 효율(mechanical efficiency : $\eta_m$ )

펌프의 기계효율은 펌프를 구동하는 축동력( $L$ )에 대한 유효동력의 비를 말한다. 또

한, 기계손실 동력을 $L_m$이라 하면, 유효동력은 $(L-L_m)$으로 표시할 수 있다. 그러므로 기계효율을 식으로 표현하면 다음과 같다.

$$\eta_m = \frac{L-L_m}{L} \quad \text{또는} \quad \eta_m = \frac{\gamma H_{th}(Q+Q_l)}{L}$$

여기서, $H_{th}$는 이론양정을 뜻한다. 전체체적은 $Q+Q_1$이다.

보통 $\eta_m$의 범위는 0.90~0.97이다.

### ● 수력 효율(hydraulic efficiency : $\eta_h$ )

수력효율은 이론양정($H_{th}$)에 대한 펌프의 실제양정($H$)의 비를 말한다. 식으로 표현하면 다음과 같다.

$$\eta_h = \frac{H}{H_{th}} = \frac{H_{th}-h_l}{H_{th}}$$

여기서, $h_l$는 펌프 내에서 생기는 수력 손실을 말한다.

보통 $\eta_h$의 범위는 0.80~0.96이다.

### ● 펌프의 전효율( $\eta$ )

위에 표시된 전효율을 다시 표현하여 증명할 수 있다.

$$\eta = \frac{L_w}{L} = \frac{\gamma HQ}{L} = \frac{Q}{Q+Q_l} \times \frac{\gamma H_{th}(Q+Q_l)}{L} \times \frac{H}{H_{th}} = \eta_m \times \eta_h \times \eta_v$$

$\eta =$(기계효율)×(수력효율)×(체적효율)이라고 할 수 있다.

**예제 1** 전양정 20m, 송출 유량 0.5m³/min, 효율 70% 인 원심 펌프에 필요한 축 동력은 몇 kW 인가?

● 펌프의 전효율은 아래와 같다.

$$\eta = \frac{L_w}{L}$$

그러므로 축동력 $L = \frac{L_w}{\eta}$ 에서 구하면 된다.

$$L_w(\text{kW}) = \frac{\gamma QH}{102\times 60} = \frac{1000\times 0.5\times 20}{102\times 60}$$

$$L = \frac{L_w}{\eta} = \frac{1000\times 0.5\times 20}{102\times 60\times \eta} = \frac{1000\times 0.5\times 20}{102\times 60\times 0.7} = 2.33\text{kW}$$

**예제 2** 소요 전력 40kW, 펌프 효율 80%, 전양정 30m 라고 할 때 배수량은 몇 m³/sec 이 되는가?

아래 공식에서 수동력($L_w$)를 구한다.

$$\eta = \frac{L_w}{L}, \quad L_w = \eta \times L = 0.8 \times 40 = 32\,kW,$$

$$L_w(kW) = \frac{\gamma QH}{102 \times 60} \text{ 에 대입한다. 여기서는 } Q \text{ 의 단위가 m}^3/\text{min이므로,}$$

$$L_w(kW) = \frac{\gamma QH}{102} \text{ 에 대입한다. 여기서는 } Q \text{ 의 단위가 m}^3/\text{s이다.}$$

$$L_w(kW) = 32kW = \frac{1000 \times Q \times 30}{102}$$

$$Q = \frac{32 \times 102}{1000 \times 30} = 0.10884(\text{m}^3/\text{s})$$

## (5) 펌프에서 발생하는 수력손실

### 🔵 마찰 손실(friction loss)

펌프의 흡입 노즐에서 송출 노즐까지에 이르는 유로 전체에서 일어나는 손실을 마찰손실이라 한다. 회전차 내의 손실 수두를 $h_f$, 안내장치 내의 손실 수두를 $h'_f$라 하면,(앞장에서 배운 관로의 손실수두 공식을 이용하면)

$$h_f = \lambda \frac{l}{m} \cdot \frac{v^2}{2g} \qquad h'_f = \lambda' \frac{l'}{m'} \cdot \frac{w^2}{2g}$$

로 표현할 수 있다.

여기서, $\lambda, \lambda'$ : 마찰계수(friction factor)   $l, l'$ : 유로의 길이

$m, m'$ : 유로 단면의 수력반경(hydraulic radius)

$v$ : 회전차 내 흐름의 상대속도   $w$ : 안내장치 내 흐름속도

$g$ : 중력 가속도

### 🔵 부차적 손실(minor loss)

회전차, 안내깃, 와류실, 송출 노즐을 유체가 흐를 때에 와류(渦流)에 의해서 일어나는 손실을 부차적 손실이라 한다.

$$h_d = \xi_1 \frac{v^2}{2g}$$

여기서, $\xi_1$는 깃, 안내깃, 송출 노즐에 있어서의 와류 때문에 생기는 손실 계수이다.

● 충돌 손실(shock loss)

회전차의 깃 입구과 출구에 있어서 생기는 충돌에 의한 손실을 충돌 손실이라 한다.

깃 입구와 출구에서의 충돌 손실을 $h_{s1}$, $h_{s2}$ 라 하면

$$h_{s1} = \xi_2 \frac{\Delta v_{u1}^2}{2g}, \quad h_{s2} = \xi_3 \frac{\Delta v_{u2}^2}{2g}$$

여기서, $\Delta v_{u1} = v_{u1}' - v_{u1}$  $\Delta v_{u2} = v_{u2}' - v_{u2}$

단, 「 ′ 」는 회전차 깃 사이의 유로에 대한 값을 나타낸다.

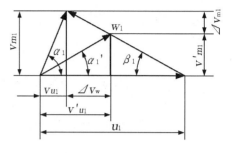

〈깃입구 속도의 충돌성분〉

**예제 1** 안지름 600mm 인 원관을 사용해서 수평거리 20km 떨어진 곳에 유량 70m³/min 의 물을 수송하려고 한다. 수동력(kW)은 얼마인가 ?(단, 원관의 마찰계수($\lambda$)는 0.02 이고, 출구에서의 발생되는 부차적 손실계수는 1 이다)

먼저 유속을 구한다. 유속은 연속방정식 $Q = Au$ 에서 구한다.

$$v = \frac{Q}{A} = \frac{70}{\frac{\pi 0.6^2}{4} \times 60} = 4.12833 \text{ (m/s)}$$

손실수두($H$)=마찰손실수두($H_f$)+부차적손실수두($H_d$)이므로

$H = H_f + H_d,$

$h_f = \lambda \frac{l}{m} \cdot \frac{v^2}{2g}$ 에서 원형관이면 수력반경($m$)$= d$ 이므로,

$$H = \lambda \times \frac{\ell}{d} \times \frac{v^2}{2g} + \xi_1 \frac{v^2}{2g}$$

$$H = 0.02 \times \frac{12000}{0.6} \times \frac{4.12833^2}{2 \times 9.8} + 1 \times \frac{4.12833^2}{2 \times 9.8} = 348.69 \text{ m}$$

$$L_w (\text{kW}) = \frac{\gamma QH}{102 \times 60} \quad (Q\text{의 단위 m/min})$$

$$L_w (\text{kW}) = \frac{1000 \times 70 \times 348.69}{102 \times 60} = 3988.28 \text{kW}$$

로 계산된다.

## 2 왕복펌프

피스톤의 왕복운동에 의하여 유체를 실린더에 흡수하고 송출시키기 위해 오른쪽 그림과 같이 흡입밸브와 송출밸브를 두었다.

원심펌프와 비교시 저속회전되므로 동일유량을 내기위해서 대형으로 해야 한다. 그러나 송출 측 압력은 얼마든지 올릴 수 있어, 송출유량은 적어도 되나 고압요구시에는 왕복펌프를 이용하는 경우가 많다.

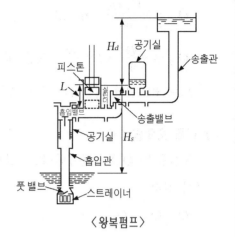

〈왕복펌프〉

### 전양정(total head: $H$)

총손실 수두($h_l$)을 포함한 베르누이의 정리를 이용한다.

$$H = \frac{v_2^2 - v_1^2}{2g} + \frac{p_2^2 - p_1^2}{\gamma} + (z_2 - z_1) + h_l \text{ (m)}$$

왕복 펌프는 고압 저용량이므로, 입구와 출구사이의 속도차($v_2 = v_1$)는 고려하지 않으며, 송출관의 길이가 길므로, 관손실 수두($h_l$)를 고려해야만 한다. 또한, 흡입구와 출구사이의 높이($z_2 - z_1$)은 실양정($H_a$)라 할 수 있다. 식으로 표현하면 다음과 같다.

$$H = \frac{p_2^2 - p_1^2}{\gamma} + H_a + h_l$$

### 이론 체적($V_0$)

왕복펌프의 이론체적은 실린더체적이므로, 아래와 같이 구한다.

$$V_0 = A \times L = \frac{\pi D^2}{4} \times L \text{ (m}^3)$$

여기서, $D$는 실린더 직경 혹은 피스톤직경(m), $A$는 실린더 원면적 혹은 피스톤 면적(m²), $L$은 행정(m)을 나타낸다.

### 이론 송출량($Q_{th}$)

이론 송출량은 이론체적($V_0$)과 회전수(rpm : $N$)의 곱으로 나타낼 수 있다.

$$Q_{th} = V_0 \times N \text{ (m}^3/\text{min)}$$

위 식의 단위를 m/s 로 환산하면,

$$Q_{th} = \frac{V_0 \times N}{60} \ (\text{m}^3/\text{s})$$

$$Q_{th} = \frac{\pi D^2}{4} \times L \times \frac{N}{60}, \ \text{혹은} \ Q_{th} = A \times L \times \frac{N}{60} \ (\text{m}^3/\text{s})$$

으로 유도된다. 단, $D$, $L$ 의 단위는 모두 m로 통일되어야 한다.

● **실제 송출량 ( $Q$ )**

누설유량( $Q_l$ )이 존재한다면, 실제송출량은 이론송출량( $Q_{th}$ )에서 누설유량( $Q_l$ )을 빼야 한다.

$$Q = Q_{th} - Q_l$$

● **체적 효율( $\eta_v$ )**

체적효율은 이론송출량( $Q_{th}$ )에 대한 실제 송출량 ( $Q$ )의 비를 뜻하므로 식으로 표현하면 다음과 같다.

$$\eta_v = \frac{Q}{Q_{th}} = \frac{Q_{th} - Q_l}{Q_{th}} = 1 - \frac{Q_l}{Q_{th}}$$

그러므로 위 식을 근거로 실송출유량을 다음과 같이 구할 수 있다.

$$Q = \eta_v \times Q_{th} = \eta_v \frac{V_0 N}{60} = \eta_v \times \frac{ALN}{60} \ (\text{m}^3/\text{s})$$

**예제 1** 단동 피스톤 펌프에서 실린더 직경 20cm, 행정 길이 20cm, 회전수 80rpm, 체적 효율 90% 이면 토출 유량은 몇 m³/min 인가?

실제 토출유량은 체적효율공식을 이용하여 구한다.

$$Q = \eta_v \times Q_{th} = \eta_v \times \frac{ALN}{60} \ (\text{m}^3/\text{s})$$

$$Q = \frac{\pi}{4} \times D^2 \times L \times \frac{N}{60} \times \eta_v \ (\text{m}^3/\text{s})$$

문제에서 $Q$ 의 단위를 m³/min으로 물었으므로, 위 공식은 아래와 같이 써야한다.

$$Q = \frac{\pi}{4} \times D^2 \times L \times N \times \eta_v (\text{m}^3/\text{min})$$

$$Q = \frac{\pi}{4} \times 0.2^2 \times 0.2 \times 80 \times 0.9 = 0.452 \text{m}^3/\text{min}$$

## ③ 기어펌프

기어 펌프는 기어가 회전하면서 분리될 때 기어 홈에 유체가 흡입되며, 이 유체를 기어가 회전과 동시에 그대로 송출측으로 운송하여 기어가 물릴 때 송출시킨다.

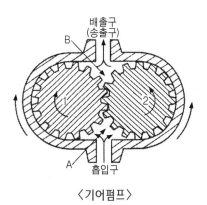

〈기어펌프〉

● 이론 송출량

대략적으로 아래와 같이 구할 수 있다. 즉, 치선원과 치저원의 차로 생기는 중공원면적($A$)에 치폭을 곱해서 구하였다.

$$A = \frac{\pi}{4}(D_a^2 - D_l^2), \qquad Q_{th} = \frac{\frac{\pi}{4}(D_a^2 - D_l^2)bN}{60} \ (\text{cm}^3/\text{s})$$

여기서, $D_a$는 치선원(齒先圓)의 지름(cm), $D_l$은 치저원(齒底圓)의 지름(cm), $b$는 치폭(齒幅)으로 단위는 (cm)이다.

인볼류트(involute) 치차를 사용한 경우, 이론 송출량을 구해보자. 여기서, $D$와 $b$, $h$는 단위가 mm임을 명심해야 한다.

$m = \dfrac{D}{z}$ 이고, 기어의 높이는 보통 $h = 2m$을 사용하므로,

치선원과 치저원의 차로 생기는 중공면적은

$$A = \pi \times D \times h = \pi \times mz \times 2m = 2\pi m^2 z$$

$$Q_{th} = 2\pi m^2 zb\frac{N}{60} \ (\text{mm}^3/\text{s})$$

여기서, $m$은 모듈(module)이다.

● 체적 효율

체적효율은 이론송출량($Q_{th}$)에 대한 실제 송출량 ($Q$)의 비를 뜻하므로 식으로 표현하면 다음과 같다.

$$\eta_v = \frac{Q}{Q_{th}} = \frac{Q_{th} - Q_l}{Q_{th}} = 1 - \frac{Q_l}{Q_{th}}$$

여기서, $Q_l$은 누설유량을 뜻한다.

그러므로 위 식을 근거로 실송출유량을 다음과 같이 구할 수 있다.

$$Q = \eta_v \times Q_{th} = \eta_v \times 2\pi m^2 zb \frac{N}{60} \; (\mathrm{mm^3/s})$$

**예제 1** 유압기기인 치차 펌프의 모듈이 3, 치수가 16, 치폭이 18 mm 일 때 이 펌프가 1200 rpm 으로 회전하면 이론 송출량은 약 몇 $\ell/\min$ 인가?

이론송출량은 다음과 같이 구한다.

$$Q_{th} = 2\pi m^2 zb \frac{N}{60} \; (\mathrm{mm^3/s}),$$

문제에서 이론송출량을 단위 $\ell/\min$로 물었으므로, 위 식을 변형해야 한다.

$$1\mathrm{second} = \frac{1}{60} \min \text{이므로,}$$

$$Q_{th} = 2\pi m^2 zbN \; (\mathrm{mm^3/min}),$$

$$1cm^3 = \frac{1}{1000} l, \quad 1mm = \frac{1}{10} cm \text{이므로,}$$

$$1mm^3 = \left(\frac{1}{10} cm\right)^2 = \frac{1}{1000} cm^3 = \frac{1}{1000000} l$$

$$Q_{th} = \frac{2 \times \pi \times m^2 \times z \times b \times N}{1,000,000} \; (\ell/\min)$$

$$Q_{th} = \frac{2 \times \pi \times 3^2 \times 16 \times 18 \times 1200}{1,000,000} = 19.53 \; \ell/\min$$

## ❹ 수차

### (1) 유효낙차와 출력

● 유효 낙차(effective head : $H$)

$$H = H_g - (h_1 + h_2 + h_3)$$

여기서, $H_g$는 총낙차(취수댐 수면과 방수면의 수직높이)(m), $h_1$은 도수로의 손실수두(m), $h_2$는 수압관 내의 손실수두(m), $h_3$는 방수로의 손실수두(m)를 말한다.

또한, 다음과 같이 베르누이 방정식을 이용하여 양정($H$)를 구할 수 있다. 수차는 펌프와 달리 낙차에 의해 일을 행해지므로, 베르누이 방정식에서 전양정($H$ : 수차가 한 수두)를 2점에 더해주어야 한다.

$$\frac{v_1^2}{2g} + \frac{p_1}{\gamma} + z_1 = \frac{v_2^2}{2g} + \frac{p_2}{\gamma} + z_2 + H$$

으로 표현된다.

$$H = \frac{v_1^2 - v_2^2}{2g} + \frac{p_1 - p_2}{\gamma} + (z_1 - z_2)$$

여기서 $p_1$, $p_2$는 각각 흡입측 압력계와 송출측 진공계에서의 계기 압력 $v_1$, $v_2$는 각각 흡입측의 유속과 송출측의 유속, $y$는 송출측 압력 계기와 흡입측 압력 계기(통상 흡입측은 펌프의 중심선과 일치)와의 수직 거리로 ($z_2 - z_1$)를 뜻한다. 또한, 전양정 $H$는 물의 낙차로부터 수차에 가하여진 에너지 수두라고 할 수 있다.

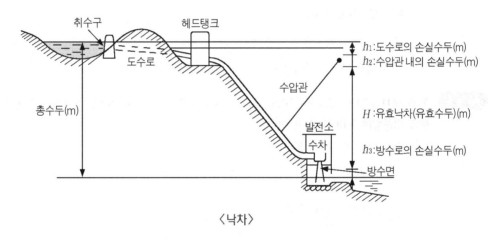

〈낙차〉

## ● 이론 출력($L_{th}$)

원심펌프의 수동력과 계산방법이 같다. 원심펌프를 참조하고 다음은 그 결과식을 나열하였다.

$$L_{th} = \gamma H Q$$

여기서, $\gamma$는 물의 비중량(kgf/m³) $Q$는 유량(m³/s), $H$는 유효 낙차(m)를 말한다.

$$L_{th} = \frac{\gamma H Q}{102} \quad (kW)$$

$$L_{th} = \frac{\gamma H Q}{75} \quad (PS)$$

● 수동력( $L_w$ )

수찬내의 물이 회전차 내에서 생기는 수력손실( $h_l$ )이 존재하고, 수차의 누설유량 ( $Q_l$ )가 존재한다면, 수동력은 아래와 같이 구해진다.

$$L_w = \gamma(H - h_l)(Q - Q_l)$$

$$L_w = \frac{\gamma(H - h_l)(Q - Q_l)}{102} \ \text{(kW)}$$

**예제 1** 유효 낙차를 바르게 설명하면?

다음 공식을 이용한다.

$$H = H_g - (h_1 + h_2 + h_3),$$

$H_g$ 는 총낙차(취수댐 수면과 방수면의 수직높이)(m), $h_1$ 은 도수로의 손실수두(m), $h_2$ 는 수압관 내의 손실수두(m), $h_3$ 는 방수로의 손실수두(m)를 말한다.

**예제 2** 유효 낙차 120m, 유량이 200m³ / sec 인 수력 발전소 수차의 이론 출력은 몇 PS 인가?(단, 물의 비중량은 1,000kgf/m³ 이다)

아래 식에 대입해서 푼다.

$$L_{th} = \frac{\gamma H Q}{75} \ \text{(ps)}$$

$$L_{th} = \frac{1000 \times 200 \times 120}{75} = 3.2 \times 10^5 \ \text{ps}$$

## (2) 수차의 효율

● 수력 효율( $\eta_h$ )

수력효율은 유효낙차( $H$ )에 대한 수차내의 물이 회전차에 실제로 미치는 출력 수두와의 비를 말한다. 식으로 표현하면 다음과 같다.

$$\eta_h = \frac{\text{수차 내의 물이 회전차에 미치는 출력수두}}{\text{유효 낙차}} = \frac{H - h_l}{H}$$

여기서, $h_l$ 는 수차(회전차) 내에서 생기는 수력 손실을 말한다.

## ● 체적 효율( $\eta_v$ )

수차의 체적효율은 수차에 공급되는 유량( $Q$ )에 대한 회전차를 통과한 유량의 비를 말한다. 또한, 수차의 누설유량을 $Q_l$ 라고 하면, 회전차를 통과하는 유량은 $Q-Q_l$ 로 구할 수 있으므로, 체적효율을 식으로 표현하면 다음과 같다.

$$\eta_v = \frac{\text{회전차를 통과한 유량}}{\text{수차에 공급되는 유량}} = \frac{Q-Q_l}{Q}$$

## ● 기계 효율( $\eta_m$ )

수차의 기계효율은 수차를 구동하는 물의 회전차 구동력( $L_w$ )에 대한 실제 수차에서 나오는 구동력(정미출력 : $L$ )의 비를 말한다. 그러므로 기계효율을 식으로 표현하면 다음과 같다.

$$\eta_m = \frac{L}{L_w} \quad \text{또는} \quad \eta_m = \frac{L}{\gamma(H-h_l)(Q-Q_l)}$$

여기서, $H$ 는 유효낙차를 뜻하며, $L_w - L_m = L$ 에서 $L_m$ 은 수차의 기계적 손실에너지라고 한다.

## ● 전효율( $\eta$ )

$$\eta = \frac{\text{정미 출력}}{\text{이론출력}} = \frac{L}{L_{th}} = \frac{L}{\gamma HQ} ,$$

$\eta_m = \dfrac{L}{\gamma(H-h_l)(Q-Q_l)}$ 에서 $L = \eta_m \times \gamma(H-h_l)(Q-Q_l)$ 을 위 식에 대입한다.

$$\eta = \frac{L}{L_{th}} = \frac{L}{\gamma HQ} = \eta_m \times \frac{\gamma}{\gamma} \times \frac{Q-Q_l}{Q} \times \frac{H-h_l}{H} = \eta_m \times \eta_h \times \eta_v$$

$\eta =$ (기계효율)×(수력효율)×(체적효율)이라고 할 수 있다.

---

**예제 1** 유효 낙차 50m, 유량 150m³/sec 의 수력 발전소에서 낼 수 있는 수차의 정미 출력은 몇 kW 인가?(단, 수차의 효율은 80% 이다)

다음 식에서 정미출력( $L$ )을 구한다.

$\eta = \dfrac{L}{L_{th}} = \dfrac{L}{\gamma HQ}$ , $L = \eta \times \gamma QH$ 이므로, 아래와 같이 단위(kW)를 맞춘다.

$$L = \frac{\gamma \times H \times Q \times \eta}{102} \ (\text{kW}) \quad L = \frac{1000 \times 50 \times 150 \times 0.8}{102} = 58823.53\text{kW}$$

### (3) 펠톤(Pelton) 수차

한 개의 회전차에 여러 개의 분사 노즐을 설치할 수 있으며 에너지의 대부분을 회전차로 전달하는 수차이며 비교 회전도가 적고 고낙차에 적합하다.

● **펠톤 수차의 분류 속도**

베르누이 방정식에서 구할 수 있다.(예: $H = \dfrac{v^2}{2g}$ )

$$v = C_v \sqrt{2gH}$$

여기서, $H$는 노즐 입구의 전낙차, $C_v$는 속도 계수이다.

● **펠톤수차의 힘( $F$ )**

유체정역학에서 힘은 식( $F = \rho Q v$)에서 구할 수 있다. 그림은 회전차의 버킷속도( $u$)로 버킷이 회전할 경우, $x$방향의 힘 $F_x$를 구해보자.

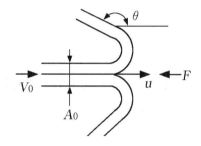

상대속도는 유속( $V_0$)와 버킷속도( $u$)의 차이다. 제어체적에 대한 운동량으로 $x$방향을 고려하자.

$$-F_x = \rho(V_0 - u)\cos\theta\,(V_0 - u)A_0 - \rho(V_0 - u)(V_0 - u)A_0,$$

$$F_x = \rho(V_0 - u)^2 A_0(1 - \cos\theta),$$

위 식은 하나의 베인만을 고려한 것이므로, 연속베인을 고려하면,

베인에 작용하는 유량은 베인속도 $u$를 무시해도 된다. 즉, $Q_0 = A_0 V_0$가 베인에 작용하는 유량이다. 그러므로 아래와 같이 힘을 구할 수 있다.

$$F_x = \rho Q_0 (V_0 - u)(1 - \cos\theta)$$

● **펠톤수차의 동력**

펠톤수차의 동력은 펠톤수차의 힘( $F_x$)과 펠톤수차의 버킷속도( $u$)의 곱으로 표현할 수 있다.

$$H(\mathrm{ps}) = \frac{F_x u}{75}, \quad H(\mathrm{kW}) = \frac{F_x u}{102}$$

여기서, $F_x$의 단위는 kgf이고, $u$의 단위는 m/s 이다.

**예제 1** 그림과 같은 펠톤(pelton) 수차의 버킷에서 $\theta = 160°$, 제트(jet)의 지름이 38mm, 물의 속도가 15m/sec, 버킷의 후퇴 속도 6m/sec 일 때 터빈의 이론 출력은 몇 kW 인가?

기사 97년 9월

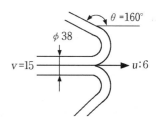

💡 다음 두식에서 구한다.

$$F_x = \rho(V_0 - u)^2 A_0 (1 - \cos\theta), \quad H(\text{kW}) = \frac{F_x u}{102}$$

$\gamma = 1000\text{kgf/m}^3$, $\gamma = \rho g$ 이므로 $\quad \rho = \dfrac{\gamma}{g} = \dfrac{1000}{9.8}\,\text{kgf} - \text{s}^2/\text{m}^2$

$$F_x = \frac{1000}{9.8} \times (15-6)^2 \times \frac{\pi \times 0.038^2}{4} \times (1 - \cos 160) = 18.18\,\text{kgf}$$

$$H(\text{kW}) = \frac{18.18 \times 6}{102} = 1.0694\text{kW}$$

# 5 유압실린더

오른쪽 그림은 단로드형 복동실린더를 나타내었으며, 실린더 내경을 $D(\text{cm})$, 로드의 지름을 $d$ (cm), 유압기의 유량을 $Q(l/\min)$, 작동압을 $p$ (kgf/cm²)이라 하자. 또한 첨자의 1은 전진시, 2 는 후퇴의 경우를 나타낸다.

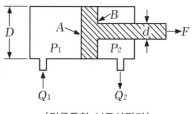

〈단로드형 복동실린더〉

## 🔵 추력(힘 : kgf)

추력($F$)는 하중에 대하여 작용하는 힘을 말한다. 여기서는 간단하게 계산하기 위해서 귀환시의 유압은 0이라 가정하고, 피스톤 작동시의 마찰저항을 무시하면, 다음과 같이 추력을 구할 수 있다.

$$F_1 = A_1 p = \frac{\pi D^2}{4} \times p \ (\text{오른쪽으로 작동시})(\text{kgf}) \quad\cdots\cdots\cdots\cdots\cdots [1식]$$

$$F_2 = A_2 p = \frac{\pi(D^2 - d^2)}{4} \times p \ (\text{왼쪽으로 작동시})(\text{kgf}) \quad\cdots\cdots\cdots\cdots [2식]$$

만일, 각각의 실린더에 압력이 다르게 존재할 경우 추력($F$)는 다음과 같이 구한다. 피스톤에 작용하는 $\Sigma F = 0$ 이므로,

$$F_1 = F_2 + F, \qquad F = F_1 - F_2 = A_1 p_1 - A_2 p_2$$

으로 구할 수 있다.

● 속도(m/min)

피스톤의 속도를 $v$ 라고 하면, 유압실린더의 속도는 다음과 같이 구한다.

$$v_1 = \frac{Q}{A_1}$$

유량 $Q$의 단위가 ($l$/min)이므로, 속도단위 m/min으로 만들기 위해 변형한다.
$A_1$의 단위가 cm²이므로, 또한 $1\ l = 1000\text{cm}^3 = 1000\text{cc}$ 이므로,

$$v_1 = \frac{10Q}{A_1}\ (\text{m/min}) \quad \cdots\cdots\cdots\cdots\cdots\cdots\cdots\cdots\cdots\cdots\cdots\cdots\cdots \text{〔3식〕}$$

$$v_1 = \frac{10Q}{A_2}\ (\text{m/min}) \quad \cdots\cdots\cdots\cdots\cdots\cdots\cdots\cdots\cdots\cdots\cdots\cdots\cdots \text{〔4식〕}$$

● 동력

유압실린더의 동력은 추력과 속도의 곱이다.

$$L = \frac{Fv}{75 \times 60}\ (\text{ps}) = \frac{Fv}{102 \times 60}\ (\text{kW})$$

이므로, 위의 〔1식〕과 〔3식〕, 〔2식〕과 〔4식〕의 곱에서 다음을 구할 수 있다.

$$L = \frac{pQ}{450}\ (\text{ps}) = \frac{pQ}{612}\ (\text{kW})$$

**예제 1** 안지름이 16cm, 추력 F=5ton, 피스톤의 속도V=40m/min인 유압 실린더에서 필요로 하는 유압은 몇 kgf/cm²인가?

🔵 오른쪽 방향으로 작용시 $\quad F_1 = A_1 p = \frac{\pi D^2}{4} \times p$

$$p = \frac{F_1 \times 4}{\pi D^2} \qquad p = \frac{5000 \times 4}{16^2 \times \pi} = 24.86\text{kgf/cm}^2$$

**예제 2** 그림과 같은 실린더의 A 부의 단면적은 4000mm², 축 d 부를 뺀 B 부의 단면적이 300mm² 일 때 압력이 $P_1$ = 30kgf/cm², $P_2$ = 5kgf/cm² 일 때 추력 F 는 몇 kg 인가?

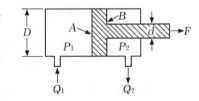

🔵 좌우에 다른 압력이 존재하므로, 아래 식을 적용하여 푼다.

$$F = F_1 - F_2 = A_1 p_1 - A_2 p_2$$
$$F = 40 \times 30 - 30 \times 5 = 1050\text{kgf}$$

**1** Question

총 양정이 90m, 공급수량 1.56 m³/min인 펌프의 동력은 약 몇 PS가 필요한가?(단, 물의 비중은 1이고, 효율은 0.9 이다.)

**해설** 전양정($H$) = 90m 이므로,

$L_w(ps) = \dfrac{\gamma QH}{75 \times 60}$   $\gamma$ : 물의 비중량(kgf/m³),

Q는 유량(m³/min)이므로, 대입하자.

$L_w = \dfrac{1000 \times 1.56 \times 90}{75 \times 60} = 31.2 \, \text{PS}$

펌프효율 $\eta = \dfrac{L_w}{L}$ 에서

$L = \dfrac{L_w}{\eta} = \dfrac{31.2}{0.9} = 34.67 \text{PS}$

**2** Question

유량 30m³/sec, 양정 = 75m 일 때 효율이 50%인 펌프로 물을 올리는데 필요한 마력은?

**해설** 펌프의 전효율 $\eta = \dfrac{L_w}{L}$

그러므로 축동력 $L = \dfrac{L_w}{\eta}$ 에서 구하면 된다.

$L_w(ps) = \dfrac{\gamma QH}{75} = \dfrac{1000 \times 30 \times 75}{75}$

여기서 $Q$의 단위는 m³/sec이다.

$L = \dfrac{L_w}{\eta} = \dfrac{1000 \times 30 \times 75}{75 \times \eta} = \dfrac{1000 \times 30 \times 75}{75 \times 0.5}$

$= 60000 \text{PS}$

**3** Question

전양정이 25 m, 유량이 25 ℓ/s인 유압 펌프에 공급되는 축 동력은 약 몇 kW인가?(단, 유체의 비중량은 900 kgf/m³이고 이 펌프의 효율은 85 %이다.)

**해설** 펌프의 전효율은 다음과 같다. $\eta = \dfrac{L_w}{L}$

그러므로, 축동력 $L = \dfrac{L_w}{\eta}$ 에서 구하면 된다.

$1000 \, l = 1\text{m}^3$ 이므로,

$Q = 25 l/s = \dfrac{25}{1000} \, m^3/s$ 이므로,

$L_w(\text{kW}) = \dfrac{\gamma QH}{102} = \dfrac{900 \times \dfrac{25}{1000} \times 25}{102}$

$L = \dfrac{L_w}{\eta} = \dfrac{900 \times 25 \times 25}{102 \times 1000 \times \eta} = \dfrac{900 \times 25 \times 25}{102 \times 1000 \times 0.85}$

$= 6.4879 \text{kW}$

**4** Question

단동 플런저 펌프(single plunger pump)에서 플런저의 직경이 20cm, 행정이 28cm, 플런저의 매분 왕복수가 100 회, 체적 효율이 90% 일 때, 이 펌프의 실제 흡입량은 얼마인가?

**해설** 실제 토출유량은 체적효율공식을 이용하여 구한다. $Q = \eta_v \times Q_{th} = \eta_v \times \dfrac{ALN}{60}$

여기서, $A$, $L$을 각각 cm로 단위를 넣어서 계산하면, $Q$의 단위는 cm³/s가 된다.

$Q = \dfrac{\pi}{4} \times 20^2 \times 28 \times \dfrac{100}{60} \times 0.9$

$= 13194.7 \text{cm}^3/\text{sec}$

**5** Question

유효낙차 100m, 유량 200m³/sec 인 수력 발전소의 수차에서 이론 출력을 계산하면 몇 kW 인가?

**해설** $L_{th} = \dfrac{\gamma HQ}{102}$   (kW)식에 대입해서 푼다.

$L_{th} = \dfrac{1000 \times 200 \times 100}{102} = 196.078 \times 10^3 \, (\text{kW})$

# 03 공압기기

## ① 송풍기의 출력-저압공압기기

● 송풍기 전압($P_t$)

베르누이 방정식을 이용하자.

$$\frac{v^2}{2g} + \frac{p}{\gamma} + z = C$$

위 식은 수두에 관한 식이므로 $C = H$이다. 위 식에 $\gamma$를 곱하자.

$$p + \frac{\gamma v^2}{2g} + \gamma z = C$$

위 식은 압력에 관한 식이므로, $C = P$라 할 수 있다. 위 식을 다시 표현하면 다음과 같다.

$$P = \left( p_2 + \frac{\gamma v_2^2}{2g} + \gamma z_2 \right) - \left( p_1 + \frac{\gamma v_1^2}{2g} + \gamma z_1 \right),$$

송풍기의 입구와 출구의 위치차는 없으므로,

$$P = \left( p_2 + \frac{\gamma v_2^2}{2g} \right) - \left( p_1 + \frac{\gamma v_1^2}{2g} \right)$$

여기서, $P$를 전압(total pressure), $p_1$, $p_2$를 정압(static pressure), $\frac{\gamma v_1^2}{2g}$,

$\frac{\gamma v_2^2}{2g}$를 동압(dynamic pressure)를 뜻한다.

위 식에 $P_{t2}$를 송풍기 출구의 전압, $P_{t1}$를 송풍기 입구의 전압, $P_{s2}$를 송풍기 출구의 정압, $P_{s1}$를 송풍기 입구의 정압으로 정하고 대입하면 아래의 식이 된다.

$$P_t = \left( P_{s2} + \frac{\gamma}{2g} v_2^2 \right) - \left( P_{s1} + \frac{\gamma}{2g} v_1^2 \right),$$

$$P_{t1} = \left( P_{s1} + \frac{\gamma}{2g} v_1^2 \right), \quad P_{t2} = \left( P_{s2} + \frac{\gamma}{2g} v_2^2 \right) \text{이므로 아래식이 된다.}$$

$$P_t = P_{t2} - P_{t1} \text{ 으로 유도된다.}$$

● 송풍기 정압 ( $P_s$ )

위 식 $P_t = \left( P_{s2} + \dfrac{\gamma}{2g} v_2^2 \right) - \left( P_{s1} + \dfrac{\gamma}{2g} v_1^2 \right)$ 에서 대부분의 송풍기 입구의 속도가 ( $v_1 = 0$ )으로 가정하면,

$$P_t = \left( P_{s2} + \frac{\gamma}{2g} v_2^2 \right) - (P_{s1})$$

$$P_{s2} - P_{s1} = P_t - \frac{\gamma v_2^2}{2g}$$

$P_s$ 를 정압이라 하고, $P_s = P_{s2} - P_{s1}$ 이고, 출구의 동압 $(P_{d2}) = \dfrac{\gamma}{2g} v_2^2$ 이라면 다음 식으로 변형이 된다.

$$P_s = P_t - P_{d2} (\mathrm{kgf/m^2})$$

● 전압 공기 동력 (Total air power: $L_{at}$)

전압동력은 전압력( $P_t$ )과 유량( $Q$ )의 곱이다.

$$L_{at} = \frac{P_t \cdot Q}{102 \times 60} (\mathrm{kW}) = \frac{P_t \cdot Q}{75 \times 60} (\mathrm{PS})$$

여기서, $Q$ 는 유량(풍량)으로 단위는 $(\mathrm{m^3/min})$ 이다.

● 정압 공기 동력 ( $L_{at}$ )

정압동력은 정압력( $P_s$ )과 유량( $Q$ )의 곱이다.

$$L_{as} = \frac{P_s \cdot Q}{102 \times 60} (\mathrm{kW}) = \frac{P_s \cdot Q}{75 \times 60} (\mathrm{PS})$$

● 축동력( $L$ )

회전차가 회전할 때 회전차 축 끝에 걸리는 동력을 말한다.

● 전압 효율 ( $\eta_t$ )

전압효율은 공급한 축동력에 대한 전압 공기 동력의 비를 말한다. 식으로 표현하면 다음과 같다.

$$\eta_t = \frac{\text{전압 공기 동력}}{\text{축동력}} = \frac{L_{at}}{L}$$

● 정압 효율( $\eta_s$ )

정압효율은 공급한 축동력에 대한 정압 공기 동력의 비를 말한다. 식으로 표현하면 다음과 같다.

$$\eta_s = \frac{\text{정압 공기 동력}}{\text{축동력}} = \frac{L_{as}}{L}$$

## (2) 왕복압축기-고압공압기기

● 행정 체적( $V_0$ )

행정체적은 원면적과 행정(거리)의 곱으로 표현할 수 있다.

$$V_0 = AL = \frac{\pi}{4}D^2 L$$

여기서, $A$ : 피스톤 면적(m²), $L$ 는 행정(m), $D$ 는 피스톤의 지름(m)을 뜻한다.

● 체적 효율( $\eta_v$ )

체적효율은 압축기의 행정( $V_0$ )에 대한 실제 압축기의 흡입체적( $V$ )의 비를 말하므로, 식으로 표현하면 다음과 같다.

$$\eta_v = \frac{V}{V_0} = \frac{V_0 + \varepsilon V_0 - V_A}{V_0}$$
$$= 1 - \varepsilon \left( \frac{V_A}{\varepsilon V_0} - 1 \right) = 1 - \varepsilon \left[ \left( \frac{P_2}{P_1} \right)^{1/n} - 1 \right]$$

여기서, $\varepsilon$ 는 간격 체적비=(간격체적/행정체적), $P_1$ 는 흡입구의 압력, $P_2$ 는 송출구의 압력을 뜻한다.

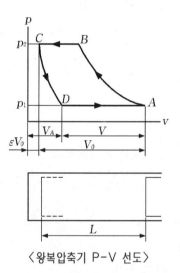

〈왕복압축기 P-V 선도〉

● 등온공기동력( $L_{is}$ )과 전등온효율( $\eta_{is}$ )

등온공기동력은 아래와 같이 표시한다.

$$L_{is} = \frac{p_1 Q_1}{60} \ln \frac{p_2}{p_1} \, (\text{kgf-m/s})$$

여기서, $p_1$ 은 압축기 흡입측 공기압력(kgf/m²), $p_2$ 은 압축기 배출측 공기압력(kgf/m²), $Q_1$ 은 흡입측의 유량(m³/min)이다.

전등온효율은 축동력에 대한 등온공기동력을 말한다.

$\eta_{is} = \dfrac{L_{is}}{L}$ 으로 표시된다.

## ● 단열공기동력( $L_{ad}$ )과 전단열효율( $\eta_{ad}$ )

단열공기동력은 아래와 같이 표시한다.

$$L_{ad} = \frac{k}{k-1} \times \frac{p_1 Q_1}{60} \left[ \left( \frac{p_2}{p_1} \right)^{\frac{k-1}{k}} - 1 \right] (\text{kgf-m/s})$$

여기서, $p_1$은 압축기 흡입측 공기압력($\text{kgf/m}^2$), $p_2$은 압축기 배출측 공기압력($\text{kgf/m}^2$), $Q_1$은 흡입측의 유량($\text{m}^3/\text{min}$)이다.

전단열효율은 축동력에 대한 단열공기동력을 말한다.

$\eta_{ad} = \dfrac{L_{ad}}{L}$ 으로 표시된다.

---

**예제 1** 단열 헤드가 $1.5 \times 10^4 \text{m}$ 를 가지는 터보형 압축기의 축 동력이 190kW 일 때 전 단열 효율은? (단, 흡입 공기량은 1.2kgf/sec 이다)

  전단열동력( $L_{ad}$ )를 구한다.

$L_{ad} = G \times H$ 이므로, $G = 1.2\text{kgf/s},\ H = 1.5 \times 10^4 = 4\text{m}$

$L_{ad} = \dfrac{GH}{102} (\text{kW}) = \dfrac{1.2 \times 1.5 \times 10^4}{102} = 176.47\text{kW}$

$\eta_{ad} = \dfrac{L_{ad}}{L} = \dfrac{176.47}{190} = 0.928789$

즉, $92.88\%$라고 할 수 있다.

**예제 2** 원심송풍기의 전압이 250mmAq, 회전수가 960rpm, 풍량이 16m³/min 일때, 이 송풍기의 회전수를 1400rpm으로 증가시키면 풍량은 몇 m³/min인가?

  공식 $Q = Av$에서 유량 $Q$는 유속 $v$에 비례한다. 또한, 유속 $v$는 송풍기의 회전수와 비례한다. 즉, 송풍기의 이상현상(공동현상 등)과 누설손실이 없다고 가정하면, 송풍기의 회전수(rpm: $N$)에 의해 유속 $v$를 구할 수 있다.

유량은 회전속도와 비례함을 식으로 표현하면,

$Q_1 : Q_2 = N_1 : N_2 \qquad Q_2 = Q_1 \times \dfrac{N_2}{N_1}$

$Q_2 = 16 \times \dfrac{1400}{960} = 23.333\text{m}^3/\text{min}$

## 1.유체기계 기초이론

### ▶ 파스칼의 정리

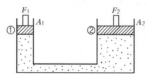

**Question** 　　　　　　　　　기사00년7월 출제

그림에서 피스톤 ①의 단면적이 $A_1 = 5$ cm², ②의 단면적이 $A_2 = 50$ cm²일 때 $F_1$으로서 5 kgf의 힘을 가할 때 $F_2$는 몇 kgf의 힘으로 균형이 되는가?

$$\begin{array}{c} F_1 \quad\quad\quad F_2 \\ \boxed{①} A_1 \quad\quad \boxed{②} A_2 \end{array}$$

㉮ 10  　　　㉯ 25

㉰ 35  　　　㉱ 50

**해설** 파스칼의 원리를 사용한다.

$$p_1 = p_2 , \frac{F_1}{A_1} = \frac{F_2}{A_2}$$

$$F_2 = F_1 \times \frac{A_2}{A_1} = 5 \times \frac{50}{5} = 50 \text{kgf}$$

### ▶ 유체정역학의 기본방정식

**1 Question** 　　　　　　　기사01년6월/03년8월 출제

옥상 물 탱크의 자유 표면에서 수면 아래의 깊이가 20 m인 지점에 있는 작업장 급수밸브의 수압은 몇 kgf/cm²인가?(단, 물의 비중량 $\gamma$ = 1000 kgf/m³ 이다.)

㉮ 0.02  　　　㉯ 0.2

㉰ 2.0  　　　㉱ 20

**해설** 위의 공식 $\Delta p = \rho g h = \gamma h$를 사용한다.

$\Delta p = \gamma h = 1000 \times 20 = 20000 \text{ kgf/m}^2$
단위를 환산하면, $1\text{m} = 100\text{cm}$를 대입하자.

$20000 \text{kgf/m}^2 = 20000 \text{kgf}/(100\text{cm})^2$

$$= \frac{20000}{100^2} \text{ kgf/cm}^2 = 2 \text{kgf/cm}^2$$

**2 Question** 　　　　　　　산업기사04년3회 출제

70 m의 물속의 수압은 수은주의 높이로 약 몇 m인가?

㉮ 0.68  　　　㉯ 36.4

㉰ 3.68  　　　㉱ 5.15

**해설** 위의 공식 $\Delta p = \rho g h = \gamma h$ 에서
$\gamma_1 h_1 = \gamma_2 h_2$이므로, 여기서 $\gamma_1$은 물의 비중량(비중 : 1), $h_1$은 물기둥 높이, $\gamma_2$은 수은의 비중량(비중 : 13.6), $h_2$은 수은주를 나타낸다.

$\gamma_1 h_1 = \gamma_2 h_2$ ,

$$h_2 = h_1 \times \frac{\gamma_1}{\gamma_2} = 70 \times \frac{1}{13.6} = 5.147\text{m}$$

1.㉱ / 1.㉰　2.㉱

## ▶ 일차원 유동에서 연속방정식

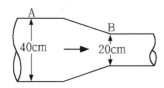

산업기사95년10월 출제

매초 중량 유량 G = 120kgf의 물이 A 에서 B 로 흐를 때 관로 B의 유속은 얼마인가?

A
40cm ⟶ B
20cm

㉮ 5.76m/sec  ㉯ 3.82m/sec
㉰ 8.45m/sec  ㉱ 8.12m/sec

**예설** $Q_1 = Q_2$을 적용하기 위해서, 먼저 $Q_1$을 구한다.

비중량 $= \dfrac{무게}{체적}$ 에서,  $\gamma = \dfrac{G}{Q_1}$ 으로 유도된다.

여기서, $G$ 의 단위는 $(kgf/s)$이고, $Q_1$의 단위도 $(m^3/s)$이다.

물의 비중은 1이므로, $\gamma = 1000\,kgf/m^3$,

$Q_1 = \dfrac{G}{\gamma} = \dfrac{120}{1000}(m^3/s) = 0.12\,m^3/s$

$Q_1 = Q_2 = A_2 v_2,$

$0.12 = \dfrac{\pi \times 0.2^2}{4} \times v_2,$

$v_2 = 0.12 \times \dfrac{4}{\pi \times 0.2^2} = 3.819(m/s)$

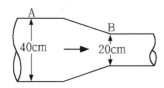

산업기사04년4회 출제

일정 유량으로 유체가 흐를 때, 관의 지름을 두 배로 하면 유속은 몇 배인가 ?

㉮ 1/4  ㉯ 1/2
㉰ 2  ㉱ 4

**예설** $Q_1 = Q_2$이므로, $A_1 v_1 = A_2 v_2$을 변형하면

$\dfrac{\pi d_1^2}{4} \times v_1 = \dfrac{\pi d_2^2}{4} \times v_2$ 양변을 정리하면,

$\dfrac{v_2}{v_1} = \dfrac{d_1^2}{d_2^2} = \left(\dfrac{d_1}{d_2}\right)^2,$

$d_2 = 2d_1$을 대입하면

$\dfrac{v_2}{v_1} = \left(\dfrac{1}{2}\right)^2 = \dfrac{1}{4}$

기사05년2회 출제

직경이 20cm와 30cm의 파이프가 수직으로 직결되어 있다. 직경 30cm파이프 내의 유속이 3.6m/sec 이면 직경 20cm파이프 내의 유속은 약 몇 m/sec 인가?

㉮ 7.2  ㉯ 8.1
㉰ 9.6  ㉱ 12.0

**예설** $Q_1 = Q_2$이므로, $A_1 v_1 = A_2 v_2$을 변형하면

$\dfrac{\pi d_1^2}{4} \times v_1 = \dfrac{\pi d_2^2}{4} \times v_2$ 양변을 정리하면,

$v_1 = v_2 \times \dfrac{d_2^2}{d_1^2} = 3.6 \times \dfrac{30^2}{20^2} = 8.1(m/s)$

## ▶ 베르누이 방정식

기사93년3월/99년8월 출제

유속 6m/sec 인 물의 흐름 속에 피토관을 흐름의 방향으로 세웠을 때 그 수주의 높이는?

㉮ 0.51 m  ㉯ 1.03 m
㉰ 1.36 m  ㉱ 1.84 m

**예설** 피토관의 경우, 압력($p$)와 위치($z$)의 변화가 없고, 속도($v$)만의 함수이므로,

$H = \dfrac{v^2}{2g}$

$H = \dfrac{6^2}{2 \times 9.8} = 1.8367m$

1.㉯  2.㉮  3.㉯  /  1.㉱

**2 Question**

유속 3m/sec 의 물의 흐름 속에 피토관을 흐름에 향하여 세웠을 때 그 수주의 높이 H 는?

㉮ 0.28m      ㉯ 0.34m

㉰ 0.4m      ㉱ 0.46m

답. 라

**해설** 피토관의 경우, 압력($p$)과 위치($z$)의 변화가 없고, 속도($v$)만의 함수이므로,

$$H = \frac{v^2}{2g}$$

$$H = \frac{3^2}{2 \times 9.8} = 0.459m로 \ 계산된다.$$

**3 Question**

물의 속도가 20 m/s로 흐를 때의 속도 수두는 약 몇 m인가?

㉮ 20.41 m      ㉯ 40.80 m

㉰ 51.0 m      ㉱ 102.0 m

**해설** 피토관의 경우, 압력($p$)과 위치($z$)의 변화가 없고, 속도($v$)만의 함수이므로,

$$H = \frac{v^2}{2g}$$

$$H = \frac{20^2}{2 \times 9.8} = 20.41m \ 로 \ 계산된다.$$

## ▶ 고관마찰손실(난류유동)

**1 Question**

안지름 16cm 의 파이프로 매분 2.4m의 물을 흘러가게 할 때 파이프의 길이 100m 마다의 마찰손실수두는?(단, 관 마찰계수 λ = 0.03 이다.)

㉮ 1.53 m      ㉯ 2.56 m

㉰ 3.16 m      ㉱ 3.79 m

**해설** 위의 공식을 이용한다.

$$h = \lambda \frac{l}{d} \frac{v^2}{2g},$$

$v = 2.4(m/min)$, 1분=60초를 대입하면,

$$v = \frac{2.4}{60} \ (m/s),$$

위의 식에 단위를 m로 환산하여 대입한다.

$$h = 0.03 \times \frac{100}{0.16} \times \frac{\left(\frac{2.4}{60}\right)^2}{2 \times 9.8}$$

$$= \frac{0.03 \times 100 \times 2.4^2}{0.16 \times 2 \times 9.8 \times 60^2}$$

$$= 0.00153m = 1.53mm$$

**2 Question**

직경 500mm인 파이프 속을 평균속도가 1.8 m/sec로 흐를 때 관의 길이가 60 m이면 손실수두는 약 몇 m 인가?(단, 관 마찰계수는 f= 0.02 이다.)

㉮ 0.785      ㉯ 0.397

㉰ 0.223      ㉱ 0.120

**해설** 위의 공식을 이용한다.

$$h = \lambda \frac{l}{d} \frac{v^2}{2g}$$

$$v = 1.8(m/s)$$

위의 식에 단위를 m로 환산하여 대입한다.

$$h = 0.02 \times \frac{60}{0.5} \times \frac{(1.8)^2}{2 \times 9.8} = 0.396734m$$

2.㉱   3.㉮   /   1.㉮   2.㉯

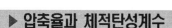
기사95년7월 출제

**Question**

어떤 작동유의 압력을 0 에서 30kgf/cm²까지 증가시켰을 때 체적이 0.222% 감소했다고 한다. 이때 압축률은 몇 cm²/kgf인가?

㉮ $4.24 \times 10^{-5}$  ㉯ $5.46 \times 10^{-5}$

㉰ $6.66 \times 10^{-5}$  ㉱ $7.4 \times 10^{-5}$

**해 설** 아래의 공식을 활용한다.

$$\beta = -\frac{\Delta V}{V_0} \times \frac{1}{\Delta p} \ (cm^2/kgf)$$

$$\eta_v = \frac{\Delta V}{V_0} = 0.00222,$$

$\Delta p = 30 - 0 = 30 \, kgf/cm^2$을 위 식에 대입한다.

$$\beta = -\frac{\eta_v}{\Delta p} = -\frac{0.00222}{30}$$

$$= 0.000074 \ (cm^2/kgf)$$

즉, $7.4 \times 10^{-5} cm^2/kgf$이다.

---

# 2.유체기계 및 유압기기

## ▶ 원심펌프

### ◆ 펌프의 크기

산업기사94년3월 출제

**Question**

어떤 펌프가 970rpm으로 회전하여 전양정 9.2m 에 0.6m³/min 의 유량을 유출한다. 펌프가 1,450rpm 으로 운전할 때 유량은 약 몇 m³/min 가 되나?

㉮ 14.9  ㉯ 0.9

㉰ 0.6  ㉱ 9.2

**해 설** 공식 $Q = Au$에서 유량 $Q$는 유속 $v$에 비례한다. 또한, 유속 $v$는 펌프의 회전수와 비례한다. 즉, 펌프의 이상현상(공동현상 등)과 누설손실이 없다고 가정하면 펌프의 회전수(rpm: $N$)에 의해 유속 $v$를 구할 수 있다. 식으로 표현하면,

$$Q_1 : Q_2 = N_1 : N_2 \quad Q_2 = Q_1 \times \frac{N_2}{N_1}$$

$$Q_2 = 0.6 \times \frac{1450}{970} = 0.897 m^3/min$$

### ◆ 펌프의 전양정

산업기사98년5월 출제

**Question**

그림과 같은 양수장치의 관의 손실이 3m 일 때 전양정(total head)은 몇 m 인가?(단, 송출액면의 압력게이지는 2kgf/cm², 주위는 대기압이

작용하며, 입구와 출구의 속도차는 없다)

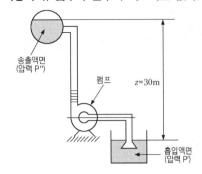

송출액면
(압력 $P''$)

펌프

$z = 30m$

흡입액면
(압력 $P'$)

㉮ 53m  ㉯ 50m

㉰ 52m  ㉱ 58m

**해설** 베르누이 방정식의 아래를 이용한다.

$$H = \frac{v''^2 - v'^2}{2g} + \frac{p'' - p'}{\gamma} + z + h_l$$

속도차가 없으므로,

$2kgf/cm^2 = 20000kgf/m^2$,

물의 비중량 $\gamma = 1000kgf/m^3$ 를 아래에 대입한다.

$$H = \frac{p'' - p'}{\gamma} + z + h_l$$

$$= \frac{20000}{1000} + 30 + 3 = 53m$$

## ◆ 펌프의 수동력

**① Question**

산업기사94년3월 출제

펌프가 수면에서 높이 $H_s$ = 5m 인 곳에 설치되어 있다. 이 펌프에 의하여 높이 $H_d$ = 30m 의 곳에 매초 10m³의 물을 흘려보내려면 이론상 몇 마력이 필요한가?

㉮ 4,667 PS  ㉯ 4,000 PS

㉰ 3,432 PS  ㉱ 2,941 PS

**해설** 전양정($H$) = $H_s + H_d$
= 5 + 30 = 35m 이므로,

$$L_w(ps) = \frac{\gamma QH}{75},$$

$\gamma$는 물의 비중량(kgf/m³), $Q$는 유량(m³/sec)

이므로, 대입하자.

$$L_w = \frac{1000 \times 10 \times 35}{75} = 4666.66\,PS$$

여기서, 펌프의 효율이 나와 있지 않으므로,

$L_w = L_{th}$ 이다.

**② Question**

기사03년8월 출제

펌프의 토출압이 60kgf/cm², 토출량이 30ℓ/min 인 유압펌프의 펌프동력은 몇 마력(PS)인가?

㉮ 3  ㉯ 4

㉰ 5  ㉱ 6

**해설** 유압펌프의 동력은 $L_w = PQ = \gamma QH$ 에 대입한다.

$1l = 10^3 cc = 10^3 cm^3$,

$Q = 30l/min = 30 \times 10^3 cm^3/min$

$L_w = PQ$ (kgf-cm/min)

$L_w = \frac{PQ}{100}$ (kgf-m/min),

$L_w = \frac{PQ}{100 \times 60}$ (kgf-m/s)

$L_w(ps) = \frac{PQ}{75 \times 60 \times 100}$

$= \frac{60 \times 30 \times 10^3}{75 \times 60 \times 100} = 4PS$

**③ Question**

기사05년1회 출제

흡입양정이 10m이고, 송출양정이 30m인 펌프의 전양정은 몇 m인가?

㉮ 3m  ㉯ 20m

㉰ 30m  ㉱ 40m

**해설** 전양정($H$) = $H_s + H_d$
= 10 + 30 = 40m 이다.

1.㉮  2.㉯  3.㉱

## ◆ 펌프 효율

**① Question** 산업기사95년10월/98년3월 출제

전양정 20m, 송출 유량 0.5m³/min, 효율 70%인 원심 펌프에 필요한 축 동력은 몇 kW인가?

㉮ 1.63 kW  ㉯ 2.22 kW
㉰ 2.33 kW  ㉱ 3.17 kW

**해설** 펌프의 전효율은 아래와 같다.

$$\eta = \frac{L_w}{L}$$

그러므로 축동력 $L = \frac{L_w}{\eta}$ 에서 구하면 된다.

$$L_w(\text{kW}) = \frac{\gamma QH}{102 \times 60} = \frac{1000 \times 0.5 \times 20}{102 \times 60}$$

$$L = \frac{L_w}{\eta} = \frac{1000 \times 0.5 \times 20}{102 \times 60 \times \eta}$$

$$= \frac{1000 \times 0.5 \times 20}{102 \times 60 \times 0.7} = 2.33\text{kW}$$

**② Question** 산업기사97년3월 출제

소요 전력 40kw, 펌프 효율 80%, 전양정 30m 라고 할 때 배수량은 몇 m³/sec이 되는가?

㉮ 0.1088m³/sec  ㉯ 0.2548m³/sec
㉰ 0.3724m³/sec  ㉱ 0.6524m³/sec

**해설** 아래 공식에서 수동력($L_w$)를 구한다.

$$\eta = \frac{L_w}{L},$$

$$L_W = \eta \times L = 0.8 \times 40 = 32\,\text{kW},$$

$$L_w(\text{kW}) = \frac{\gamma QH}{102 \times 60} \text{ 에 대입한다.}$$

여기서는 $Q$의 단위가 m³/min이므로,

$$L_w(\text{kW}) = \frac{\gamma QH}{102} \text{ 에 대입한다.}$$

여기서는 $Q$의 단위가 m³/s이다.

$$L_w(\text{kW}) = 32\text{kW} = \frac{1000 \times Q \times 30}{102}$$

$$Q = \frac{32 \times 102}{1000 \times 30} = 0.10884(\text{m}^3/\text{s})$$

**③ Question** 산업기사05년1회 출제

총 양정이 90m, 공급수량 1.56 m³/min인 펌프의 동력은 약 몇 PS가 필요한가?(단, 물의 비중은 1이고, 효율은 0.90이다.)

㉮ 18.72  ㉯ 31.20
㉰ 34.67  ㉱ 62.40

**해설** 전양정($H$)=90m 이므로,

$$L_w(ps) = \frac{\gamma QH}{75 \times 60}$$

$\gamma$ : 물의 비중량(kgf/m³),

Q는 유량(m³/min)이므로, 대입하자.

$$L_w = \frac{1000 \times 1.56 \times 90}{75 \times 60} = 31.2\,\text{PS}$$

펌프효율 $\eta = \frac{L_w}{L}$ 에서

$$L = \frac{L_w}{\eta} = \frac{31.2}{0.9} = 34.67\text{PS}$$

**④ Question** 기사01년6월/03년8월 출제

전양정이 25 m, 유량이 25 ℓ/s인 유압 펌프에 공급되는 축 동력은 약 몇 kW인가?(단, 유체의 비중량은 900 kgf/m³이고 이 펌프의 효율은 85%이다.)

㉮ 4.69  ㉯ 6.49
㉰ 46.87  ㉱ 64.88

**해설** 펌프의 전효율은 다음과 같다. $\eta = \frac{L_w}{L}$

그러므로 축동력 $L = \frac{L_w}{\eta}$ 에서 구하면 된다.

$1000\,\ell = 1\text{m}^3$ 이므로,

$$Q = 25\ell/s = \frac{25}{1000}\,\text{m}^3/s \text{ 이므로},$$

$$L_w(\text{kW}) = \frac{\gamma QH}{102} = \frac{900 \times \frac{25}{1000} \times 25}{102}$$

$$L = \frac{L_w}{\eta} = \frac{900 \times 25 \times 25}{102 \times 1000 \times \eta} = \frac{900 \times 25 \times 25}{102 \times 1000 \times 0.85}$$

$$= 6.4879\text{kW}$$

1.㉰  2.㉮  3.㉰  4.㉯

## ▶ 왕복펌프

산업기사95년10월/03년8월 출제

**1 Question**

단동 피스톤 펌프에서 실린더 직경 20cm, 행정 길이 20cm, 회전수 80rpm, 체적 효율 90% 이면 토출 유량은 몇 m³/min 인가?

㉮ 0.0753      ㉯ 0.271

㉰ 0.452      ㉱ 0.542

**해 설** 실제 토출유량은 체적효율공식을 이용한다.

$$Q = \eta_v \times Q_{th} = \eta_v \times \frac{ALN}{60} \ (\text{m}^3/\text{s})$$

$$Q = \frac{\pi}{4} \times D^2 \times L \times \frac{N}{60} \times \eta_v \ (\text{m}^3/\text{s})$$

문제에서 $Q$의 단위를 m³/min으로 물었으므로, 위 공식은 아래와 같이 써야한다.

$$Q = \frac{\pi}{4} \times D^2 \times L \times N \times \eta_v (\text{m}^3/\text{min})$$

$$Q = \frac{\pi}{4} \times 0.2^2 \times 0.2 \times 80 \times 0.9$$

$$= 0.452 \text{m}^3/\text{min}$$

산업기사96년10월 출제

**2 Question**

단동 플런저 펌프(single plunger pump)에서 플런저의 직경이 20cm, 행정이 28cm, 플런저의 매분 왕복수가 100 회, 체적 효율이 90% 일 때, 이 펌프의 실제 흡입량은 얼마인가?

㉮ 0.729m³/s    ㉯ 0.0147m³/s

㉰ 0.0132m³/s    ㉱ 0.0129m³/s

**해 설** 실제 토출유량은 체적효율공식을 이용하여 구한다. $Q = \eta_v \times Q_{th} = \eta_v \times \frac{ALN}{60}$

여기서, $A$, $L$을 각각 cm로 단위를 넣어서 계산하면, $Q$의 단위는 m³/s가 된다.

$$Q = \frac{\pi}{4} \times 0.2^2 \times 0.28 \times \frac{100}{60} \times 0.9$$

$$= 0.01319 \text{m}^3/\text{sec}$$

## ▶ 기어펌프

기사99년4월/01년6월 출제

**1 Question**

유압기기인 치차 펌프의 모듈이 3, 치수가 16, 치폭이 18 mm 일 때 이 펌프가 1200 rpm 으로 회전하면 이론 송출량은 약 몇 ℓ/min 인가?

㉮ 65.1      ㉯ 19.5

㉰ 1.5      ㉱ 0.3

**해 설** 이론송출량은 다음과 같이 구한다.

$$Q_{th} = 2\pi m^2 zb \frac{N}{60} \ (\text{mm}^3/\text{s}),$$

문제에서 이론송출량을 단위 ℓ/min로 물었으므로, 위 식을 변형해야 한다.

$$1 \text{second} = \frac{1}{60} \text{ min 이므로},$$

$$Q_{th} = 2\pi m^2 zbN \ (\text{mm}^3/\text{min}),$$

$$1cm^3 = \frac{1}{1000} l,$$

$$1mm = \frac{1}{10} cm \text{이므로},$$

$$1mm^3 = \left(\frac{1}{10} cm\right)^2 = \frac{1}{1000} cm^3$$

$$= \frac{1}{1000000} l$$

$$Q_{th} = \frac{2 \times \pi \times m^2 \times z \times b \times N}{1,000,000} \ (\ell/\text{min})$$

$$Q_{th} = \frac{2 \times \pi \times 3^2 \times 16 \times 18 \times 1200}{1,000,000}$$

$$= 19.53 \ \ell/\text{min}$$

1.㉰  2.㉰  /  1.㉯

# ▶ 수 차

## ◈ 유효낙차와 출력

**1** Question ········································· 기사94년3월 출제 ●

**유효 낙차를 바르게 설명한 것은 어느 것인가?**

㉮ 총낙차에서 수로, 수압관, 방수로의 손실 수두를 뺀 것.

㉯ 총낙차에서 수로 손실 수두를 뺀 것.

㉰ 총낙차에서 수압관, 수압관의 손실 수두를 뺀 것.

㉱ 총낙차에서 수압관, 방수로의 손실 수두를 뺀 것.

**해 설** 다음 공식을 이용한다.

$H = H_g - (h_1 + h_2 + h_3)$,

$H_g$는 총낙차(취수댐 수면과 방수면의 수직높이)(m), $h_1$은 도수로의 손실수두(m), $h_2$는 수압관 내의 손실수두(m), $h_3$는 방수로의 손실수두(m)를 말한다.

**2** Question ········································· 기사97년9월 출제 ●

**유효 낙차 120m, 유량이 200m³ / sec 인 수력 발전소 수차의 이론 출력은 몇 PS 인가 ?(단, 물의 비중량은 1,000kg/m³ 이다)**

㉮ 89          ㉯ 5.322

㉰ $3.2 \times 10^5$          ㉱ $2.2 \times 10^6$

**해 설** 아래 식에 대입해서 푼다.

$$L_{th} = \frac{\gamma HQ}{75} \ \ (\text{ps})$$

$$L_{th} = \frac{1000 \times 200 \times 120}{75} = 3.2 \times 10^5 \ \text{ps}$$

**3** Question ········································· 산업기사05년1회 출제 ●

**유효낙차 100m, 유량 200m³/sec 인 수력 발전소의 수차에서 이론 출력을 계산하면 몇 kW 인가?**

㉮ $400 \times 10^3$          ㉯ $300 \times 10^3$

㉰ $196 \times 10^3$          ㉱ $100 \times 10^3$

**해 설** 아래 식에 대입해서 푼다.

$$L_{th} = \frac{\gamma HQ}{102} \ \ (\text{ps}),$$

$$L_{th} = \frac{1000 \times 200 \times 100}{102}$$

$$= 196.078 \times 10^3 \ \text{ps}$$

## ◈ 수차의 효율

**1** Question ········································· 기사96년3월 출제 ●

**유효 낙차 50m, 유량 150m³/sec 의 수력 발전소에서 낼 수 있는 수차의 정미 출력은 몇 kW 인가?(단, 수차의 효율은 80% 이다)**

㉮ 62,455kW          ㉯ 58,824kW

㉰ 49,677kW          ㉱ 37,247kW

**해 설** 다음 식에서 정미출력( $L$ )을 구한다.

$$\eta = \frac{L}{L_{th}} = \frac{L}{\gamma HQ}, \ \ L = \eta \times \gamma QH \ 이므로,$$

아래와 같이 단위(kW)를 맞춘다.

$$L = \frac{\gamma \times H \times Q \times \eta}{102} \ (\text{kW})$$

$$L = \frac{1000 \times 50 \times 150 \times 0.8}{102}$$

$$= 58823.53 \ \text{kW}$$

## ◆ 펠톤(Pelton) 수차

그림과 같은 펠톤(pelton) 수차의 버킷에서 $\theta$ = 160°, 제트(jet)의 지름이 38mm, 물의 속도가 15m/sec, 버킷의 후퇴 속도 6m/sec 일 때 터빈의 이론 출력은 몇 kW 인가?

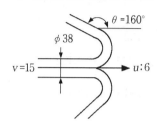

㉮ 1.97kW  ㉯ 1.85kW

㉰ 1.78kW  ㉱ 1.07kW

**해설** 다음 두식에서 구한다.

$$F_x = \rho(V_0 - u)^2 A_0 (1 - \cos\theta),$$

$$H(\text{kW}) = \frac{F_x u}{102}$$

$$\gamma = 1000\text{kgf/m}^3, \quad \gamma = \rho g \text{이므로}$$

$$\rho = \frac{\gamma}{g} = \frac{1000}{9.8}\,\text{kgf}-\text{s}^2/\text{m}^2$$

$$F_x = \frac{1000}{9.8} \times (15-6)^2$$

$$\times \frac{\pi \times 0.038^2}{4} \times (1 - \cos 160)$$

$$= 18.18\,\text{kgf}$$

$$H(\text{kW}) = \frac{18.18 \times 6}{102} = 1.0694\text{kW}$$

## ▶ 유압실린더

안지름이 16cm, 추력 F=5ton, 피스톤의 속도 V=40m/min인 유압 실린더에서 필요로 하는 유압은 몇 kgf/cm²인가?

㉮ 14.3  ㉯ 24.9

㉰ 31.2  ㉱ 46.7

**해설** 오른쪽 방향으로 작용시

$$F_1 = A_1 p = \frac{\pi D^2}{4} \times p$$

$$p = \frac{F_1 \times 4}{\pi D^2}$$

$$p = \frac{5000 \times 4}{16^2 \times \pi} = 24.86\text{kgf/cm}^2$$

그림과 같은 실린더의 A 부의 단면적은 4000mm², 축 d부를 뺀 B부의 단면적이 300mm² 일 때 압력이 $P_1$ = 30kg/cm², $P_2$ = 5kg/cm² 일 때 추력 F 는 몇 kg 인가?

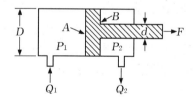

㉮ 850kg  ㉯ 1,050kg

㉰ 1,250kg  ㉱ 1,450kg

**해설** 좌우에 다른 압력이 존재하므로, 아래 식을 적용하여 푼다.

$$F = F_1 - F_2 = A_1 p_1 - A_2 p_2$$

$$F = 40 \times 30 - 30 \times 5 = 1050\text{kgf}$$

# 3.공압기기

기사94년6월 출제

**❶ Question**

단열 헤드가 $1.5 \times 10^4$ m 를 가지는 터보형 압축기의 축 동력이 190kW일 때 전 단열 효율은? (단, 흡입 공기량은 1.2kgf/sec 이다)

㉮ 93%  ㉯ 83%

㉰ 79%  ㉲ 58%

**해 설** 전단열동력($L_{ad}$)를 구한다.

$L_{ad} = G \times H$ 이므로, $G = 1.2\text{kgf/s}$,

$H = 1.5 \times 10^4 = 4\text{m}$

$L_{ad} = \dfrac{GH}{102} \, (\text{kW}) = \dfrac{1.2 \times 1.5 \times 10^4}{102}$

$\qquad = 176.47\text{kW}$

$\eta_{ad} = \dfrac{L_{ad}}{L} = \dfrac{176.47}{190} = 0.928789$

즉, 92.88%라고 할 수 있다.

**❷ Question**

산업기사05년3회 출제

원심송풍기의 전압이 250mmAq, 회전수가 960rpm, 풍량이 16m³/min 일 때, 이 송풍기의 회전수를 1400rpm으로 증가시키면 풍량은 몇 m³/min인가?

㉮ 19.36  ㉯ 23.33

㉰ 34.03  ㉲ 49.62

**해 설** 공식 $Q = Av$ 에서 유량 $Q$ 는 유속 $v$ 에 비례한다. 또한, 유속 $v$ 는 송풍기의 회전수와 비례한다. 즉, 송풍기의 이상현상(공동현상 등)과 누설손실이 없다고 가정하면, 송풍기의 회전수(rpm : $N$)에 의해 유속 $v$ 를 구할 수 있다. 유량은 회전속도와 비례함을 식으로 표현하면,

$Q_1 : Q_2 = N_1 : N_2$

$Q_2 = Q_1 \times \dfrac{N_2}{N_1}$

$Q_2 = 16 \times \dfrac{1400}{960} = 23.333\text{m}^3/\text{min}$

1.㉮  2.㉯

## 저자약력 및 Q&A

◆ 서 영 달  (現) 수원공업고등학교 자동차과
E-mail : seo1225@hanmail.net

◆ 정 지 욱  (現) 한국자동차정비학원
E-mail : cirklo@hotmail.com

◆ **일반기계공학 공식과 해설**   정가 17,000원

| | |
|---|---|
| 초판 발행   2006년 1월 23일 | 엮 은 이 : 서영달 · 정지욱 |
| 1판 4쇄 발행  2018년 1월 15일 | 발 행 인 : 김 길 현 |
| | 발 행 처 : 도서출판 골든벨 |
| | 등    록 : 제 3-132호(87. 12. 11) |
| | ⓒ 2006 *Golden Bell* |
| | I S B N : 89−7971−629−X−13550 |

㉾ 04316 서울특별시 용산구 원효로 245 (원효로1가 53-1) 골든벨 빌딩
TEL : 영업부 (02) 713-4135 / 편집부 (02) 713-7452 • FAX : (02) 718-5510
E-mail : gbpub@gbbook.co.kr • http : // www.gbbook.co.kr

※ 파본은 구입하신 서점에서 교환해 드립니다.